The
Loyal
Pin

簪定今生

Presented by
Monmaw
with VISE

[下]

簪定  今生

CONTENTS

第二十七章　解決問題

說到棘手的問題……

Anil 公主又回到了這既陌生又熟悉的地方，畢竟她曾在這裡生活過好幾年，看來她的前腳才剛踏上這塊土地，解決不完的問題便像潮水般一波一波接踵而至。

首先迎面而來的麻煩來自 Henry……這位金髮碧眼的少年和 Anil 是建築系上的同學，此刻的他彷彿陷入愛情的深淵裡進退維谷，少年困在了漆黑幽暗的洞裡，無法攀爬至洞口面對外頭的現實。

無論 Anil 公主的表現有多麼冷淡，Henry 依舊鍥而不捨，宛如他的身上沒有耳朵也沒有聽覺細胞，無法聽見公主一遍又一遍的回絕。

少年時常在教學大樓前、圖書館和宿舍附近的公園等候 Anil 公主，只為了找機會簡單地和她聊一些瑣事，例如彼此喜歡的書、下週要交給教授的作業，或是最普通的今天天氣如何等等……

好笑的是，在那些閒談中，Henry 總是不忘在一些小小的斷句中加入一點甜言蜜語。

然而對 Anil 公主來說，Henry 的那些情話不亞於一直在耳邊盤旋的蟲子所發出的嗡嗡聲，聽了令人感到極度煩躁。

Anil 公主把這件事說給了大哥聽，後者上禮拜才和妻子在歐洲各國渡完蜜月，現在住在他位於郊區的一棟別墅裡，大王子聽完事情的來龍去脈後笑了好久，最後才表示會出手幫妹妹

處理這個棘手的問題。

於是上禮拜 Anantawut 王子請 Anil 公主邀請 Henry 來別墅一起吃頓晚餐，起初少年一聽到公主的邀約時，不僅相當喜出望外，而且還樂得合不攏嘴，然而，直到親自和王子同桌用餐後……他臉上燦爛的笑容便輕而易舉地被王子冷峻犀利的面孔驅走了。

那天的晚餐過得特別漫長且難耐，Henry 的身體彷彿被窒息的空氣捆縛住，尤其當大王子語氣低沉嚴肅，但嘴角仍掛著笑容拷問他的身家背景時，Henry 更是畏怯地如一顆石頭般僵硬……

發現 Henry 回答問題時變得支支吾吾後，大王子開始列出一長串 Anil 公主的伴侶應該要有的資產，最後再補充道，公主必須脫離皇室才能和平民成親。此外，他還特別加重語氣，態度十分決然地表示絕對不會讓妹妹自己處理這件事。

Henry 的臉從頭到尾蒼白得毫無血色，桌上的菜餚幾乎吃不到幾口，但大王子依舊滔滔不絕地對著這位金髮少年說教，講述著一位紳士該具備的言行舉止。

「女生都已經清楚拒絕好幾百次了，還這樣一直對人家窮追不捨，聽起來有點丟人啊。」大王子犀利的眼神毫不避諱地瞪著 Henry 碧藍的雙眼。「學學如何做個紳士吧，Henry。」

到門口送客時，大王子捏了一下少年厚實的肩膀，離別前的最後這句話雖然簡短，但聽起來像是要讓對方牢牢記住，並乖乖照字面上的意思去做。

「請你……不要再來打擾 Annie 了！」

慶幸的是，從那天的晚餐之後，Henry 對於 Anil 公主避之唯

恐不及，彷彿公主是駭人的鬼魂般望而生畏。大王子從妹妹的口中聽到少年的轉變後不停捧腹大笑。

「不過，我想應該不只有 Henry 喜歡 Anil 而已……」

「……」

「對吧……？」

Anil 公主左右為難，不知道該如何回答大王子的問題，因為她怕哥哥回到 Sawetawarit 城後，會不小心在和其他人的對話中脫口而出，使這件事最後傳進了 Pilanthita 的耳裡。

「對。」

「那為何妳只和我提到 Henry 呢？」大王子的臉上揚起一抹和藹的微笑，然而食指卻像在思忖什麼般，一上一下地敲著中央的桌子。「還有幾位金髮碧眼的男子在追求我的妹妹？」

「其他人我還能應付呀，哥哥只需要知道他們也喜歡我就好，但只有 Henry 死纏著我不放。」

「我問妳還有幾個人。」大王子一本正經的語氣逼得 Anil 公主無路可退。

「應該……嗯……大概五個人。」Anil 公主細聲道，低頭看著自己放在大腿上交扣的雙手。

「咳咳咳！」大王子原本正抿了一口熱茶，聽到回答的那瞬間，突然被茶水嗆得厲害。「太多了，Anil！」

「……」

這下換成 Anil 公主舉起茶杯喝了幾口熱茶，尷尬地不知該如何應對哥哥的反應。

「那妳打算如何處理這些事……？」Anantawut 王子此刻犀利的眼神和他的父親如出一轍。

「我都不理不睬。」

Anil公主實話實說，因為那些少年們沒有太過干擾她，他們只是偶爾會在遠處偷瞄，和送一些公主不曾打開讀的情書，或是在過節時侷促地走到公主面前送花給她。

但當公主沒有收下那些花束……

甚至毫不在意時……

這些不足為奇的小事自然就不太重要。

「妳沒有對誰動心是嗎？」大王子濃密的眉毛蹙成了一團結。「這樣聽下來，我還真不想回去面對父親大人。」

「我沒有喜歡任何人……大哥不需要擔心。」Anil公主美麗的臉蛋看起來充滿焦慮。「拜託相信我。」

「我一直都知道妳很漂亮又迷人……」大王子傷腦筋地按了按自己的耳廓。「但沒想到會這麼有魅力。」

「我也不是故意要讓事情變成這樣。」Anil公主悶悶地道。

「原本我想生一個長相和性格都像妳這樣的女兒，畢竟我一直都把妳視為自己的大女兒。」

「……」

「但現在妳讓我知道，如果真的有個像妳這樣的女兒，我的腦袋肯定會因血管爆裂而亡。」

公主聞之不禁笑了出來，尤其看到Anantawut王子英俊的臉龐真的變得非常嚴肅、焦慮時，她就越忍俊不禁。

「哥哥說得像是不想要讓女兒像我一樣了。」

「好啦，我還是想有個跟妳一樣的女兒。」大王子微笑著道，誰叫現在Anil公主正努著嘴擺出鬧脾氣的樣子。

「如果大哥真的有女兒了，你會幫她取什麼名字？」

「我決定要叫她 Alinlada。」大王子的神色溫柔無比。「這樣就能跟 Anil 的名字呼應了。」

聞之，公主的眼角立刻因喜悅而變得溫熱……

Anil 知道，大哥的愛無形中一直都在，但現在它變得更加具體、更能令人感受到它的溫度。

「我一直很愛妳，也很擔心妳……」

「……」

「但我無法一直在身邊保護妳。」

「……」

「總之……Anil 請好好照顧自己喔！」

＊　＊　＊

既 Henry 之後，第二個棘手的問題的主角，並不是來自向哥哥報備的那五位少年們之一，而是來自某位暹羅的女性達官貴族，這號人物甚至連哥哥也不知道。

Aon 小姐……或稱 Alisara Sawadipat，是名身材嬌小、臉蛋清純甜美的少女，也是泰國駐英國大使的小女兒，曾經是 Anil 公主的兒時玩伴，現在和 Anil 公主就讀同一所大學的政治系。

關於 Aon 小姐的問題，可謂是更加複雜了。

以前 Aon 小姐是公主剛來英國時少數關係很好的朋友之一，有她在，公主就能稍微緩解一點對家鄉的思念。

Alisara 經常在週六邀請 Anil 公主到她父親的高級別墅一起吃晚餐，並且待到夜深後留下來過夜，接著週日一早再一同去家裡附近那座綠意盎然的公園野餐。

這個週末，Anil 公主睽違了好幾個月再次回到英國後，又收到了 Aon 小姐的邀約。

「最近殿下回泰國了……Aon 好無聊啊。」Aon 小姐突然說道，一旁的 Anil 公主正在她的大臥室裡複習課業。

「是嗎……？」Anil 公主出於禮貌迅速地抬起頭來向對方微微一笑，隨即又低下頭盯著課本，彷彿紙上有什麼令人非常好奇的東西。

這些年來，Aon 小姐的某些舉動其實已經能明顯看出她對 Anil 公主別有意思，例如兩人來到英國後又碰巧在同一所大學相遇，但 Anil 公主一直假裝不聞不問，這樣比起直接開門見山地問來的簡單多了，而且還不會破壞彼此的友誼……

「對呀……」Aon 小姐邊說邊坐在 Anil 公主旁邊緊鄰著的沙發上。

「……」

「Aon 好想殿下……」Aon 小姐悄聲說完後便裝作若無其事，彷彿自己柔弱的話語會隨著周遭的一切漸漸蒸發。

Anil 公主依舊裝作沒聽見，然而，這晚 Alisara 出乎意料之外地突然跨越了友情的界線。

她趁著公主陷入沉睡前，悄悄地抱住了對方。

「殿下……」

「……」

「可以分一點愛給我嗎？」Alisara 加重雙手的力道，以致公主無法再裝作昏昏欲睡的樣子。

「Aon 小姐……」Anil 公主清楚明白事情的真相，內心對於 Pilanthita 的愧疚感使她立刻把 Aon 小姐的雙臂推開。

「Aon喜歡殿下很久了⋯⋯殿下不知道嗎？」少女顫抖的聲音拂過了Anil公主粉嫩的雙耳。

「我知道。」公主撇過臉，忽然解開對方的懷抱那瞬間，Aon小姐的眼淚驟然撲簌落下。「但妳也知道⋯⋯我們兩人無法相愛。」

這是第一次心裡仍在掙扎著，但嘴上已經搶先一步找了藉口，但此刻的Anil公主真的已經毫無退路了⋯⋯

公主最後的唯一一條出路，或許不得已只剩搬出同性戀的藩籬來壓制Aon小姐。

「妳是大使的女兒⋯⋯」

「⋯⋯」

「而我是Sawetawarit家的公主⋯⋯」

「⋯⋯」

「無論從哪個角度看都沒有結果。」

「⋯⋯」

「這還沒有把最重要的原因算在內⋯⋯」

「⋯⋯」

「最重要的是，我對妳絲毫沒有愛情方面的情感⋯⋯」

Anil公主的話音一落，Alisara立刻痛苦地嚎啕大哭，一整晚淚流不止，使公主忍不住感到十分內疚。

艱難地度過那晚後⋯⋯Anil公主就再也沒有答應到對方家裡吃飯的邀約了⋯⋯

不過，Anil公主想要有個閨中密友的願望並未完全被澆熄。

即使全世界沒有人願意在不帶任何企圖的情況下和Anil公主交朋友，至少還有Emma這位摯友不會背叛她。

「Emma……」

Anil公主放鬆地向後倒在翠綠柔軟的草皮上，身旁躺著高中時期的好姊妹Emma，這位朋友即便上了不同的大學依舊和公主保持親密的友誼。

「嗯？」

Emma輕輕回了聲，她正陶醉於享受倫敦難得的藍天，以致幾乎不想開口和任何人談話。

「我好累。」Anil公主疲倦地怨嘆了一聲。「長大後……就沒有人想和我當朋友了。」

「妳在跟我開玩笑是嗎……？」Emma慢慢側身撐起身子，為了能清楚與滿臉愁容的好朋友對視。「又來了？」

「嗯……」

「這次又是誰啊？」

「Sara。」公主說出了Emma習慣聽到的英文名字。

「如果是Sara，老實說我不意外……」Emma依舊維持側躺的姿勢看著對方無精打采的臉。「她表現得很明顯」

「我也看得出來……」

「但妳還一直答應她的邀約，甚至經常到她家過夜。」

「有時我就想跟泰國人聊聊天嘛，跟Sara一起吃晚餐的時候，我總覺得有種回到家裡的感覺……」

「嗯，這樣說多少能理解。」

「但以後我恐怕不會再被邀請去大使的家了。」Anil公主說完長嘆了一口氣。

「就像妳不能再去我們高中的圖書館那樣嗎？」Emma咯咯笑道。「前幾天Helen小姐有提到妳。」

一聽到 Helen 小姐，那位年紀 40 歲出頭，舉止優雅大方的圖書館員，公主纖長的眉毛立刻皺了起來。

回泰國前不久，Anil 公主三不五時就會到高中的圖書館逛逛，因為她經常和 Emma 相約在那裡見面。或許是因為曾經相談甚歡，那位美麗的圖書館員總是特別款待公主，包括替她和朋友準備大窗戶旁那張十分溫暖的沙發，好讓她們有一個舒服的角落看書，或是和公主侃侃而談彼此喜歡的書籍，甚至每次都會精心為她準備甜點和零食。

然而在某一個深夜……當兩人聊完最近喜歡的書後，Helen 小姐卻突然使這段輕鬆愉快的關係變得複雜難解，破天荒的舉動令 Anil 公主感到始料未及。

或許是因為那晚的和風細雨使人的心動搖了……

抑或是因為深夜時分的圖書館沒有其他使用者……

也有可能是因為沙發旁的檯燈暈染出柔和的黃光，映在公主清秀的臉龐上使其看起來格外溫婉清麗……

無論是什麼原因，最後 Helen 小姐絲毫未經 Anil 公主的同意，便奪走了對方這輩子唯一的初吻。

公主用力推開眼前那張美麗的臉，還沒等到一句道歉，隨即轉身匆匆忙忙地離開了。

話說……直到此時此刻，Anil 公主依舊對這件事感到氣憤不已。

「我以建築師的尊嚴發誓……我再也不會去那裡了！」

「哼……真是魅力無法擋。」Emma 說完又躺了回去，繼續悠然自在地望著天空。

「我又不想變成這樣……」Anil 公主的雙唇不滿地癟成一條

向下彎曲的弧線。「我只是做自己而已。」

「那只能說妳運氣比較不好了。」Emma淡然一笑。「因為只不過是做自己而已……」

Emma的音量變得很微弱，聽起來不像是在和對方說話，反而像是在自言自語。

「光是這樣……就已經充滿無與倫比的魅力了。」

「Emma……妳剛剛說什麼？我聽不太清楚。」

Anil公主轉頭盯著Emma藍綠色的眼珠，臉上掛著溫柔的招牌笑容。

「沒有……」

「……」

「沒事……」

「……」

「不用理我。」

第二十八章 唇膏

沒有 Anil 的人生變得極為索然無味，彷彿我周遭的一切都套上了一層慘淡的褐色濾鏡，這一年來，每天每夜都像是在龜速前進，猶如掉進了時間的無底洞。

再次回過神……

我發現，我體內尚存的每一口呼吸，彷彿只是為了等待 Anil 回來……

「Prik，有我的信嗎？」

我向 Prik 問道，她正揹著她最喜歡的那個包包，袋子裡裝著從大皇宮帶回來的褐色信封袋和一盒包裹……但我明知自己四天前才剛收到來自倫敦的信，無論如何威逼利誘，現在她也不可能變出 Anil 的信給我。

我不能怪在遠方的那個人…… Anil 公主一向說到做到，六年前，她總是每天各寫一張明信片，集滿七張後再和同一個禮拜的信寄回來，以前的她怎麼做，現在的她就依然維持著這個習慣。

變得不一樣的人反而是我，我總是無時無刻渴望著什麼……

或許是因為現在必須面對的一切比六年前來的繁複許多，所以我想有個心靈上的依靠一點也不奇怪。

因為就算裝作忽視我們的愛巢松宮，每當從臥室的窗戶望出去時，我的腦海裡便會浮現出每一幀屬於那棟木造寢宮的畫面，從內心深處記憶中模糊的影像，漸漸變得清晰明亮。

又或是就算將其視為一場夢，假裝遺忘了我們之間密不可分的關係……每個夜晚，我的身體總是會無法克制地渴望 Anil 溫暖輕柔的觸摸。

「如果 Pin 小姐想要收到更多的信……」Prik 的臉稍微撇向一旁，眼珠向上翻，雙唇向下癟，一副心想著我看不到她現在的表情的樣子。「請寫信跟 Anil 公主說，麻煩請殿下多寫一些信給您。」

「說什麼話啊……」我用力地瞪回去。「那樣做的話，等於給妳的主人太多甜頭。」

「難道不是因為 Pin 小姐很早就獻給殿下了嗎……?」

「嗯……」

「包括您的心和……」

「Prik！」

這傢伙真是太調皮了！Prik 是唯一一位知道我和 Anil 的關係的人，只要一個不注意，就會經常這樣被她戲弄。

但每次當我在信中抱怨 Prik 時……Anil 總是不會和她計較。

「對不起，Pin 小姐。」Prik 低下頭表現出知錯的樣子，但仍流露出一道狡猾的眼神。「在下的嘴吐不出象牙！」她邊說邊輕輕地用掌心打了打自己的雙唇。

「讓我來打吧。」

「沒關係，不用了！」Prik 的臉色終於蒼白了一點。

「妳要去哪就快去吧。」我厭煩地左右搖頭，並擺了擺手，彷彿把 Prik 當成了一隻惱人的飛蛾。

「吼！Pin 小姐呀，別像是在趕豬或趕貓那樣趕我嘛，我只不過是跟您開開玩笑罷了……」Prik 解釋了一大堆，隨後從她的

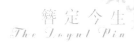

大袋子中掏出一盒小包裹，畢恭畢敬地遞到我面前。「Pin小姐不想收到這個包裹了嗎？」

光是用餘光瞥見上方那些熟悉的英文手寫體，我的心跳便止不住地加速，唯恐Prik會不小心聽見我胸口猛烈的心跳聲。

「妳不是說沒有嗎！」我壓低聲音質問道，臉上充滿了不悅。

「您只有問有沒有信而已呀……」Prik抬起嘴角的樣子看了真討厭，好想狠狠地打她一頓。「沒有提到包裹。」

「妳真的想看我生氣是嗎……？」雖然嘴上這麼說，但我知道現在的自己已經無法再掩飾臉上的笑容了。「趕快把包裹給我。」

「咦……要不要給您呢？」這個臭小孩挑釁地敲了敲自己的太陽穴。「如果把這盒來自國外的重要物品交給Pin小姐……在下是否有幸能嚐到一些好吃的東西呢？」

哼……

Prik還是如此詭計多端。得知她的最終目標後，我不禁大嘆了一口氣。

「妳想吃什麼就說吧……有空我會去做給妳吃。」即便非常不情願，但我還是答應了她的請求，因為我已經等不及想要擁有那盒包裹了。

「在下的嘴真是太有福氣了！」

Prik笑得嘴角都快貼至耳朵，而我則像是個輸家只能不停嘆氣。

「給您，Pin小姐。」

我接過那個深褐色的盒子並將擁入懷中，那瞬間，我臉上

的笑容絕對不亞於Prik。

「我要去一趟Anil在松宮的臥室……剩下的麻煩Prik了。」

「是的，Pin小姐。」Prik與我對視了一眼便明白意思了。

這幾年比起在自己的房間，我更常跑去Anil在松宮的主臥室讀她寫的信，因為信中我們兩人的對話偶爾會有些過於甜蜜、直白的字句，使我不想被任何人發現。

尤其是姑姑……

因此我都會請Prik暗中觀察姑姑的行動。

若我還在松宮裡獨處時，姑姑看起來有想要找我的跡象，Prik就會立馬跑來告知我。

有時如果Prik沒有來稟報……我就能一整天都將自己沉浸在Anil白藍相間的臥室，就像是進到了平行時空，這裡和外頭的現實世界猶如天堂和地獄般天差地遠。

至少在她的房間裡……

我能讓想像力催眠我自己……Anil只是去大皇宮和Alisa夫人吃午餐而已。

再過幾個小時後，就會回來享用午後的熱茶和點心……

不久後就會回來了……

剛開始Anil不在身邊的時候，我一心只想留住她身上那股複雜細膩的香味，珍藏著屬於她的所有物品，包括她穿過的衣服、她枕過的枕頭、她蓋過的棉被，甚至連她擦過的毛巾我都不讓Prik拿去洗。然而就算把一切都保存起來，隨著時間的流逝，Anil的體香也漸漸隨之消散了。

我唯一能做的，只能眼睜睜地看著一切跟著時間的巨輪輪轉……

Anil 白色的臥室裡，現在只剩下一股新家具混合著一塵不染的味道，因為 Prik 每天都認真勤奮地來打掃松宮的每個角落。

我以最輕的力道關上主臥室的大門，接著如同以往坐在角落那張書桌前，將懷中小巧的深褐色盒子放在桌子中央，我凝視著某人所寫的英文字一陣子後，才小心翼翼地拿起剪刀慢慢拆開精美的紙盒，盒中有兩個大小不一的海軍藍絨毛盒子上下疊在一起，一旁夾著一張同樣顏色的信，上頭蓋著熟悉且柔美的銀色封蠟章。

亮晶晶的封蠟章上印有「P&A」的字樣，一朵一朵的花在周遭繞成一圈花環，我忘情地輕撫著印章上的紋路好一會，最後謹小慎微地以最不傷害紙張的方式打開這封信。

來自 Anil 的信

致 Anil 的一切—— Pin 小姐

First of all……請您一如既往收下我在您的額頭、雙頰和雙唇上的輕吻，雖然這些吻因遙遠的大陸和大海而變得虛無縹緲

但請您相信……我對您的吻即使現在捉摸不到，但都是切切實實存在的

就如同無法用肉眼看見的思念……

我卻能感受到它存在於我的每一寸呼吸中

我依然於每個睡前和夢醒時分無時無刻想著 Pin 小姐……

而我也希望您同樣思念著彼此

我每天最大的願望就是能在夢裡見到您

然而人生無法每件事都順心如意

就連自己的夢也無法隨心所欲地控制

夢不見您的夜晚……

隔天一早醒來我總是感到極度空虛

忍不住埋怨命運，讓我就算在夢裡也看不到您的臉

Pin小姐呢……

有沒有夢到我……？

很抱歉我不小心扯太遠了，其實這封信主要的目的，只是要解釋這兩個盒子的來歷罷了

從上一封信的時間推算，您應該快要領到畢業證書了，很可惜我又沒有機會參與您人生的重要時刻，也無法親自送上祝福，只好以這副首飾代替我，讓您戴著它們參加典禮

第一個盒子裡的是我為您訂製的珍珠耳環

若您仔細觀察，便能發現後方的白金耳扣上刻有一個明顯的英文字母，右邊的是P，而左邊的是A

現在您應該明白我有多想和您在一起了……

不僅如此，我的A刻在左邊的耳環，也等於和您的心臟位於同一側

請您戴著這副耳環參加畢業典禮，讓我能一同慶祝您長久以來的努力，以及得來不易的成就好嗎？

如果可以這麼做的話……我一定會非常非常開心！

第二個禮物是一支黑色的鋼筆，筆管上刻有金色的「Pilanthita」字樣，我想用這支鋼筆代表Pin小姐即將踏入人生的下一個階段……

您已經從年輕的少女，蛻變成成熟穩重的大人了

從今以後，無論Pin小姐選擇做什麼職業，抑或不打算工

作，我都祝福您在所選的道路上順順利利，祝您有十足的勇氣面
對新的世界，也請您記住，無論遇到好事或壞事，我都會永遠陪
在您身邊

　　就算全世界都與您為敵，我也絕對不會傷害您……

　　最後，我不希望您對這兩份禮物的喜歡超過對我的喜愛……
但我希望至少它們能喚起您甜美的微笑

　　讀到這裡……Pin 小姐的臉上是否正掛著微笑？

　　如果答案為「否」

　　能不能對著這封信笑一下呢？

　　p.s.我在信中附了一張最近拍的照片，那天我突發奇想打了
領帶並穿著長裙去上學

　　如果今晚我許的願望成真了

　　我希望能幸運地在夢裡和Pin 小姐相遇

　　　　　　　　　　　　　　　　　　　　　　　　愛您……

　　　　　　　　　　　　　　　　　　　　　　　　Anil

　　我不斷反覆閱讀 Anil 工整秀麗的筆跡，出神地撫摸著白淨
的信紙好長一段時間後，接著從信封裡拿出那張相片。我凝視
著它，心中百感交集，不知是否承受得住。

　　最後與那對深邃明亮的雙眼對視的那瞬間，我不得不用手
背抹去不停落下的淚水……我記憶中 Anil 那張倩麗的臉龐，在
這張照片裡更是呈現出無與倫比的美麗。

Anil深色的眼眸依舊深深吸引著我，烏黑亮麗的秀髮自然地垂在肩膀旁，側邊的髮絲塞在耳後，露出了一副高貴的金色耳環，更加凸顯她眉目清秀的臉蛋，她的雙唇上擦著她最愛的磚紅色唇膏，讓人看了不禁感到目眩神迷⋯⋯

再次見到Anil的那一刻，我意識到自己對她的思念，已經四溢成一股強烈的苦痛⋯⋯即便只是一張沒有生命的照片，但卻能使我脆弱得不堪一擊。

我長嘆一口氣，隨後彎腰打開書桌的抽屜，從各種尺寸的空相框中挑出其中一個，接著將這張新的照片放進別緻的相框裡。深情地摩娑相框許久後，我才把注意力放回面前的兩個絨布盒。

第一個盒子裡裝著一副光潔瑩亮的珍珠耳環，珍珠的四周鑲著一圈小小的鑽石，看起來相當漂亮、時尚，很符合Anil的眼光，翻到背面就能看見白金製成的耳扣上，和Anil所說的一模一樣清楚地刻著英文字母P和A。

而第二個盒子裡則躺著一支鋼筆，它的筆身比我曾經看過的還來得細，上頭用金色塗料刻著我的英文名字⋯⋯

Anil越是展現出她的柔情，贈送給我的這些禮物就越顯得細膩⋯⋯

我把首飾盒和相框攢在手中，移步到床頭旁的梳妝臺，謹慎地戴上Anil送我的珍珠耳環，並出神地盯著自己反射在鏡子裡自豪的樣子。

這副耳環果真似乎使我的臉看起來更加端莊、貴氣。

不過如果照Anil所期望的，讓這副耳環擔任她的替身⋯⋯

只能說這副耳環徹底地失敗了⋯⋯

世上有什麼物品能代替愛人溫暖的擁抱呢？

當我的雙眼不經意看向相框裡那位摯愛時，我忍不住自憐地笑了出來。

親愛的 Anil……

我不奢望收到什麼您送的禮品

我只渴望您能回到我身邊……

最後剩下的一年看起來仍遙遙無期

我擔心等不到您回來給我擁抱，我恐怕就先抑鬱而終了

您知道……我對您的愛有多深嗎？

我在腦中不停構思這封永遠不會送出的信，接著從抽屜中取出 Anil 留在這裡的磚紅色唇膏，恍惚地將其擦在我的唇瓣上。

我得意地看著自己蒼白的臉因磚紅色的唇彩而變得富有生氣，這支昂貴的唇膏帶有著 Anil 獨特的香氣，於是我緊緊抿起雙唇，仔細地、慢慢地舔拭著唇膏的味道……

柔滑細膩……且深長久遠……

光是如此，在某些瞬間……

我彷彿又感受到了唇膏主人的親吻。

拜託……

不要讓別人知道這件羞恥的事……

關於我……

竟然偷擦 Anil 的唇膏，並透過品嘗自己唇上的唇彩來渴望她的吻。

第二十九章 新世界

「Pin……妳真的不考慮改變心意嗎？」

「要改變什麼心意，Thanit？」

Pilanthita抬起頭道，她原本正在埋首檢視褐色的長桌上那一大疊的文件。被她盯著的這位少年有著古銅色的肌膚，五官十分立體，和她從大學時期就是同一群的朋友，Thanit依舊不敢正眼看Pin小姐，他羞澀地笑了笑，然後鼓起勇氣輕聲道：

「就是換成固定在這裡工作啊。」

Thanit邊說邊戰戰兢兢地偷瞄Pin小姐，害怕他的反駁和質問，會讓對方覺得一直反覆被同樣的問題糾纏而感到厭煩。

「為什麼要換啊？」將近一年過去了……Pin小姐的答案依舊堅定不移。「我覺得現在的一切最適合我了。」

Pilanthita莞爾一笑，她這麼說並非只是想隨口拒絕Thanit的邀請，相反的，她說的每字每句都是發自內心的實話，雖然她出社會的第一份工作是靠姑姑廣泛的人脈得來的，但她很滿意姑姑幫她找到的這份工作。現在她任職於「微風」出版社，負責翻譯學術和文學類的文章。

第一個原因是因為出版社的老闆Phakaphan阿姨是姑姑的好朋友，老闆娘給予Pin小姐能在蓮花宮裡翻譯書籍的自由，只要準時繳交譯稿，她就能依譯作的數量獲得應有的酬勞。

除此之外，Phakaphan阿姨還把Pin小姐當作自己的女兒般寵愛，不僅相當讚賞她對譯文用字的雕琢，還經常為她網羅許多有趣的文學作品。

　　第二個原因是 Pin 小姐覺得很榮幸能搶先所有人一步，盡情地沉浸在西方的青少年文學世界裡，書中的某些橋段或章節彷彿使她重溫了年少的時光，無論是在無盡的想像維度裡緊張刺激的冒險，以及令人心碎的離別，或是即便周遭全是無法脫逃的黑暗和絕望，主角依舊充滿了希望。

　　而最後且最重要的原因，是因為這間出版社的名字使她想起了某個人……

　　「Anilaphat 這個名字的意思是美麗的微風。」大約兩年前 Anil 公主回到英國留學後，當初看到 Pin 小姐難過得不吃不睡時，姑姑曾經向她說過這句話。

　　「Pin 小姐看過風停下來不動嗎？」

　　「沒看過，姑姑……」

　　「那就別再難過了。」

　　「……」

　　「我們就靜靜地等待微風再次繞回來拂過身邊吧。」

　　直到現在……Pilanthita 依舊記得姑姑說話時的聲音有多麼溫柔動聽。

　　這段話可謂她人生中聽過最優美的安慰了……

　　僅次於父母的葬禮上，姑姑給她的那個最溫暖的擁抱。

　　那個寒冷的雨夜，賦予她生命的兩人化成了灰燼，是姑姑在最脆弱的時候緊緊抱住了她，這輩子再也沒有任何安慰能勝於那個擁抱。

　　除了替她找到工作外，Padmika 姑姑還買了一輛全新的歐洲車送她，取代了蓮花宮那輛年久失修的老爺車，這樣 Perm 大哥

送她去出版社時，Pilanthita才不會覺得沒面子。此外，姑姑發現Pin小姐經常彎著身子縮在書閣裡工作一整天，因此決定砸重金重新裝潢一番，將其打造成一間高級且摩登的辦公室。

綜合以上原因，Pin小姐怎麼能不愛這份工作呢？

「我就知道妳一定會這樣回答。」少年尷尬地扯了一下嘴角，隨後偷偷長嘆了一口氣。

「明知故問。」Pilanthita笑道。「為什麼你這麼想要我換來這裡工作？」

「因為……這樣我旁邊就有伴了。」下一句Thanit的聲音小到幾乎像在講悄悄話。「我的辦公桌旁都坐著一群阿姨們，不知為何總覺得有股莫名的迷惘和空虛。」

Pilanthita聞之不禁呵呵笑了出來，一想到出版社的辦公室裡那些負責行政和財務的前輩們，忍不住感到有點抱歉，他們大部分都是長相較為嚴肅的中年女子，使整個辦公室的氣氛變得像是間禪堂般沉悶無比。

Thanit當初照著Pilanthita的建議申請擔任這間出版社的校稿員，因為當時他是Pin小姐的朋友們中唯一一位仍在待業的人，而Sunee和Chada的家裡都已經為她們準備好職位，等著畢業後就回去經營家業。收到Pin小姐給的工作推薦函時，Thanit樂得喜上眉梢，雖然不是擔任他一直夢想著的編輯，但至少比起躺在家裡無所事事，這可算是朝著夢想踏出第一步的大好機會，而且最重要的是，這樣他就能經常看見已經暗戀多年的Pin小姐。

然而這卻變成了Pin小姐不喜歡一直待在辦公室裡工作的原因，Pilanthita當然知道Thanit對她抱有什麼情感，這世上大概

只有當事人自以為自己把對 Pin 小姐的感情藏得天衣無縫，然而他的一舉一動卻完全將愛意表露無遺。

儘管心知肚明……Pin 小姐卻只能繼續裝作視而不見，因為她不想像最近對付 Kawin 一樣，斬釘截鐵地和對方斷絕來往。

Sunee 的這位哥哥在 Pin 小姐身邊死纏爛打好多年了，她原本都默默隱忍著，直到這名男子竟然大膽地談起她的婚姻狀況，最後被踩到底線的 Pin 小姐才決定不再客氣了。

「只要 Pin 小姐準備好了……我就會帶著父親來提親。」

Pilanthita 記得那天下午的這句話令她氣得火冒三丈，那傢伙怎麼敢來求這個永遠得不到的東西……

這輩子 Pin 小姐也不可能給他！

「如果這些年來我曾經做了某些事讓您誤以為我喜歡您，我在此向您誠摯地道歉。」

Pilanthita 費盡千辛萬苦才能在說話的當下不讓自己發抖，畢竟她已經氣得滿肚子火。

「總之，從今以後，我不會再和您有任何關連。」

「……」

「請您從現在開始立刻消失在我眼前。」

這件事情同樣成為 Pin 小姐和 Sunee 友情的終點，因為這位曾經的好友事後不斷想方設法修復她和 Kawin 的關係，想不到卻幫了個倒忙，把自己也拖下水，最後 Pin 小姐將這位雞婆的媒人婆連同列入了黑名單。

直到現在她仍不願意和 Sunee 和 Kawin 重啟對話。

Pilanthita 只希望同樣的事件不會發生在 Thanit 這位好朋友身上。

「呼⋯⋯終於完成了。」檢查完所有堆在桌上的文件後，Pin小姐大大喘了一口氣。「Perm大哥差不多要來接我了。」

少女看了一眼手腕上那只最愛的手錶，那是Anil公主為了恭喜她開始在出版社上班而送她的禮物。

「才來一下子而已⋯⋯這麼快就要走了喔？」

Thanit的臉色瞬間垮了下來，他失落地看著Pilanthita美麗的臉龐，忍不住對自己的命運感到自怨自艾，幸福的時光太過短暫，從Pin小姐進辦公室交稿，直到檢查完所有文件，總共才大約不到三個小時而已。

「我送妳去坐車好嗎？」

Thanit沒有意識到⋯⋯他現在的眼神就像小狗水汪汪的大眼，只可惜Pilanthita對於世界上的動物完全都沒興趣。

唯一能使她心軟的眼神，現在位於遙遠的地球另一側⋯⋯

「不用了。」Pilanthita站起身，毫不遲疑地抓起她的小手提包。

「但是⋯⋯」

「乖乖待在你該待的位子就好。」

Pilanthita這句冰冷的話如同一把利刃，直直戳進了Thanit的心房。少年怎麼可能聽不出來女方的言外之意，至少在他越界之前，Pin小姐還很好心地提醒他，讓他知道該掌握好分寸。

「路上小心！」Thanit費力地吞了一口唾液後道。「下次見。」

「再見。」

Pilanthita禮貌地微微笑，接著頭也不回地離開了。

＊＊＊

「Prik。」

「是的，Pin小姐。」

Prik正在挑選適合的皇冠花串成花環，為了用來裝飾大皇宮的大禮堂，三天後，這裡即將舉行Anon王子和泰國駐英國大使的長女Ornida Sawatdipat小姐（或稱之為Orn小姐）的訂婚儀式。

雖然Anon王子沒有照父親或大王子的心願選擇名門皇族的女兒，但Ornida幾乎在各個方面都和二王子十分相配，例如貴為大使的女兒，Orn小姐的社經地位並不比貴族的子女還差，此外，兩人畢業於同一所大學，教育程度也相當，Orn小姐的姿態氣質高貴，令人一看便知道是大家閨秀，更不用提到她的財力背景，Sawatdipat家族可說是整個帕那空地區的首富。

「妳覺得Anil公主有沒有可能回來參加二王子的訂婚宴？就像以前曾經回國參加大王子的結婚典禮。」

Pin小姐半信半疑地問她的僕人，雙手一邊熟稔地串著花環。

「我覺得這次很難了。」Prik邊說邊小心翼翼地偷偷觀察Pin小姐的臉色，深怕一個不小心，便會傷了對方如同被撕了一半的白紙般脆弱的心靈。「剩下三、四個月殿下就要正式完成學業了，公主應該會想要把事情都處理完再一次回來，而且這次二王子的訂婚宴不像上次大王子的婚禮有迎娶的程序，因此Anil公主恐怕沒機會回來參加二王子的訂婚宴了。」

「說的也是……」

Pin 小姐嘆了好長一口氣，失落地將縈繞在腦中將近一週的希望全部拋諸腦後，她原本一直期待著 Anil 公主會再次回來給她一個驚喜，沒想到連 Prik 都比她還現實多了。

「除非……」Prik 的聲音聽起來突然變得非常興奮。

「除非什麼？」Pin 小姐也跟著興奮了起來。

「除非 Anil 公主提早畢業呀！」

Pin 小姐思忖了半晌，遂又長嘆了一口氣。

「若是如此，Anil 應該會在信中告訴我……但她一個字都沒提到。」

「再忍耐一陣子吧，Pin 小姐。」Prik 忍不住安慰 Pilanthita。「不到四個月 Anil 公主就會回來了。」

「我知道。」

「……」

「我每天都會圈日曆……」

Pin 小姐惆悵的眼神刺痛著 Prik 的心，因為只有她知道，關於 Anil 公主的事能使 Pin 小姐變得多麼脆弱。

「Prik 知道 Anon 王子的未婚妻 Orn 小姐，就是 Anil 公主以前的好朋友 Aon 小姐的姊姊嗎……？」

「我知道。」

Prik 趕緊回答，同時偷偷觀察 Pin 小姐的表情，對於這個突如其來的問題感到疑惑。

「我一直很不喜歡 Aon 小姐……」

「……」

「就像我不喜歡 Euangfah 小姐那樣……」

「明白了，Pin 小姐。」

　　Prik 點頭表示理解。一聽到 Pin 小姐將 Aon 小姐和 Euangfah 小姐相比，Prik 便立刻明白了對方的意思。

　　「那你應該懂我心裡的鬱悶了吧？」Pin 小姐將玫瑰花瓣摺成半圓形，再和其他的花朵串成花環。

　　「是的，我明白了。」

　　「這下 Sawetawarit 和 Sawatdipat 兩家的關係即將密不可分，就像 Darawan 家族的皇室們變成了 Sawetawarit 家族的近親。」Pin 小姐忍不住提到蒙昭 Chakkham 一家人。

　　「而我們 Kasidit 家族只是非常遠的遠親，完全無法和他們相比……」

　　「那又怎樣！我甚至連一點皇室的血緣也沒有，姓氏只有短短的 Pricha 幾個字，但我相信這並不影響 Anil 公主對我的關愛和疼愛！」

　　「……」

　　「Pin 小姐的話聽起來像是不夠認識公主殿下……」

　　「……」

　　「您現在還不相信嗎？……對於 Anil 公主來說……Pilanthita Kasidit 比世界上任何人都高貴。」

　　「妳真的這麼認為嗎……？」

　　Pilanthita 放下串花串的勾針，疑信參半地看著 Prik，從 Anil 的僕人兼好朋友口中說出的這段話，聽起來格外有份量。

　　「沒錯，Pin 小姐。」Prik 抬頭挺胸道。這名少女只有 19 歲，但心智年齡卻相當超齡。「除了 Kasidit 外，我不曾看過公主在乎其他姓氏的人。」

　　「……」

「老實說，殿下和皇室的人幾乎沒什麼互動……」

「……」

「殿下只在乎您一人而已……」

Pilanthita愣了許久後，才放鬆心情、語調柔和地回道：

「妳跟妳的主人一樣嘴甜呢！」

「主人和僕人之間本來就能心意相通呀～」Prik抬起嘴角。「世上沒人能比我更懂Anil公主的心！」

「哼……」

眼看Pin小姐低頭繼續串手中的花串，不打算再爭個沒完後，Prik也把注意力放回認真挑選皇冠花了。

* * *

Anon王子的訂婚儀式完美結束了，而且辦得比Anantawut王子的訂婚宴更加奢華貴氣，非常符合Sawatdipat家族的富豪形象。

久別了好幾年後，Pilanthita在早上的儀式中再度見到了Aon小姐，對方多次僵硬地對她笑了笑，Pin小姐能感受到那些笑容夾雜著某種憂慮，然而儘管表面上看得出來……實際上卻不知道Aon小姐因什麼事而不開心。

至於Anil公主的部分就如Prik先前所預料的，一整天連個影子也沒看見，Sawetawarit家的小女兒果然沒有回來參加二王子的訂婚儀式。

即便如此，Pilanthita依舊相信奇蹟會發生，說不定公主會在中途突然現身。然而直到最後一個環節結束……

Pin小姐經常在小說最終章讀到的奇蹟，這次卻消失得無影無蹤……

雖然事情已經過了好幾週，一股強烈的失落感依然徘徊在Pilanthita的每個思緒裡，尤其越接近Anil公主回國的日子，她的內心就變得越焦急，因為公主遲遲沒有在信中告訴她確切的日期。

彷彿Anil公主正在百般折磨著她，使她因無窮無盡的等待而痛不欲生……

每當Pilanthita的心被悵然若失的感覺襲擊時，唯一能療傷的地點只有Anil公主位於松宮的臥室，因此白天去微風出版社和編輯討論完最新一部的譯作後，一回到家，Pin小姐立即偷偷摸摸地溜去松宮。

Pilanthita旋開門把，騰出剛好能讓自己悄悄鑽進房間裡的縫隙，門鎖扣上的那瞬間，Pin小姐回過頭來盯著那個門把，好似有話需要和它聊聊。

喀……

然而，Pilanthita卻感覺到背後有雙纖細的手臂暖暖地抱住了她。

那股熟悉的、複雜細膩的香味……

緊緊靠在身上那道柔軟細嫩的觸感……

耳畔的輕聲細語……

「Pin……」

「……」

「我好想妳……」

第三十章 歸來

Pilanthita 的身子被某人的雙臂環抱住，後方的人撒嬌著將臉埋進她嬌小的肩背裡，少女緊緊握住對方的手臂，以此來回應溫暖的擁抱，像是在確認自己沒有在作夢。

Pilanthita 不知道該怎麼想……

當清楚意識到漫長的等待終於結束後，她不知道該把握住直衝雲霄的快樂，還是該對某人想來就來，絲毫不事先告訴她而生氣，感覺像是自己因等待而造成的痛苦被當成了兒戲。

好笑的是，這兩股對立的情感不停相互纏繞，已經到達了一個自己無法分辨的地步。

「Pin……」

「……」

「妳在哭嗎？」

Anil 公主問道，懷中瘦弱的身軀正在強忍著嗚咽，以致身體微微發顫。

Pilanthita 搖搖頭，然而淚水卻止不住地流下，Anil 公主不得不先鬆開手，繞到一直低頭盯著自己的腳的人面前。

Anil 公主牽著 Pin 小姐的手，輕輕地拉著她至床尾的長沙發上坐下，彷彿 Pin 小姐的身體是一塊脆弱的玻璃，隨時都有可能會碎裂。公主將對方美麗的臉龐抬起來與其對視，這下才發現澄澈的褐色眼珠盈滿了淚水和哀傷，淺粉色的雙唇像是在隱忍著什麼抿成了一條直線，白皙的雙頰猶如沉浸在淚水的汪洋中。

「Pin……別哭了好嗎？乖孩子……」Anil 公主的聲音溫柔得

像是在跟小女孩說話，她用拇指擦了擦對方流個不停的淚水。

「我在這裡，在妳面前了呀。」Anil公主的眼神中透露出藏不住的憂心。

「……」

「Pin……」眼看Pilanthita依舊沉默不語，公主瞬間刷白了臉。

「……」

「妳不愛我了嗎？」

Pilanthita聞之突然大力地顫了一下，嬌小的手使勁捏緊公主纖細的肩膀。

「如果不愛妳……」溫柔的聲音斷斷續續的，令人幾乎聽不清楚。「就不會每日每夜等妳到現在。」

「……」

「妳沒先告訴我就回來了……」Pilanthita艱難地吐出話來，因為她的身體仍在不停地啜泣。「為何要這樣玩弄我的感情……？」

「……」

「妳這麼做就像是……」

「……」

「不知道我的每一分每一秒有多麼珍貴……」

「我知道妳每天都在等我。」Anil公主道，同時憐愛地撫摸著Pilanthita柔順芬芳的髮絲。「所以過去這幾個月我才一直加快我的行程，盡力提前一個學期修完畢業學分，只為了盡快回來見到妳。」

「……」

「我才沒有不期待與妳重逢呢。」

「……」

「所以……可以原諒我了嗎……？」

Pilanthita抬頭與眼前的人對視，但身體仍在不斷抽噎。當浸滿眼簾的淚水漸漸退去後，霎時間她赫然發現……她的愛人已經茁壯成一名成熟知性的少女，晶瑩剔透的肌膚潔白柔嫩、光滑透亮，曾經稚嫩的雙頰蛻變成清楚的輪廓線，那雙總是散發著晶亮的深色眼眸變得更加深邃迷人了。

公主微笑著輕輕用自己的手帕拭去Pilanthita臉上的淚水，如果說這兩年來有什麼沒有改變，肯定就是公主笑起來時，那對擦著名貴的緋紅色唇膏的雙唇，以及嘴角旁那兩顆深深的酒窩。

「怎麼樣呢……願意原諒Anil了嗎？」

「……」

Pilanthita沒有回答，但公主柔柔地在她圓潤的額頭上印下一個吻時，Pin小姐也沒有推開，反倒是她情不自禁地將臉埋進對方的胸口，毫不掩飾自己有多麼渴望眼前這個人的溫暖。

公主趁機將瘦小的身軀拉進自己懷裡，一舉一動皆充滿了愛戀。屬於公主的那股複雜細膩的體香漸漸平復了Pilanthita焦躁的心。

「如果我知道妳要今天回來……我就會去機場接妳了。」

Pilanthita突然說道，但她的聲音聽起來非常含糊，因為她的臉仍縮在對方溫暖的懷抱裡。

「那樣妳就不能去出版社了呀……」Anil公主垂下頭靠在耳畔道。「妳今天不是和Phakaphan小姐有個重要的約嗎？」

「妳記得哦？」Pilanthita不禁驚訝地抬起頭來。「我只有在之前的信中稍微提到而已。」

「當然記得呀！」Anil公主笑得燦爛，在雙頰上擠出了深邃的酒窩。「所有關於妳的事……我都記得一清二楚。」

Pilanthita淺粉色的唇瓣又癟成了一條向下彎的弧線，但和剛剛的委屈不同，這次的表情反而是出自於開心，於是她更加用力地抱住對方，接著細聲說道：

「妳的嘴還是這麼甜……」

「是嗎？」Anil公主抬起嘴角，隨即在Pilanthita的雙唇落下一個炙熱的吻。

當火熱的舌頭探進口腔深處時……Pilanthita再也無法穩住身體，更無法拒絕體內一直渴望的東西。Anil公主將她瘦弱的肩膀推向沙發，使其靠在一顆柔軟的抱枕上，隨後迎向躺著的Pin小姐，與身下的人交疊在一起……

Pilanthita隨即拋下所有的倔強，彷彿剛才那些小脾氣只是過眼雲煙……

「其實妳的舌頭比我的嘴還甜……」Anil公主難分難捨地緩緩退開唇瓣後，調戲著道。

Pilanthita不自覺地笑了起來，她羞澀地抬起甜美的大眼與Anil公主的雙眼交會，一邊疼愛地摩娑著對方柔嫩的臉頰。

「誰能想到妳下一步會做什麼呀……」Anil公主復又往下將身子蹭到另一方的胸口裡，惹得Pilanthita咯咯笑個不停。「誰叫妳這麼狡猾。」

公主幸福地閉上眼，陶醉地享受Pin小姐的小手正輕撫著她耳朵旁的髮絲。

「大老遠回來……會不會很累？」Pilanthita 不免擔心道。

「看到妳，我的疲勞就全部都消失了。」公主邊說邊把臉湊到對方的容顏前。「剛才有稍微休息一下了。」

「什麼時候回來的？」Pilanthita 用更輕的力道拖著公主纖細的脖子。「為何大皇宮的人會願意讓妳來睡松宮？」

「接近中午的時候回來的……所有人都跟妳一樣驚訝，因為我只有跟大哥說。」Anil 公主笑嘻嘻地道，看了不禁使身下的人也跟著微微一笑。「母親大人把我抓著又親又抱好幾個鐘頭，直到父親大人說女兒長途跋涉很累了，她才終於放開我，讓我回來這裡休息。」

「一想到這……我還在生妳的氣。」Pilanthita 纖長的眉毛蹙成了一團結，但正被喜悅之情圍繞的女孩忍不住嘴角微揚。「妳知道妳就像那些西方人一樣，老是愛給人驚喜嗎？」

Anil 公主聞之咧嘴大笑了許久。

「不只有喜歡給人驚喜……」公主的嘴唇恣意地纏綿於 Pilanthita 白皙修長的頸間。「這樣表達對妳的愛，也是我跟那些西方人學來的……」

Pin 小姐抬起下巴，全心全意地感受 Anil 公主挑逗的啄吻，一隻手搭在上方的人的肩上，另一隻手深情款款地摩娑著公主頭上的金簪。

直到公主的手鑽進 Pilanthita 的淺色衣物底下，嬌小的手才及時縮回來制止某人調皮的舉動，避免事情一發不可收拾。

「不要啦，Anil……太陽還沒下山呢。」

「還沒下山又怎樣……我很想妳嘛。」

看到殿下孩子氣地努著嘴，Pin 小姐忍不住噗哧一笑，接著

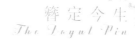

撐起身子在少女的兩頰上蹭了好幾下。

「我只是想先跟妳聊聊天，一解我的相思之情呀，畢竟我好久好久沒看到妳了。」

Pilanthita 說完撒嬌著將自己的額頭靠在公主的肩頭上，然後緊緊抱住纖細的身軀，彷彿害怕 Anil 公主下一秒就會消失在眼前。

「這樣的話……」Anil 公主細聲在含著笑的 Pilanthita 耳邊說道：「不能用我們兩人的身體溝通嗎？」

「我不是那個意思！」Pilanthita 的臉瞬間紅得發燙。

「那妳有什麼事想跟我聊聊？」Anil 公主的笑容充滿了撩人的氣味。

「只是想聊一些瑣事而已……」Pilanthita 把臉從公主的肩膀上退了回來，凝視著那雙深色的眼眸。「例如……妳身上的味道變了，是不是換了一瓶香水？」

「什麼呀……？」Anil 公主高高抬起眉毛，對於 Pin 小姐天外飛來的問題感到相當困惑。「身上的味道？」

「沒錯。」Pilanthita 如小鹿班的眼睛，此刻變成了像是一隻母老虎在狩獵。「聞起來確實很香……但我確定不是以前的味道。」

「其實我有很多香水……但上次回泰國時只帶了其中一瓶，所以妳才不習慣這個味道吧。」

「不是為了取悅某人……」Pilanthita 抬起嘴角。「所以才把人家的香水拿來用嗎？」

「妳想太多了。」Anil 公主露出一抹微笑，她大概猜出 Pin 小姐在擔心什麼了。「除了妳之外，我從來沒想過要取悅其他人，

更不可能去用別人的香水。」

「我只是為了確認才問而已……」Pilanthita刻意幫公主整理衣襟。「聽說有很多人在追妳。」

「喔……那件事啊。」Anil公主的臉頓時失了血色，嘴角尷尬地向上提成一個僵硬的微笑。「妳怎麼知道的？」

「總之……」Pin小姐像是位居上風般摸了摸公主的嘴角。「我就是知道了……」

「……」

「我現在還是不明白，為何妳完全沒有向我提到這麼重要的事？」

「因為我完全不在乎他們呀……」

「……」

「說了又怕妳白擔心。」

「……」

「就跟妳一樣，妳也沒跟我說有很多人喜歡妳。」Anil公主依偎進對方的胸膛裡，用最為撒嬌賣乖的方式抱著Pin小姐。「別生Anil的氣了好嗎？」

「算了。」Pilanthita沒有意識到……她的身體已經不聽使喚，做不到將自己推離公主的懷抱，因此她遂即摟緊香味怡人的身軀，並迅速地把臉埋進對方的胸口，彷彿兩人的身體就像磁鐵的兩極般緊緊相吸。「反正妳已經回來了……應該不會再遇見他們。」

「……」

「但如果還有下次，而且妳又沒說的話……」

「……」

「我真的會生妳的氣！」

雖然才剛出言恐嚇，但現在 Pin 小姐卻在吸吮著眼前此人的唇瓣，Anil 公主同樣回以灼熱的深吻，再度將瘦小的肩膀推向沙發。

Anil 公主的眼神散發著一閃一閃的亮光，宛如即將把到手的獵物整隻拆吞入腹。公主的吻緩緩地落在了 Pin 小姐的額頭、鼻尖和雙頰上，火熱的舌頭順勢鑽進了對方的口中，盡情地品嘗甜蜜的滋味。

在 Pilanthita 的腦袋陷入一片空白之際，公主纖細的手掌乘隙探入她早已滑落的衣衫底下，溫熱的手調皮地在她的胸部下方來回游移調戲著。

「Anil……」

「嗯？」

「天還亮著呢……親愛的。」

Pilanthita 顫抖著道，她望向完全拉上的窗簾，此時的陽光正穿過布幔灑進房間內。

「那妳就閉上眼吧……」Anil 公主柔聲說道，雙手正好解開 Pilanthita 小巧的內衣。.

「這樣天空就暗下來了……」

第三十一章　紅酒

「Anil，妳醉了嗎？」

Pilanthita的聲音聽起來十分輕柔，她正試圖叫醒坐在梳妝臺前的Anil公主，公主停下摘掉耳環的手，接著抬起頭來看著鏡子裡站在一旁的Pin小姐。

「我看起來像醉了嗎？」公主淺淺地笑道。

「說像的話，確實是挺像的。」

Pilanthita嬌小的手背輕輕靠在對方的耳後根，然後順著往下經過了白皙纖長的脖子，最後有意無意地停在肩膀處撫弄著。她對著映在鏡子裡的另一人說道：

「但說不像的話，又有點不太像。」

「所以妳覺得如何啊？」公主呵呵笑道，復又轉頭繼續摘下另一邊的耳環。「我到底有沒有醉？」

「妳的臉頰好紅。」Pilanthita充滿愛意地勾著Anil公主的肩膀。「眼神像個醉客般既甜膩又閃閃發亮。」

Anil公主忍不住咧嘴大笑，她落了一個輕柔的吻在Pin小姐的手腕上，遂立刻抱怨起大王子。

「都要怪大哥啦，是他一直倒紅酒給我，最後酒瓶裡幾乎一滴不剩。」

「妳怎麼能怪別人呢？」Pilanthita忍不住給了公主一番教訓，在她膨潤香甜的臉頰上狠狠地啄了一個吻。「誰叫妳一直喝。」

最後Pin小姐戀戀不捨地放開Anil公主，她走到書桌上的一

個小小的黃銅水盆邊，將浸滿溫水的毛巾取出擰乾，接著再走到公主的床邊溫柔地說：

「過來這邊吧，Anil。」

Anil公主聞之便將耳環和項鍊收進絨毛的首飾盒裡，乖乖地來到床邊並坐在Pilanthita的身旁。

「我來幫妳擦個臉。」小方巾輕輕拂過公主的額頭、雙頰、脖子和肩膀上，溫潤的觸感令人清楚感受到少女對於公主的擔憂。

「妳的呼吸充滿了紅酒的味道。」

Pilanthita用另一隻沒有握著毛巾的手將公主的身體拉近彼此，翹挺的鼻尖不停磨蹭著公主的鼻樑，使得對方再也無法克制自己，不禁陶醉地俯首獻給Pin小姐一個吻。

灼熱的舌頭緊緊纏綿在一起，此刻宛如墜入了永恆。

「那紅酒在我口中的味道呢？」公主意猶未盡地退開唇瓣後，俏皮地問。「很濃嗎？」

「嘗起來……澀澀的……」

Pilanthita嫣然一笑，指尖來回在擦著名貴唇彩的紅唇下方摩娑。

「但妳的舌頭很甜……」

Pin小姐迅速瞥了一眼那雙深色的眼眸便宣告投降了，於是她只好低下頭，全神貫注地用小毛巾擦拭著公主的手臂和手背，猶如正在進行神聖的儀式般慎重。

「覺得好點了嗎？」

「從妳擰乾毛巾的那刻就好了。」

「……我真不該期望妳能給出正常的回應。」Pilanthita裝作

失望的樣子，但臉上卻掛著大大的微笑。「誰這麼有魅力，講話又這麼甜呀……」

「嗯……」公主抓住正在替她擦拭手背的小手，將其放到自己的胸前後嬌嗲嗲地道：「誰呀？誰這麼有魅力？」

「就是妳啊！」Pilanthita 粉嫩的雙唇突然開始向下垂。「不要以為我真的天真到什麼都不懂。」

「……」公主修長的眉毛疑惑地抬得好高。

「今晚妳的歸國宴上，妳的身邊圍滿了追求者們。」

不得不說，相較於以往的盛會，今晚屬於Sawetawarit家的小女兒Anil公主的歸國宴辦得相當簡單樸素，然而在公主「一切從簡」的要求背後，會場裡的每個角落卻顯得頗為精緻華麗，因為所有的準備工作，都必須經由兩位非常重視傳統和儀式的女士檢視，分別為Padmika夫人，以及從清邁遠道而來的Dararai夫人。

今晚宴會的地點選在大皇宮的大廳堂，自上回Anon王子的訂婚宴後，這裡就被改造得更加富麗堂皇。本次的歸國宴刪去了許多繁複的程序和儀式，只剩下單純的享用佳餚，而與會的賓客也只限皇室成員、親戚和部分收到邀請的貴賓，因為事前沙德已經明確宣布，這次女兒的歸國宴不是一場「擇偶大會」。

有了這則公告後，本次的與會來賓少了許多大大小小的王子，無論是單身或是離過婚的男子，全部通通沒機會參加。這項規定執行得相當嚴格，幾天前Padmika夫人甚至悶悶地向姪女提到：

「就連姑姑覺得挺不錯的Noppol王子也不符沙德殿下的意。」

因此本次的宴會順利地如沙德的願避開了一場相親大會。

沒想到……

坐在 Anil 公主左右兩側的女性貴賓們，全部都對公主別有居心。

從左邊的 Aon Alisara Sawadipat 小姐開始說起，這位駐英國大使的小女兒不僅是公主從國小到大學的好朋友，現在甚至多了一層關係，因為她的姊姊 Orn Ornida 已經成為了 Anon 王子的準新娘。

儘管今天晚上 Aon 小姐很克制地盡可能不去偷瞄 Anil 公主，然而在那少數幾道偷窺的眼神中，Pilanthita 依舊能端詳出其中的情感和意圖。

那絕對不是好朋友間單純的眼神……

至於坐在公主右側的蒙拉差翁 Euangfah Darawan，這位甚至連一丁點要小心行事的意思也沒有。

在 Pilanthita 的眼中……

Euangfah 小姐可說是相當厚顏無恥……

因為那位來自清邁的少女，眼神中大膽地彰顯出她對 Anil 公主的欽慕和青睞，無論是她臉上喜滋滋的笑容，或是吐出泰北話時，總是夾帶著一股嬌柔造作的口音，從頭到尾「Anil 妹妹～」個沒完。

然而無論聽起來有多麼刺耳，Pilanthita 依舊聚精會神地聆聽 Euangfah 小姐說的每一句話，並將其一字不漏記在腦裡。

「Pin 這樣覺得嗎？」

Anil 公主的聲音聽起來仍然十分婉約動聽，但這回 Pilanthita 不打算讓事情如一陣風吹過般草草了結。

「對！」

「……」

Pin 小姐的話音一落，Anil 公主不禁緊緊抿上雙唇，乃至幾乎形成了一條細線。

「妳跟 Aon 小姐之間發生什麼事了？」Pilanthita 的口氣相當嚴肅。「今晚妳看起來非常焦慮不安。」

「有嗎？」

「有。」Pin 小姐繼續輕輕地用毛巾擦著公主的手肘，但聲音聽起來變得更加嚴肅。「妳要繼續裝傻到什麼時候？」

「我只是不知道該怎麼開口比較好。」一想到必須談到和 Aon 小姐之間的關係，Anil 公主深邃銳利的眼神倏地蒙上了一層陰影，她們的友誼就像一片曾經繁榮興盛的國土，現在卻變得滿目蒼夷、破敗荒蕪。

「妳只需要告訴我真相就好。」

Pin 小姐的褐色大眼目光灼灼地瞪著公主。

「事情就是 Aon 小姐她……」

「……」

「不只把我當成朋友。」

「從什麼時候開始的？」

Pilanthita 不屑地抬高下顎，幸虧她在談到這件事前已經做好心理準備了。

然而，在親耳聽到 Anil 公主說出實情後，真相卻變得令人難以接受，Pin 小姐不得不屏住呼吸、沉住氣。

「這我不清楚，但大約兩年前我回英國後沒多久，她曾經跟我告白過，那天我去她的家裡過夜。」

「過夜嗎？」

「……」Anil公主艱難地吞下一口黏膩的唾液。

「妳很常去她家過夜嗎？」

除了犀利得令人畏懼的聲音，Pin小姐的雙眼現在看起來就像兩團熊熊燃燒的火球。

「只有每個月一次。」

Anil公主的聲音柔媚得差點使Pilanthita心軟。

「我只是有時候很想家，偶爾想吃吃泰國菜、說說泰語。」

「為什麼妳沒有在信裡告訴我？」

Pilanthita的聲音柔和了許多，她將哽咽吞回肚中，不想為了公主一點錯也沒有的事掉眼淚。

「換作是妳，妳會告訴我關於Kua少爺的事嗎？」

「不會。」Pilanthita如實相告。

「所以我之所以沒有告訴妳。」Anil公主漸漸把臉靠向對方纖細的肩膀。「是因為不知道該如何在不讓妳誤會的情況下開口，也不知道該如何從頭到尾跟妳解釋清楚。」

「Aon小姐有說什麼嗎？」

看到少女撒嬌著把頭蹭過來後，Pin小姐忍不住憐愛地輕撫著公主的秀髮，並將細滑的髮絲塞至耳後。

「她說她喜歡我很久了，問我是否知道。」

「那妳怎麼回她？」Pilanthita的手仍不停地以最輕的力道摩娑著公主的長髮，但倘若仔細觀察，便能看見她那嬌小的手正在止不住地顫抖。

「我就說我不愛她。」

「是嗎？」

「對……拜託相信我。」

「就算我相信妳……也不代表我對妳感到很放心了。」Pilanthita緊抿著唇壓抑著情緒。

「……」

「今晚分明能看到……Aon小姐對妳仍未死心。」

Pilanthita依然記得整場晚宴中，每當Alisara望向Anil公主時，明顯所散發出來的那道既侷促又深情的眼神，看了不禁令Pin小姐感到相當詭異。

或許是因為自己也曾經有過那種眼神，所以才特別感同身受。

「但能怎麼辦呢？」Pilanthita癡情地摩娑著Anil公主吹彈可破的雙頰。「妳只能全心全意愛我一個對吧……」

「是嗎？」

「Anil！」Pilanthita忍不住輕輕打了一下公主的肩頭。「妳沒有資格反問我！我生氣了喔！」

「我只是跟妳開開玩笑而已～」

「開玩笑也不行！」Pilanthita努著嘴。「妳這個壞習慣……讓我很不開心。」

「對不起嘛……」

公主更加吃力地抱緊Pin小姐，光是剛剛被輕輕打的那一下，就已經在公主身上造成了刻骨銘心的痛。

「還有，妳對Euangfah小姐還真天真無邪。」

「怎麼說？」

深色的眼眸此刻看起來如履薄冰，公主不禁開始反思今晚是否做了什麼，或是犯了什麼滔天大錯，才讓Pilanthita突然把

她深藏已久的祕密，一個接著一個挖了出來。

「妳也知道……」Pin 小姐朝公主射來一道犀利的眼神。「我的意思是什麼。」

「……」

「Euangfah 小姐的行徑真是失禮……這件事我已經有預感好久了，只是不曾向妳問起罷了。」

「Euangfah 姊姊從來沒有直接跟我說。」Anil 公主又依偎進 Pin 小姐的懷中。「但無論如何，我都無法傷害她。」

「……」

Pilanthita 聞之頓時鄙夷地抬起頭來，臉上的表情絲毫沒有假裝。

「我想……現在我們只是從 Euangfah 姊姊的行為推測而已。」公主邊說邊用拇指輕柔地撫摸 Pin 小姐的手背。「我們應該要先假定她是無辜的。」

「被告在法官面前拿著刀作勢要砍原告了，這樣還應該假定人家是無辜的？」Pilantit 瞅了一眼自己正落在公主的拇指之間的手背，那道眼神冷漠得令人難以猜透。「妳真寬宏大量。」

Anil 公主的大拇指突然像是中了咒語般動彈不得。

「但我的胸襟可沒這麼寬闊。」

「……」

「我的心胸很狹隘。」這下換成 Pilanthita 在用拇指摩娑著公主的手，試圖讓對方變得更加焦躁。「如果妳不願意承認 Euangfah 小姐喜歡妳，那我只好希望妳能好好應付所有狀況。」

「……」

「不要讓 Euangfah 小姐再有什麼令我看了很惱火的舉動。」

「……」

「否則最後悔的人，就會是妳。」

Anil公主左右為難地僵笑著，不知道該怎麼應對臉色極為陰鬱的Pin小姐。

「我只知道，無論別人對我怎麼想，我只深深愛妳一人。」

語畢，公主在Pin小姐的雙頰上不停啄吻，接著讓雙唇穿梭在她的耳後根和白皙柔嫩的頸肩，想盡辦法逗對方開心。

Pilanthita抬起下顎欣然接受綿密的細吻，但她仍計較著方才讓Anil公主嚇破膽的那些威嚇。

「既然妳已經答應大王子，下個週末大家要攜家帶眷一起去華欣度假……」

Pilanthita的小手敬愛地捧著Anil公主的臉龐，然而下一句聽起來卻像是一名妻子的警告。

「希望我不會聽到什麼刺耳的話語，或是看到一些傷眼睛的髒東西。」

第三十二章　華欣

Sawetawarit 家族位於華欣的行宮名叫 Pridi Phirom 宮，園區中央有一棟高聳的西班牙式紅磚塔，四周圍繞著三幢單層的木屋，最外圍的區域則有一座布滿了綠藤的大涼亭。

Pin 小姐上次提到大王子將「攜家帶眷去度假」的「那群人」，包含了 Anantawut 王子、Parvati 小姐、Anon 王子、Orn 小姐、Aon 小姐、Euangfah 小姐、Anil 公主、Pin 小姐、Pranot、Prik，以及下午才會加入的 Kuakiat 少爺，和四五位負責照料主人們的僕人。

雖然人數眾多，但分配房間這件事卻一點也不複雜，因為大王子、Parvati 小姐、二王子和 Orn 小姐兩對夫妻各自住在較有隱私的小木屋，大王子夫婦住在東邊，而二王子夫婦住在西邊，剩餘的人則分散住在主皇宮的諸多客房裡，至於 Anil 公主獨自挑了一間位於頂樓的大客房，因為她表示想要重拾小時候曾經在這裡玩耍的回憶。

所有人各自駕駛或乘坐私人的轎車於接近中午時分來到了目的地，一同享用完午餐後，大家就分頭依自己想去的地方休息，例如大王子和 Parvati 小姐這對夫妻開著一輛鮮紅色的敞篷跑車兜風去了，而 Orn 小姐和 Aon 小姐這對姊妹以及 Euangfah 小姐難得來到海邊，換上泳裝後，三個人興高采烈地跑去玩水了。

另一頭，由於從小就在皇城裡跟隨著廚娘長大，同樣身為廚娘的 Pilanthita 和 Prik 自動自發地來到了廚房裡忙進忙出，Pin 小姐負責下達命令，指揮著 Prik 和來自大皇宮的女僕們準備烤

肉和烤海鮮的食材，而男性的僕人們也沒閒著，他們必須把東西搬至烤肉的區域並生火。

「我來幫忙吧！」

「不行啦，殿下！請您去坐著欣賞美麗的海景，這裡我自己照料就好。」

Anil公主才剛遊蕩到爐子邊，立刻就被Pin小姐給推了出去，彷彿害怕炙人的高溫和細小的灰燼會使公主即刻融化。

最後Anil公主的飯後活動變成了和好朋友Pranot一起坐在沙灘椅上。

「殿下……」Pranot的聲音聽起來細細碎碎的。「您看，今天的Aon小姐看起來又漂亮又淘氣。」

Anil公主聞之忍不住跟著Pranot所指的方向望了過去，這下她才發現Orn小姐、Aon小姐和Euangfah小姐三位少女們正穿著鮮豔的泳裝，開開心心地在華欣的海灘上盡情玩耍。

雖然不想承認……但又必須承認，穿著一套高開衩連身泳衣的Alisara比Orn小姐更加亮眼，也勝過了身穿一襲時尚的淺色短裙泳裝的Euangfah小姐。

「可惜Pin小姐沒有像她們一樣去玩水。」一旁的Pin小姐穿著一件淺色的無袖棉質上衣和短褲，Pranot望著Pin小姐的那道眼神，不免令公主感到十分心煩意亂。

「胡說八道。」Anil公主的聲音頗為冰冷。「不許再到處這樣失禮地說Pin小姐！」

「請殿下恕罪。」

Pranot的聲音立即轉弱。

「你說的像是從來沒見過女人一樣，聽說Pranom夫人找了

很多美女讓你每天大飽眼福，不是嗎？」

　　一看到Pranot那道花花公子的眼神，Anil公主立刻搬出了他的母親來回擊。

　　Pranot哈哈大笑道：「這您可就不知道了，媽媽為我找的那些女人雖然都挺漂亮的……」

　　「……」

　　「但和殿下身邊的這些美女們比起來，根本無法媲美。」

　　「是嗎……」

　　「是真的，殿下。您看，像是Aon小姐，有些角度看起來甜美可愛，但舉止性感大方，有時又帶有幾分酷颯，而且充滿富家千金的姿態。」

　　「……」

　　「而Euangfah小姐更是美若天仙，完全就是標準的泰北姑娘，說話時溫柔婉約，每次和她講話時，她的聲音都差點使我融化了呢！」Pranot痴痴地笑著。「連Parvati小姐也美得令人著迷，雖然我知道她已經有另一半了。」

　　「我真想知道你要喋喋不休到什麼時候……」

　　「等我講完Pin小姐就結束，殿下。」

　　「……」

　　「Pin小姐溫文爾雅的美貌，我相信足以使泰國成千上萬的男人都倒在她的石榴裙底下，而且所有人都一定想娶她為妻。」

　　Pranot絮絮叨叨的同時，眼神飄向了一旁專心在和Prik料理烤肉的Pilanthita。

　　「你配不上Pin小姐啦。」

　　Anil公主猛然潑了一桶冷水。

「吼⋯⋯殿下。」Pranot明顯大失所望。「為何要澆熄我的願望啊？」

「我有嗎？」

「有啊，殿下。但就算您不說，我也看的出來Pin小姐很不喜歡我，不信您看看她的眼神⋯⋯」

Anil公主吃醋地望向Pin小姐，但Pranot並沒有發現公主的不滿。

「她看起來就像討厭全世界的所有男人。」

「老實說你也挺聰明的嘛。」

「我也這麼認為。」Pranot不經思考就先回答了。「咦⋯⋯我是不是被殿下偷罵了啊？」

「總而言之，在你所提到的美女裡，你看上誰了？」Anil公主趕緊換了一個話題。

「沒有人。」

「嗯？真的嗎？」

「是真的，殿下。」Pranot滿臉真誠。「我不可能喜歡Parvati小姐，因為她是屬於大王子的。」

少年抓了抓下巴思忖著。

「Orn小姐也必須刪除，因為她已經是二王子的妻子了，Aon小姐更不用提，她能記得起我的名字就要謝天謝地了。」

「⋯⋯」

「至於Euangfah小姐⋯⋯雖然她看起來柔媚動人，說話甜美如蜜，但我覺得她肯定對我一點興趣也沒有，比起我，她反而對殿下更有興趣。」

「⋯⋯」

「而 Pin 小姐喔……先讓我哭一場好嗎？我敢發誓，她絕對對我恨之入骨。」

Pranot 裝作心如刀割的樣子，看了不禁使 Anil 公主無奈地搖了搖頭。

「結論就是，殿下身邊的美女們，沒有任何人讓我有機會接近。」

「其實還有 Prik 呀。」

「呃……其實我比較想要繼續單身。」

「你的要求真的很多。」

「恐怕真是如此。」

「……」

「你們兩位在聊什麼呀？」

Anon 王子慢悠悠地坐在 Anil 公主旁邊的沙灘椅上。

「跟你講幾次了，Pranot？這是我的妹妹，別老是像個紈絝子弟。」

「請殿下恕罪。」Pranot 恭敬地向二王子俯首行了一個禮，然而嘴角勾起了一抹促狹的笑容，他知道王子總愛拿這件事來調侃他。「我只是輕鬆地和 Anil 公主聊聊天氣而已。」

「哼……最好是啦。」

二王子微微聳了聳肩，接著瞧向不遠處正在沙灘上玩得盡興的三名少女們。

「嘗嘗烤肉吧，殿下！」

Prik 手舞足蹈地端來一盤滿滿的烤肉，並放至沙灘椅旁的白色小圓桌，Anon 王子把視線從少女們身上拉回來，側過頭慈愛地向 Prik 說道：

「幫我請 Pin 小姐來一下，然後妳先別烤肉了，等她們玩水完回來後再繼續烤。」

「是的，王子殿下。」

Prik 曲身接下王子的命令後，正打算回到爐子旁，但 Anil 公主卻突然請她留步：

「等一下，Prik。」公主微微一笑，隨即拿了兩串烤肉遞給她的好朋友。「這個給妳。」

「謝謝公主殿下！」Prik 翻過掌心畢恭畢敬地接下肉串，她睜著亮晶晶的雙眼看著手中鮮嫩多汁的烤肉，忍不住吞了好大一口唾沫。「殿下萬歲！」

Prik 說完立刻眉飛色舞地跑去找 Pin 小姐，對方正站在欖仁樹的樹蔭下烤蝦子和螃蟹。

「只是給她東西吃而已，就能得到萬歲的讚美了啊？」Anon 王子笑道。「Prik 這孩子真是從小就愛賣乖。」

「應該是因為主人才這樣的吧。」Pranot 逮到機會立刻說起 Anil 公主。

「Pranot！」Anon 王子和 Anil 公主異口同聲地大叫。

「在下罪該萬死！」

嘴上雖然在求饒，但臉上的表情卻一點也沒有反省的樣子，雙眼笑得瞇成了兩條線。

「殿下……」

Pin 小姐像是知道自己的職責是什麼般小碎步跑到二王子的旁邊，Anil 公主的餘光瞄了一眼 Pin 小姐，然後偷偷地藏了一抹微笑，暗自在心中想著：面對二王子，凶悍的母老虎竟變成了一隻溫順的小貓咪。

「請坐，Pin 小姐。站著烤肉那麼久，腳都麻了吧。」

二王子張開手臂請 Pin 小姐坐在 Pranot 旁邊的椅子上，然而 Pilanthita 卻站著不動，因為她比較想坐在公主旁邊，也就是 Pranot 所在的那個位置，幸好最後 Pranot 看出了她的心思，於是趕緊慌忙地起身請她來坐自己的位子。

「謝謝殿下。」

Pin 小姐道謝完，心滿意足地含了一抹微笑，接著放眼望著那三名少女正在玩水的方向。清楚看到眼前的這幅畫面後，忍不住回頭盯著正在和二王子有說有笑的 Anil 公主。

「大王子開車帶 Vati 小姐去哪溜達了，殿下？現在還沒回來呢。」

「他們兩個很常這樣，從新婚到現在每天如膠似漆，甜蜜得很。」

「這樣很好呀，Anil 已經等不及要抱孩子了！」

「可能還得等很久……」

話說到此，一切赫然變得寂靜無聲，公主和王子甚至不約而同地往 Euangfah 小姐的方向望去。

而他們兩人的舉動皆被 Pilanthita 看得一清二楚。

她差點就要因為公主的視線鎖定在某人身上而生氣，然而當她發現公主和王子的眼神充滿了嚴肅的神情，Pin 小姐不得不先將怒氣吞回肚中。

「小的拜見殿下！」

那道熟悉且低沉的嗓音頓時將眾人的注意力都拉了回來，原來是收到 Anon 王子的邀約而前來的 Kuakiat 少爺，王子熱情地請他坐下後，他卻和方才的 Pin 小姐一模一樣站在原地動也不動。

Kua少爺無非是想坐在Pin小姐旁邊。

然而這回Pranot可不打算輕易讓位，他裝作視若無睹好一會，最後Kua少爺只好認輸，不情不願地拖著身子坐在Pranot旁的位子。

現在換成了Anil公主在偷瞄Pin小姐，查覺到對方的表情因看見Kua少爺而變得難受後，公主也不由得擔心了起來。

雪上加霜的是，那三位少女正一同朝著沙灘椅的方向走了過來，Anon王子立刻識相地拿了一條大毛巾蓋在Orn小姐身上，而Pranot正苦惱著是否該抓兩條毛巾衝去給剩下的兩位少女，還是該乖乖坐在原地等她們自己來拿。

然而Pilanthita可沒那顆心慢慢等，一看到兩名少女踏上沙灘的那瞬間，她二話不說便攫起兩條大毛巾遞給Aon小姐和Euangfah小姐。

Pranot見狀只能呆愣在原地，埋怨自己因舉棋不定而錯失了大好機會，但其實Pilanthita只不過是不想讓Aon小姐和Euangfah小姐雪白的肌膚出現在Anil公主的視線內。

才不是因為大家所想的心地善良呢。

話說另一頭的Prik，一看到少女們上岸後，遂即遵照二王子的命令開始馬不停蹄地烤魚和螃蟹。

「先去洗個澡換衣服吧，然後再來一起吃海鮮大餐！」

Anon王子溫柔地向Orn小姐道，但看起來就像是順便說給Aon小姐和Euangfah小姐聽，少女們聞之彎腰行了一個禮後便匆匆離開了。Prik趁這個空檔瘋狂地烘烤各種食材，包含了魚、蝦、蚌類和螃蟹等等，宛如在跟一個隱形人比賽廚藝。

等到傍晚時分，三名少女再次回來後，滿桌的海鮮已經準

備就緒，而大王子和 Parvati 小姐也在差不多的時間回來了

現在大家圍坐在一張大長桌邊，這裡位於宮殿旁的一座花園裡，地勢較高，可以眺望整條華欣的沙灘，餐桌上擺滿了各式各樣的鹹食、甜品和五彩繽紛的飲料。

「Aon 小姐在找誰嗎？」

Pranot 朝正在不停伸長脖子東張西望，像是在尋找著某人的 Alisara 問道。

「唔⋯⋯我在找 Pin 小姐，這桌菜最初就是她準備的，但現在卻不見她一起來用餐。」

Alisara 在睜眼說瞎話。

「哦～她在妳們去換裝的時候就吃完了，剛才 Anil 公主約她和 Prik 去沙灘散步，說是要飯後消化一下。」

「這樣啊。」

Alisara 的雙眼明顯沉了一階，自從那次的事件後，她決定不再和公主見面以徹底斷絕關係，就算有時在大學裡碰巧遇見，她也選擇不打招呼，更不會再邀請公主到她家過夜了。

誰知道，她的姊姊 Ornida 竟然和 Anon 王子墜入愛河，最後甚至結為連理，使她不得不重新和公主有所接觸。

之前見不到面時，Alisara 較能對 Anil 公主死心，然而現在卻有了經常見面的機會，因為在他人眼中，她依舊是 Anil 公主從小到大的好朋友，因此若拒絕 Orn 小姐一同拜訪 Sawetawarit 城的邀約，恐怕會輕易令人起疑。

但是越常見到面後，從前對於 Anil 公主的那股迷戀又不停地襲捲而來。

公主愈是和她保持距離，她就愈渴望得到公主⋯⋯

「其實我們在英國的時候見過很多次。」眼看對方呆望著遠處，Pranot便開啟了新的話題。「Aon小姐應該不記得我了。」

「我記得，您常常去接送公主。」

「很高興您還記得我。」Pranot揚起一抹燦爛的微笑。「這回您是要留在泰國，還是要再回去英國？」

「我會回去，我還剩一個學期必須回去上課，不像Anil公主，殿下比我早半年就把學分修完了。此外，我打算在那裡繼續讀碩士。」

「Anil公主很想念這裡，就連碩士也不願意在英國讀完。」

「連多待半年殿下都不願意了，更別提讀什麼碩士。」

Alisara不由得長嘆一口氣，撇過頭繼續愣愣地望著沙灘尋找某個人的身影。

＊　＊　＊

Prik走在沙灘上的步伐看起來非常怪異，因為她的兩隻手正各提著一雙鞋，左手裡的是公主的，而右手則抓著Pin小姐的平底鞋，除此之外，她走路時的姿勢完全不像個正常人，不僅雙手很忙碌，連眼睛也沒閒著，Prik無時無刻在東張西望，看起來特別小心翼翼。

「妳真不該叫Prik去把風，看起來反而更吸引別人的目光了。」

Pilanthita好氣又好笑地道，她正光著腳和Anil公主在海灘上一同踏著細細的泡沫。

「就是說啊。」Anil公主咧嘴大笑。「其實我只是想讓Prik注

意是否有壞人，沒想到她看起來比壞人還可怕。」

　　說白了，公主其實是想牽著 Pilanthita 的小手，來一場浪漫的散步，然而雖然現在的沙灘上空無一人，Pin 小姐還是很擔心別人的目光，所以公主只能盡量貼在 Pin 小姐的身旁。

　　「今天的海白得很漂亮對吧，Anil？」

　　兩人駐足在華欣的沙灘上望著黃昏時分的海景時，Pin 小姐突然問道。

　　「哪裡來的白色啊，Pin？今天的海明明看起來就是深藍色的。」

　　「誰說的呢？一直盯著看，或許就能看出白色來了。」

　　Pilanthita 努著嘴垂下頭來，接著如同一位頑皮的小孩，用腳背頂起一團沙後堆至公主的腳上。

　　領悟了對方的意思後，公主噗哧大笑了起來，隨即以同樣的方式反擊，兩人的嬉笑聲惹得在遠處把風的 Prik 忍不住厭煩地看了過來。

　　「妳誣賴我啊，Pin，我可沒有一直癡癡地望著人家。」

　　「呿。」Pilanthita 不悅地癟起嘴。

　　「是真的，我只在乎穿著短褲站著烤海鮮給大家吃的那個人。」

　　Pin 小姐滿意地含著一抹微笑，她停下腳邊的玩沙之戰後，轉過身面對公主，聲音極為溫婉地道：

　　「話說，剛才妳幾乎沒什麼吃，明明很喜歡吃烤蝦，但卻只吃了一點點，不像小時候會到處在皇城裡跑來跑去找點心吃。」

　　「就是說啊，不知道為何小時候那麼會吃。」公主的微笑連帶擠出深深的酒窩。「一想到小時候就覺得好可惜啊。」

「什麼事好可惜？」

「不能陪在妳身邊7年好可惜啊。」

Pilanthita抬起頭，雙眼富有深意地凝視著深色的眼眸，她牽起公主的手握在兩個掌心間，這下害得Prik又像個怪人般不停回頭張望。

「事情已經過了，就別再感到惋惜了，妳只需要答應我，從今以後，妳不會再丟下我就好。」

Pin小姐的聲音十分動聽，然而琥珀色的大眼此刻看起來更加柔美。

「好，我答應妳，我不會再離開妳了。」

「那繼續讀書的事呢？妳一定不會只讀完大學而已對吧？我很擔心這件事。」

最後Pin小姐終於把內心的話給問出來了。

「我會在這裡讀碩士，我已經請鑾[1]Phinit幫忙處理好了，應該會去妳的大學就讀建築系。」

聽到這番話，Pin小姐像是卸下心中的大石般，大大地嘆了一口氣。

「妳是說真的嗎？」

「我說話算話。」

在她們開心相擁的前一秒，Prik突然用力地咳了幾聲。

「咳咳咳！冷靜點，殿下。」

但那兩人絲毫不在乎她。

「就說了不要啊！！！！！」

---

1 泰國的皇室與貴族階級：拍（พระ）＞鑾（หลวง）＞坤（ขุน）＞蒙（หมื่น）＞攀（พัน）。

＊　＊　＊

　　夜幕低垂，Pridi Phirom宮的大廳點上了柔和的黃光，一扇扇窗戶被推了開來，令人得以眺望開始沉靜下來的沙灘，一波又一波的海浪像是在呼喚人們的注意力般，洶湧地撲到了海岸上。

　　「王子的品味還是這麼好。」

　　Orn小姐開口誇獎道，Anon王子依照自己的喜好挑了一首十分適合跳舞的外語唱片，他紳士地朝Orn小姐鞠了一個躬，並邀請對方和自己跳支舞，接著兩人便在賓客們的注目下隨著節奏翩翩起舞，大王子見狀也曲身邀請自己的妻子一同共舞，於是Pridi Phirom宮的大廳漸漸地瀰漫著一股愛的情調……

　　至於一旁的Kuakiat少爺，無論他如何三番兩次地請求，Pin小姐就是不願意和他一起跳舞，以致二王子忍不住勸說道：

　　「跟Kua少爺跳支舞吧，Pin小姐，當作是我求您了。」

　　「是的，殿下。」

　　Pilanthita細聲答應了，而Kua少爺則喜孜孜地笑了出來。

　　儘管如此，Pin小姐的舞姿看起來極度不自然，她一直保持全身僵硬，而且還拚命地遠離舞伴，致使Kua少爺必須將手完全打直才能碰到她的蠻腰。

　　「真討厭。」

　　Anil公主死死地望著Kua少爺的一舉一動，忍不住忿忿地向Prik嘟嚷道。

　　「在下也很討厭Kua少爺。」Prik窩火地翻了一個白眼。

　　「為何妳也討厭他？」Anil公主疑惑地道。

「討厭他明明就已經被 Pin 小姐拒絕了，為何不來找我當他的舞伴呢！」

「Prik！」Anil 公主嚴厲地發出警告。「給我記住，我很討厭 Kua 少爺那張嘴臉。」

「請殿下恕罪。」Prik 迅速低下頭。「在下罪該萬死。」

「若妳再一直時常讚美 Kua 少爺，小心真的會死。」充滿威嚇的聲音把 Prik 嚇出一身冷汗。

「在下怕了，殿下……」貪生怕死的 Prik 不停點頭道。

「看看 Pranot，人家竟敢邀 Aon 小姐一起跳舞。」

Anil 公主望向那位勇敢求 Aon 小姐與其共舞的好友，雖然一開始對方看起來有點為難，Aon 小姐甚至瞥了一眼公主，但發現公主也在看著她後，她便立即撇過頭轉移視線。

把大廳變成舞池的時光很快就過了，因為晚餐的餐桌上已經擺滿了各種山珍海味。

「看起來都好好吃啊！」

Parvati 小姐驚嘆道。今天的西式晚餐包含了牛排、魚排和義大利麵，滿桌的菜餚都是王子精心請飯店的大廚來料理的。

用餐時的談話過得十分愜意，顯然多虧了 Orn 小姐和 Pranot 兩人相談甚歡的關係，餐桌上的氣氛一直非常愉快。

整個吃飯的過程中，Anil 公主能感受到來自 Aon 小姐不停朝她偷看的眼神，然而只要公主一抬頭望過去，對方便會連忙躲開視線。

與另外一名少女相反。

主餐過後，接著端上桌的是水果鮮奶酪，一看到這道甜點，Euangfah 小姐便變得特別興奮。

「Anil 妹妹～」Euangfah 小姐的聲音既柔軟又甜美。「多吃點呦！甜點看起來好好吃啊！」

「謝謝 Euangfah 姊姊。」

Pilanthita 聞之立刻安靜地放下手中的刀叉，她隱忍著情緒舉起玻璃杯喝了一口水。

Anil 公主的餘光觀察到 Pin 小姐的舉動，她僅僅吃了一點甜點後，便輕柔地向兩位哥哥道：

「我可以先去休息嗎？也許是因為今天吹了好多海風，我覺得有一點頭痛。」

聽到公主這麼一說，Aon 小姐、Euangfah 小姐和 Pin 小姐三名女子異口同聲地問道：

「殿下的頭很痛嗎？」

Anil 公主不禁在心中想著：

原本只是假裝而已，結果現在真的開始頭痛起來了。

第三十三章　浪花拍岸

Pridi Phirom宮的大客房位於高塔的頂樓，從室內的大窗戶望出去，可以完整看到西側環繞著這棟樓的美景，包含了一座綠意盎然且妥善整理的熱帶植物園。

從這個角度，Anil公主能清楚看到一對男女……

也就是Kuakiat少爺和Pin小姐。

他們倆人之間的話題看似永遠不會結束，每當Pin小姐作勢要逃回宮殿的大門時，Kuakiat少爺就會立馬擋在她面前，接著拋出新的話題，但其實Pin小姐根本就聽不懂他在說什麼，也絲毫沒有把對方說的話放在心上。

這算是Anil公主第一次意識到，Kua少爺總是比她有更多的機會和Pilanthita獨處，過去是她故意蒙蔽自己的雙眼、摀住自己的耳朵，不願正視二王子和Padmika夫人有多麼喜歡Kua少爺。

不僅如此，人人都說Kua少爺和Pin小姐宛如天造地設般登對。

公主依舊坐在窗戶旁的地上，直到看見Prik上前把Pin小姐拉進宮殿裡，留下Kua少爺獨自在原地生悶氣，公主的額頭仍貼在窗臺上，眼睛眨也不眨地盯著Kua少爺。

從那雙長腿奮力地踹著面前的矮灌木就能看出來，這下少年肯定是氣得火冒三丈，他甚至把樹上的花朵踢了下來，散得到處都是。

「脾氣真差。」

從高塔的窗戶望出去的 Kua 少爺，和原本 Anil 公主印象中的 Kua 少爺截然不同，那名曾經斯文瘦弱（實則充滿暴力傾向的男子）不知消失去哪了。

不一會兒，Kua 少爺深深吸了一大口氣，接著大步邁向飄出陣陣樂聲的大廳

叩！叩！叩！

沉重的敲門聲將 Anil 公主的神智拉了回來，她立刻站起身子去為這名夜晚的不速之客開門。

「Anil～」

真的是公主所想的答案，門外站著的是 Pilanthita。少女捧著一個咖啡色的托盤，上方放著一個小玻璃杯，裡頭裝著一顆綠色的藥丸，而一旁的杯子則理所當然的是一杯水。

「先進來吧，Pin。」

公主邊說邊輕輕扶了一下 Pin 小姐的手肘，隨後安靜無聲地鎖上門鎖。

「有人發現妳嗎？」

「沒有，我從祕密通道上來的。」

Pilanthita 指的是直接從樓塔通到地下室，未經過中央大廳的窄小偏梯。

「需要那麼躲躲藏藏的啊？」Anil 公主錯愕地瞪大雙眼。

「我怕會被人看見。」Pilanthita 把托盤放在公主旁邊的桌子上，然後打開了檯燈，讓柔和的黃光照亮了原本只有月光從窗戶灑落的房間。「因為我是從晚餐的聚會跑出來的，而且我跟大家說我要去睡了。」

「那 Prik 呢？」

「Prik 在門外把風，我跟她說如果過一陣子我還沒下樓，她就能先去睡覺了。」

Pilanthita 的話顯然害自己紅了雙頰……

同樣明顯的是她為了公主鋌而走險的勇氣。

「我看從妳開始爬樓梯那刻起，Prik 老早就跑去睡覺了。她那麼機靈，肯定不會傻傻在外面等。」Anil 公主笑道。

「Anil！」Pilanthita 的聲音表面上看起來是在責罵，實際上卻夾雜著幾分羞澀。「如果妳再繼續鬧我，我現在就回樓下睡覺！」

Anil 公主一個箭步上前摟緊 Pin 小姐來安撫對方的脾氣，光是如此，Pilanthita 便毫不遲疑地把自己的臉埋進另一人的胸口，看起來絲毫沒有要履行上一秒所放出的狠話「回樓下睡覺」。

「妳的身體好涼，剛剛一直待在外面嗎？」

Anil 公主等不及想解開心中一直困擾著她的疑惑。

「我回車上找藥，我記得我把妳曾經吃過的西藥收在一個小袋子裡，但在行李箱裡一直找不到，所以去車子裡找看看，後來發現那個袋子放在後座上，可能是那時候幫 Prik 找暈車藥的時候掉的。」

「妳真可愛！話說……妳自己去的嗎？為何不叫 Prik 去找就好？」

「因為剛才 Prik 在和 Pranot 先生跳舞呀，我急著想去找，所以等不了她了，我怕妳的頭痛會惡化成發燒。」

Pilanthita 道出最後一句話的同時憂心地摸了摸公主的額頭。

「但我看到 Kua 少爺和妳站在外頭講話。」Anil 公主最後決定不再旁敲側擊，直截了當地把心中的那根刺給拔了出來。「你們在聊什麼呀？」

Pilanthita 詫異地瞪大澄澈的褐色眼珠，她瞥了一眼巨型落地窗的窗簾，發現布幔間留了大約一個掌距的縫隙後，便大約猜到發生什麼事了。

「Kua 少爺擋住了我的去路。」Pilanthita 牽著公主的手，拉著她肩並肩坐到床上。「至於聊了什麼記不太得了，因為我很生 Kua 少爺的氣。」

「為何要生 Kua 少爺的氣？」

「因為他一直胡說個沒完。」

「Kua 少爺胡說了些什麼啊？可以跟我說嗎？」

「他約我去海邊散步，但我說我不想去，因為夜已深了，但他仍死纏爛打地說不然明天早上再去好嗎，我覺得很煩，所以一直保持沉默，然後他就安靜了。但我要走開時他又跑來面前擋住我。」

「行為真令人討厭。」Anil 公主不屑地抬起下顎道，發自內心鄙視這位人人口中盛讚不已的紳士。

「對啊，我很不喜歡。還有跳舞也是，都是他一直死纏著我不放，害得二王子親自替他求情。」

「這件事我也很不開心。」Anil 公主深色的眼眸從來沒有如此凶狠、陰鬱。「我真的非常吃妳的醋了。」

眼看 Anil 公主的臉色變得相當惱怒，Pin 小姐也跟著惶恐不安了起來。

「別生氣了嘛，親愛的，我也很不願意呀。」Pin 小姐的手指

輕輕地來回摩娑著公主的唇瓣。「我腦海裡的所有畫面都只有妳而已。」

發現美麗的臉蛋依舊垂喪著臉後，Pilanthita便迎向了公主，深情地在對方的臉頰上落了一個吻。

「頭還會痛嗎？」

「對……還痛痛的。」

「那吃個藥吧，Anil。」

「可以餵我嗎？Anil覺得沒什麼力氣了。」

即便謊稱身體不舒服只是個為了逃離問題而編造的藉口，但事情發展到這個地步了，Anil公主正好能藉此機會嘗到一點甜頭，只需要簡單吞個藥就能把謊言變成現實了。

至於Pilanthita這部分，別說是把藥餵進公主的口中了，現在看來無論公主請她做什麼事，她都會欣然答應。

「我可以躺在妳的大腿上嗎？」

從愛人的口中傳來的聲音就像一段優美的旋律，聽了使Pin小姐難以推辭，然而還沒開口答應，Anil公主便不請自來地把頭枕在了她的大腿上。

「妳跟小孩一樣愛撒嬌。」Pilanthita語氣極為柔和地道，一邊撫摸著腿上之人的秀髮。「但妳可以只對我一個人撒嬌嗎？」

少女不小心把曾經寫在舊日記本裡的話給說了出來，但她確實不希望公主在所有人面前都當一位「好好小姐」。

「當然可以。」Anil公主的聲音溫柔細膩，她牽起Pin小姐纖細的小手後，在對方的手背上落下一個吻。「妳知道嗎……我只把自己獻給妳而已。」

公主把Pilanthita的手放到自己的胸上，輕聲細語地問頭頂

上的少女：「那 Pin 呢……」

「……」

「妳是屬於誰的……？」

「當然是 Anil 的呀，怎麼明知道答案為何了，還要再問一次呢？」

Pilanthita 抬起另一隻空著的手，輕輕地搓揉著公主細嫩的臉頰，和公主互相給了彼此一抹甜膩的微笑。

「我不想要我們屬於彼此的這件事，只是口頭上無形的承諾而已。」

Anil 公主緩緩坐直身子後說道。Pilanthita 的雙眼注視著公主的一舉一動，對方正走向放在床尾沙發上的大行李箱，Pin 小姐困惑地看著公主從一個小小的布袋中掏出某樣東西，然後又走回來床鋪的位子坐在她身旁。

「其實我想要在一個比今天更合適的日子把這個送給妳。」Anil 公主將靛藍色的絨布盒放至自己和 Pin 小姐間的空隙。「但 Kua 少爺的舉動讓我感到很不安。」

「Anil……」

Pilanthita 拚命壓制住內心高漲的情緒，她不停猜想著絨布盒中裝著的東西，心跳隨之瘋狂地加速。

「總之，我想讓大家都知道 Pin 小姐已經心有所屬了。」

Anil 公主取出盒子內的東西，將其完整地展現於 Pin 小姐的眼前，儘管現在房間內只有檯燈微弱的黃光，但戒指上那顆碩大的鑽石所折射出的光芒彷彿照亮了四周，深深吸引著 Pin 小姐的目光。

「收下這枚戒指，好嗎？」

過去總是「高高在上」的公主，現在卻顯得十分卑微。

「Anil……」

Pilanthita 的聲音在顫抖，因為她不知道該作何感想，真正擁有了曾經以為高攀不起的東西後，油然而生的喜悅之情，頓時衝破了她為自己設下的「該」與「不該」的防線。

「這枚戒指承載了所有我對妳的感情，拜託收下它好嗎？」

Anil 公主輕輕地摸了摸 Pilanthita 的手背，猶如在觸摸著某樣嬌貴的寶物。Pin 小姐無法眼睜睜地看著地位崇高的公主這般放低姿態地央求，於是在內心經歷一番對與錯的交戰後，Pin 小姐最後誠心誠意地允諾道：

「好，我會……永遠收藏所有妳對我的情感。」

Anil 公主溫柔地將戒指戴在 Pin 小姐左手的無名指上，對方的誓言聽了不禁使公主憐愛地笑了起來。

當公主深情地在她手上的戒指覆上一個吻時，Pilanthita 的雀躍宛如衝上了巔峰，她滿懷崇敬在公主的腿上行了一個跪拜禮，但公主見狀後立即把她的身體拉進懷抱中。

Pilanthita 緊緊摟住 Anil 公主，顫抖著雙唇道：

「我好像在作夢。」

「是個美夢嗎？」

「是個很美的夢……」Pilanthita 將公主抱得更緊。「我曾經夢到我們攜手相伴……」

「……」

「從此刻，直到白頭偕老。」

「……」

「直到一起走到生命的終點。」

「……」

「總有一天……我也會為妳戴上戒指。」

Pin 小姐靠在 Anil 公主漲紅的耳邊細聲道。

「我會等妳呦……」

公主同樣低聲回應，下一秒，她的嘴便恣意地磨蹭著 Pilanthita 的耳根，在公主懷裡的 Pin 小姐抬起下巴接受每一道溫柔的觸感，當細軟的耳垂被某人挑逗地含住時，她情不自禁地抿緊了雙唇。

Pilanthita 飽含欲念地環扣住公主的金簪將其拉近自己，而公主則陶醉地吻遍 Pin 小姐白皙纖長的脖子，對方有如乾渴難耐般索求著她的吻的樣子，使得公主不禁微微一笑，隨即在 Pin 小姐身上的每個角落輾過一個又一個的吻。

除了那兩片唇瓣之外……

「Anil……」衣服上的釦子被解開了許多顆後，Pilanthita 不自覺地向後仰，而身上的人則等不及伸出舌頭舔舐她紅得發燙的肉體。「拜託，吻我。」

公主在喉中笑了一聲，Pin 小姐從來沒有如此明顯表現出自己的欲望，彷彿那枚白金戒指賜予了公主一股特別的力量。

彰顯出唯一的主權，以及堅忍不拔的情感……

縱然 Pilanthita 迫切地渴求著深吻的滋味，Anil 公主仍裝作充耳不聞。

公主的臉上噙著一抹撩人的微笑，雙手一邊解開最扣一顆扣子，輕輕鬆鬆褪去淺色的內衣後，她的食指緩緩地劃過對方的嘴唇……下巴……和脖頸，最後不疾不徐地停在乳首的部位畫圈。

Pilanthita忘我地拱起身子，雙臂再次試圖尋求公主的懷抱。

「Anil……別逗我了。」

Pilanthita毫無招架之力細聲沙啞著道，惹人憐愛的模樣不禁使公主笑了出來。

最後Anil公主再一次低下頭迎向身下的少女，並在對方的上身激烈地用舌頭又吸又吮，同時間，纖細的手指穿過了可愛的淺色底褲，直徑摸向某個早已溼漉漉的點，當公主的拇指不斷挑逗地撥弄打轉下方的中心點時，Pilanthita的全身顫了好大一下。

此刻Anil公主的一隻手正用力地搓揉著Pin小姐堅挺迷人的玉乳，另一隻手則忽快忽慢地進出少女的身下，Pilanthita緊緊摟住公主的身體，像是希望兩個人的每一個部分都能互相交融。

外頭傳來浪花陣陣拍打海岸的巨響，交織著身下之人一波接著一波的呻吟。

過不久……

瘦小的身軀猛烈地顫抖了一下，少女趕緊撲向公主，緊密的擁抱飽含著濃情密意。

Anil公主露出一抹滿意的微笑，她再次靠在Pilanthita的耳畔間道……

「Pin……」

「……」

「還要回樓下睡覺嗎？」

「妳真是……」Pilanthita的聲音繼續顫抖著

「樓下的房間就讓Prik自己去睡吧……」

第三十四章　迷你馬

「Daeng姨～」

Pilanthita向Pridi Phirom宮的主廚打了一聲招呼，Daeng姨正埋首忙著準備各式各樣的餐點，因為她事前就收到Pin小姐的指示，表示這次來度假的賓客中，有的人想吃西式的早餐，例如麵包、荷包蛋、炸香腸、焗豆、烤香菇和培根，有的人則想吃泰式的早餐，有的人甚至只喝一杯熱美式或柳橙汁就夠了。

於是Daeng姨便召集了所有的廚娘一起來幫忙料理。

「是的，Pin小姐。」

Daeng姨原本正在為Anil公主的蝦仁粥備料，一聽到有人叫了她的名字，立刻停下手邊的工作，接著小碎步跑到Pin小姐的面前。

「那個蝦仁粥，Daeng姨不用煮了，交給我就好。」

「是的，Pin小姐。」Daeng姨恭敬地頷首。「幸好您及時進了廚房，否則萬一不符合殿下的胃口，咱們僕人可要被訓話了。」

「殿下不曾罵過任何人啦，Daeng姨，若不符合胃口，殿下只會吃一點點，或是不吃了而已。」

Pilanthita嘴角微微上揚，心中因Anil公主很喜歡吃她煮的粥，甚至每次都吃得乾乾淨淨而暗自竊喜。

「殿下現在和小時候差好多啊，以前每次來華欣玩，都吵著要吃廚娘們做的點心。」

一想到從前放暑假時，Alisa夫人帶著Anil公主來華欣度假的樣子，Daeng姨便笑得合不攏嘴。

「對呀……我也和Daeng姨一樣曾經懷疑過這件事。」Pin小姐一邊和Daeng姨對話，一邊燉煮著粥。「話說，Daeng姨準備好其他大人們的早餐了嗎？」

「還剩下溫泉蛋，我打算晚一點再開始煮。」

「是說Prik跑去哪了？為何沒有來廚房幫忙？Daeng姨有看到她嗎？」

「Prik和Anil公主一大早就去沙灘散步了。」

「殿下起床了嗎？」

Pilanthita蹙緊眉頭，今早天還未亮她就從公主的房間溜出來了，回到自己的房間時，Prik仍倒在她床鋪旁的軟墊上呼呼大睡，但等她再次起床時，Prik已經不見蹤影了。

「殿下清晨就起床了，而且還跑來又親又抱又揉在下圓滾滾的肚子呢！」談到Anil公主令人出乎意料的舉動時，Daeng姨忍不住哈哈大笑。

Pin小姐聽到公主又親又抱Daeng姨時差點就要吃醋了，但好好地想了一下後總算是找回了一點理智，畢竟Daeng姨的年紀已經接近70歲了，皮膚白皙、身材圓潤，臉上總是掛著慈祥的微笑，看起來確實令人想抱一個。

「看到Prik進廚房後，殿下就把她拉去沙灘上玩耍了，我看她們跑得好～～遠啊，到現在都還沒回來。」

Pilanthita心累地嘆了一口氣，她開始懷疑Daeng姨口中的Anil公主，究竟是七、八年前的小公主，還是昨晚熱情如火，且說了一整夜情話的少女。

「這樣殿下要用餐時，Daeng姨恐怕要再把粥拿去加熱了。」Pilanthita完成所有煮粥的程序後說道。「和Prik這樣玩得不亦樂

乎，等到她們回來應該已經時候不早了。」

Daeng姨笑開懷地欣然接下指令，而Pilanthita則伸長脖子尋找某個人的身影，確認那個人真的不在視線之內後，她才大步邁向一大清早仍杳無人煙的沙灘。

Pilanthita走在昨天和Anil公主散步經過的路上，後方的宮殿漸漸離得越來越遠，使她開始擔心是否走錯路了，就在她即將打道回府之際，Pilanthita驚見公主笑嘻嘻地向她走來，一旁還牽著一隻深褐色的迷你馬，這隻馬的身體中央有一條又大又顯眼的白色條紋。

更令人吃驚的是，Prik竟然騎在那隻迷你馬上，姿態看起來頗為僵硬，但臉上卻洋溢著止不住的笑容。

Pilanthita看得目瞪口呆。

她不知道現在這種情況下，該使用什麼詞語來問候這兩個人。

「Pin！」結果是Anil公主先開口。「妳來找我和Prik嗎？」

「您也知道啊……」Pin小姐雙手抱胸，眼神犀利地瞪了一眼坐在馬背上的Prik。「殿下真頑皮，老是愛到處玩耍。」

「頑皮？妳是指騎迷你馬嗎？」Anil公主呵呵笑道。「每個人來華欣都要騎迷你馬欣賞海邊的美景，妳說對不對呀，Prik？」

眼見公主把燙手山芋直接丟到她手上，Prik忍不住翻了好大一個白眼。

若說「不對」的話，看起來就像一名不忠誠的僕人在頂撞自己的主人，但若順公主的意回答「對」的話，又得面對Pin小姐此刻冷峻得令人畏懼的眼神，搞不好今晚她就沒了可睡覺的棲身之處了。

「沒有到每個人都必須騎啦，殿下。」最後Prik好不容易找到了一條出路。「但是我自己吵著要騎的，Pin小姐，所以殿下才去租來讓我騎著玩。」

「那為何妳不讓馬的主人來牽呢？」

Pilanthita點頭指向跟在遠處的那位皮膚黝黑的中年男子。

「因為我說我想牽看看，別抱怨Prik了嘛。」

Pin小姐聽到後悻悻然地癟著嘴，看到這對主僕間相挺的樣子，不禁使她想起了小時候她們三個人曾經溜去廟會玩的時光，那時候她們兩個也是這樣一搭一唱，害得她只能獨自生著悶氣。

「不然這樣好了，Prik騎好一段時間應該也累了，要不換Pin來騎看看吧？」

Prik愕然地盯著Anil公主，她好想向公主喊道自己還沒騎夠，一點也不累啊！但她唯一能做的就是慢慢從馬背上退下來。

「我不敢騎，殿下。」Pilanthita不停搖頭。

「試試看嘛，不喜歡再下來就好。」公主的聲音嬌滴滴的，Pilanthita完全無法抵抗對方那道撒嬌的眼神，於是只好在馬夫叔叔的協助下，乖乖被抱上了馬背。

「Prik，這給妳，拿去買點吃的吧，帶叔叔去遠遠的地方坐著休息，我和Pin一起去那邊晃晃一下子，不用跟過來了。」

「殿下所言甚是。」

Prik上一秒仍在微微咬著牙，但下一秒看到白花花的鈔票後，立刻抓著馬僕的手衝向椰子樹下，那裡有個婆婆正在挑著扁擔賣香噴噴的烤雞蛋。

「妳真是詭計多端。」Pilanthita呢喃道。

「不好嗎？不然我們該怎麼獨處？」公主笑道。「騎在馬背上的感覺如何呀？」

「唔……沒有想像中那麼可怕。」

Pilanthita 含笑著道，害羞地抬起手撥了撥自己烏黑的秀髮，其實此刻的她內心激動不已，感覺自己就像一位公主，身旁還有一名英勇的騎士保衛著。

「妳的手好美。」Anil 公主凝視著 Pin 小姐的小手道，纖細的手指上閃耀著鑽戒的光芒。「戒指也很美。」

「嗯……」

Pilanthita 輕笑了一聲，但她的臉卻紅得像顆熟成的番茄。

「誰送的呀？」

Anil 公主滿臉笑容。

「唔……不知道耶，應該是附近的人吧。」

Pin 小姐的聲音清脆甜美，臉上高興得笑逐顏開，這回她精準地在羞澀與撩人間取得完美的平衡。

「是嗎……？」公主淺淺一笑。「我還以為這是妳的訂婚戒。」

「不只是訂婚而已……」

Pilanthita 繼續吊著公主胃口，但她的心臟正紊亂地跳著，臉頰也紅熱得像是發燒了。

「什麼意思呀？」

「我和她是朋友，也是姊妹。」

「……」

「最重要的是……」

「……」

「她是我的身體和心靈上的主人……」

＊＊＊

「Pranot 先生。」

「是的，Pin 小姐。」

「您有沒有看到 Anil 公主？Daeng 姨剛做好公主殿下喜歡的點心，我想讓殿下趕緊趁熱吃。」

這是 Pilanthita 今天第二次在忙著找 Anil 公主。

「有的，殿下和 Prik 在那裡堆沙堡。」

Pranot 笑得眼睛都瞇了起來，他伸出手指讓 Pin 小姐跟著望向沙灘。少年因 Pin 小姐第一次主動和他說話而開心不已，然而 Pin 小姐只顧著尋找 Anil 公主的身影，彷彿把 Pranot 當成了空氣。

Pilanthita 急匆匆地跑向那兩位所在的位置，當她目睹了 Prik 此刻的「模樣」時，實在是忍不住無語地直搖頭。

Prik 的全身現在只剩下頭部露在沙子外面，圓潤的身軀則埋在一個巨型的沙堆下，而一旁穿著休閒服的公主樂此不疲地不停挖新的沙子疊上去。

不僅如此，公主的腳邊還放著一盤小黃瓜和番茄，殿下正小心翼翼地把薄薄的黃瓜片放到 Prik 的眼窩上。

「殿下。」

Pilanthita 嚴屬的聲音令公主頓時停下手邊的動作，而 Prik 則嚇得抖了好大一下，蓋在她身上的沙堆瞬間崩成了碎屑。

「怎麼了嗎，Pin？」下一秒，公主若無其事地轉過身來笑

嘻嘻地道。「想跟我們一起堆沙子嗎？」

「不想……」Pilanthita雙手環抱於胸前。「我長大了，又不是小孩子。」

「唉喲！」公主哈哈大笑，看似完全沒意識到自己犯了什麼錯。「欸Prik，Pin罵妳是個小孩子呢！」

Prik無言以對地翻了好大一個白眼，被公主這番抓來當擋箭牌，能有什麼辦法反駁嗎？當然只能順水推舟了。

「是個小孩有什麼不好嗎，Pin小姐？太嚴肅只會太快老死而已。」

Prik機靈地據以力爭，但Pin小姐卻沒有把這件事當成玩笑看。

「不跟妳吵了！」Pilanthita對著Prik說道，但餘光則狠狠地瞪著一旁咯咯笑個不停的Anil公主。「趕快帶妳的主人去把手洗乾淨，Daeng姨做了一整盤公主喜歡吃的芋頭椰汁西米糕。」

「是的，Pin小姐。」

眼看Pin小姐板著臉沒有要和她開玩笑，Prik猶如擔心小命不保般拚命頷首應和。雖然Prik把自己搞得全身是沙令人感到有些惱怒，但Pilanthita並沒有叫她去把身體沖乾淨，反倒憂心忡忡地關心起只沾到一點點沙子的Anil公主。

無論如何，Pin小姐總是對Prik偏心！

「別拖拖拉拉的喔，我會在花園裡的餐桌等妳們。」

「Sir, yes Sir!」

Prik照好幾天前公主所教的像個西方的軍人般敬禮，Pin小姐張大雙眼，接著瞪了一眼笑得擠出酒窩的「始作俑者」。

她開始不太確定，眼前與她對視的這名少女……

究竟是她的愛人⋯⋯

還是她的小女兒？

夜幕的降臨將天空染成一片深藍，Pridi Phirom宮的廳堂一如往常地圍繞在柔和的黃光下，名貴的留聲機正在播著西洋歌曲，陣陣悠揚的樂聲傳到了沙灘邊。

Kuakiat少爺依舊不屈不撓地坐在Pilanthita身邊試圖開啟話題，但少女自始至終保持沉默，而且還不停探頭探腦尋找著「某個人」。

「Pin妹妹～」少爺柔聲道。「和哥哥跳支舞好嗎？」

「我不想跳舞。」

Pilanthita面無表情，愣愣地望著海浪規律地拍打著沙岸，彷彿獨自坐在某個荒蕪人煙的地方。

「那讓我陪妳一起等晚餐吧。」Kuakiat自信地擠出他認為所有女人都會著迷的笑容。

但Pilanthita卻⋯⋯連看都不想看。

突然間，Pin小姐不經意地抬起左手撥了撥自己的頭髮，然而那顆鑽石的光芒卻刺進了Kuakiat少爺的眼底，使他忍不住多看一眼，這下才赫然驚覺⋯⋯

Pin小姐左手的無名指上，戴著一枚典雅高貴的戒指，外型看起來像是西方人所設計的。

Kuakiat遂即在腦中思索以前是否曾經看過這枚戒指。

答案為「否」⋯⋯

少爺確信自己沒有疏忽Pin小姐已經名花有主的事實。

明明昨天晚上才纏著對方拜託一起去海邊散步，為什麼當

時完全沒發現到這枚漂亮的戒指？

「所以我們需要等 Anil 嗎，Anon？」舞曲結束後已經過了晚餐時段好一段時間了，Anantawut 王子終於問道。「看來大家都很餓了。」

「應該不用等了，大哥，我剛剛去瞧了一眼沙灘，就看見 Anil 還在開心地抓沙蟹。」

「呵呵……Anil 啊 Anil，像個孩子一樣愛玩呢。」

大王子長嘆一口氣，但眼神中依舊散發著寵愛妹妹的亮光，然而 Alisara 和 Euangfah 小姐則因今晚無法和公主共進晚餐而滿臉失落。

「等 Anil 提著那一桶沙蟹回來後，麻煩 Daeng 姨把螃蟹都拿去炸來給她吃吧。」

總是特別照料妹妹的大王子特地轉過身向主廚 Daeng 姨交代，Pilanthita 聞之心中覺得有些不悅，埋怨大王子為何不用哥哥的身分逼調皮的 Anil 準時回來吃晚飯。

要不是因為今天已經追著扮演「小 Anil」的公主跑一整天了，否則 Pin 小姐現在立刻就會衝去沙灘把公主和 Prik 都抓回來吃飯。

但她卻只能空想……

因為現實中她不停浪費時間在中心思忖著：如果 Prik 有本事拆散一對剛在一起並出來度蜜月的夫妻……

現在是否能大聲地說……Prik 算是 Anil 公主的「小老婆」呢？

第三十五章　無價之寶

「什麼風把Kua少爺吹來這了？」

一看見少年端坐在蓮花宮的客廳時，Padmika夫人趕緊向他打聲招呼。夫人感到頗為訝異，在這種上班日的下午，Kua少爺怎麼會來拜訪她呢？

「最近你都趁我剛好不在的時候來呀。」夫人笑道。

即便聽得出來Padmika夫人是在開玩笑地調侃，但Kuakiat急著回話的同時又帶有幾分猶豫。

「不是那樣的，上次來沒來向您請安純屬偶然，並非故意的，夫人。」

「我只是開開玩笑罷了，別太放在心上。」

Padmika夫人上下打量著Kuakiat，少爺依舊相貌英俊，白淨的膚色看起來變深了一點，夫人猜想或許是因為華欣的太陽所致。少爺穿著公部門的制服，而且現在應該是他在上班的時間，這般臨時來訪，想必真的有什麼重要的急事。

「除了從華欣帶來的伴手禮外，少爺還有事想和我聊聊對吧？」

「夫人的眼光真敏銳。」

「有什麼事就說吧，待會我要去廚房忙了。」

Padmika夫人抿了一口茶，深邃的眼神不停疑惑地盯著少爺。

「我想問關於Pin妹妹的事。」Kuakiat輕聲說道。「想請問您……」

「什麼事呀？」夫人問道。

「……」Kuakiat仍低著頭一聲不吭，神情頗為凝重。

「怎麼了，Kua少爺？為何欲言又止的？」

Padmika夫人低沉的嗓音令Kuakiat相當緊張。

「我想請問……Pin妹妹有未婚夫了嗎？」

「怎麼可能有啊！」Padmika夫人蹙緊眉頭。「少爺怎麼會這樣問？」

「我只是看到……」Kuakiat費力地吞了一口唾液，夫人的聲音和嚴肅的眼神令他感到慌張不已。「妹妹左手的無名指上戴著一枚鑽戒。」

「真的嗎？」Padmika夫人若有所思地緩緩將手中的茶杯放下。「若她真的戴著戒指，為何我從來沒見過？」

「我以前也沒看過。」Kuakiat的聲音聽起來充滿了焦慮。「我是這回一起去華欣玩才發現的。」

「出發那天我看她的手上還空空的呀。」

「我在第二天看見的。」

「是嗎？」

「是的，夫人，所以我才想來向您問個明白。」

「我確定Pin小姐沒有婚約在身，如果有，我一定會第一位知道。」Padmika夫人堅定地道。「至於戒指的話……少爺先別太焦慮了，或許那是她自己的戒指，只是想戴在左手的無名指上而已。」

「我也希望如此。」Kuakiat恭敬地垂首道。

「話說，少爺對於Pin小姐意下如何，說來聽聽吧。」

「我對Pin妹妹的心意是認真的。」

「那她有什麼表示嗎？」

「她……看起來不太喜歡我。」Kuakiat吞吞吐吐道。

「Pin小姐真絕情，其實Kua少爺沒有什麼不好的。」夫人喃喃自語道。「但無論如何，我不想強迫任何人。」

「我明白。」

「我會盡量幫你，無需太擔心。」

Padmika夫人最後只說了這些，但Kuakiat卻感到如釋重負。

＊＊＊

Pilanthita左手無名指上的白金鑽戒不只是普通的精美，若仔細觀察，便能發現鑽石的每個切面都反射出耀眼璀璨的光芒，看起來光彩奪目，典雅貴氣的造型出自西方工匠精湛的手藝，樸素大方的樣式有別於皇宮內花紋精緻繁複的擺飾品。

Padmika夫人的目光靜靜觀察著Pin小姐的鑽戒半晌，然而Pilanthita卻完全沒有意識到對方的眼神，她仍津津有味地和姑姑一起享用晚餐。

事實上……Padmika夫人並非沒有發現，自從Anil公主回泰國後，Pilanthita就像一朵枯萎的花朵重新獲得泉水般再度恢復了生命力，尤其是去完華欣後，Pilanthita的氣色看起來變得更加充滿活力，宛如一名新婚的新娘正沉浸在蜜月的幸福中。

「Pin小姐。」

「是的，姑姑。」

「這次去華欣玩如何？」

「很好玩呀，姑姑。我去沙灘散步、騎迷你馬，還吃了很多海鮮。」

「騎馬嗎？」Padmika 夫人揚起眉毛，臉色看起來不太開心。「為何去玩那麼危險的東西？」

「只是騎著散步欣賞海灘的風景而已，一點也不危險。」

Pilanthita 內疚地低頭盯著餐盤，責怪自己不該把這件事說給姑姑聽。

「就算如此，如果從馬背上摔下來，就一點也不值得為了一時的娛樂而冒險。」

Padmika 夫人的聲音依舊低沉嚴肅。

「是的，姑姑，以後我會多加留意。」

「那妳手上的那枚戒指呢……」Padmika 夫人抬高下巴，像是在估算某樣物品的價值。「在華欣買的嗎？」

噹啷！！

餐廳裡響徹湯匙和叉子掉落時撞擊餐盤的巨響，Pilanthita 連忙將散亂的餐具拾起，同時拚命穩住不讓雙手發抖，接著把手交疊放在餐桌下的腿上，彷彿想讓鑽石的光輝盡可能遠離姑姑的視線。

「別像是把我當作愚蠢之人般耍我了……」Padmika 夫人的聲音夾雜幾分痛楚，眼神十分冰冷。「回答我，那枚戒指是從哪來的？」

「公主……」Pilanthita 低頭死死地盯著自己的雙手，面露難色地回道：「Anil 公主送我的。」

「是嗎……？」Padmika 夫人纖長的眉毛頓時打成了一團結，犀利的眼眸疑惑地瞇成一條線。

「姑姑……」Pilanthita 的聲音越來越小。

「送妳……以什麼名義送妳的？」

「沒有什麼名義，殿下只是單純想送我。」Pilanthita的聲音嘶啞，使人幾乎只能聽見零碎的詞語。「或許跟那時候Alisa夫人送我一套石榴石的珠寶一樣。」

「Alisa夫人是因為接近妳的21歲生日才送那套珠寶，怎麼能說是毫無由來的送禮。」Padmika夫人清楚把過去的事解釋了一遍，猶如把Pin小姐推入絕境。「公主殿下怎麼可能會無緣無故就送妳如此貴重的東西。」

「……」

「我一眼就知道這枚戒指價值不斐，妳怎麼會沒有多問就收下了？」

「我只是不敢拒收大人的禮物……就如姑姑一直跟我提醒的，事實上Anil公主是我的小姑姑。」

「這個理由稍微能理解。」Padmika夫人冷峻的眼眸依舊盯著Pilanthita陰鬱的雙眼。「但為何妳要把這枚戒指戴在左手的無名指上？」

「……」

「妳知道那意味著什麼嗎？」

Padmika夫人的話瞬間凍住了Pilanthita的心臟，使她痛得快要心跳驟停。

「知道，姑姑。」

「如果知道為何還要戴在那根手指上？」

「……」

Pilanthita拚命在成千上萬個理由中挖掘適合的來回答姑姑，但當她發現絲毫想不出一個恰當的理由時，Pin小姐只能像個啞巴般沉默不語。

「馬上摘下來給我。」

「我不要，姑姑。」

「妳現在會跟我唱反調了是嗎！」

姑姑的話音一落，Pilanthita 纖瘦的肩膀立刻無法控制地顫抖，數不盡的淚珠紛紛往交疊於大腿上的手砸，少女想盡辦法忍住不要哽咽，但看來忍不了太久。

最後……

Pilanthita 終於泣不成聲。

Padmika 夫人愣愣地看著姪女變得無比脆弱，她盡力伸長手輕輕摩挲著少女的手臂來安慰她，現在的 Pin 小姐已經不是好幾年前願意讓人擁抱安撫的小女孩了。

「不摘就不摘，別哭了好嗎？」

Pin 小姐緊抿著雙唇不停搖頭，眼淚就像豪雨般不停傾瀉而下，看起來就跟一個任性的小孩一樣，Padmika 夫人見狀只好柔聲勸道。聽見姑姑這麼一說，Pilanthita 好不容易才舒緩了許多。

夫人大大嘆了一口氣，她意識到……

就算以命相抵，Pilanthita 也不會摘掉 Anil 公主送的戒指。

搞不好……就像夫人右手無名指上那枚鑲著黃寶石和一圈小鑽石的戒指一樣，已經戴著二十幾年了仍不願摘下，或許這兩者之間有著相同的原因。

Padmika 夫人不由自主地撫摸著某位公主曾經送給她的戒指……

* * *

「嘿！」

「……」

「Pin～」

「……」

「Pin小姐！」

「嗯？」

「嗯什麼呀？」Anil公主笑道。「我們不是說好了嗎？如果我說嘿，妳就要幫我把書翻到下一頁。」

松宮的每一個深夜，私底下都沉浸在一股浪漫的氛圍裡，宛如空氣中的每個分子都充滿了最甜的蜜意。Pilanthita正躺在Anil公主的床上，將身子倚在床主人的肩膀，儘管公主的右手拿著一本厚厚的書，但她的左手依舊能緊緊地摟住某個撒嬌鬼的左肩膀。

「對不起，我有點恍神了。」

「不只是心不在焉而已。」Anil公主用沒有拿著書的手輕輕柔柔地撫摸Pin小姐烏黑柔順的秀髮。「妳還兩眼無神。」

「……」

「妳想睡了嗎？」

「沒有啊。」

Pilanthita故意裝出爽朗的聲音，但公主卻發現了事有蹊蹺。

「在煩惱戒指的事嗎？」

公主陷入了沉思，邊說邊撫摸著Pilanthita手上那顆凸出的鑽石，接著像往常一樣輕輕地親了一口。

「有人發現了嗎？」

「對……」

「如果這枚戒指讓妳很困擾。」

「……」

「可以把它摘下來。」

「……」

「或是換戴在右手的無名指上。」

「不要。」

「……」

「妳已經把這顆戒指送我了。」

Pilanthita緩緩將手從公主的懷抱中抽回來，隨後藏到了自己的背後。

「就算發生什麼生死攸關的事，我也絕對不會摘下來。」

第三十六章　短箋和包裹

　　Anil 公主回國滿兩個月的時候，正巧遇到一所歷史悠久的大學在開放研究所的申請，於是孿 Phinit 花不到一週的時間就幫公主處理完考試的相關事宜。現在公主正在就讀建築系的建築與設計國際學程。

　　好學不倦的 Anil 公主很喜歡去學校上課，也喜歡與教授和同學們談天，無論是上課還是下課時間，公主總是與他人談笑風生。

　　如果是白天必須專心翻譯小說的時候，無法見到公主並和殿下聊聊天，其實反而對 Pilanthita 也好，但如果已經到了日暮時分而公主遲遲未回家時，Pin 小姐就像再度被推進了熟悉的久候深淵裡。

　　「今天殿下又很晚才會回來嗎，Prik？」

　　Pilanthita 的問句和昨晚的一模一樣。意識到此刻仍絲毫不見松宮主人的身影後，少女全身無力地癱坐在壁爐前的杏色沙發上。

　　「是的，Pin 小姐。」Prik 立刻上前貼心地按摩 Pin 小姐的手臂。「聽殿下說最近教授有個令人很感興趣的計畫需要殿下幫忙，但我也聽得不是很懂。」

　　「我做的燒賣恐怕又要放到壞掉了吧。」

　　Pilanthita 長嘆一口氣，已經將近一個禮拜沒見到 Anil 公主了，每天傍晚精心製作的點心，最後都落入了 Prik 的腹中，因為 Pin 小姐不想讓公主吃到久放而冷掉、不新鮮的食物。

「在下自願幫您全部處理掉！」

Prik舔了一圈唇周，眼睛直勾勾地盯著面前那一盤皮薄且鮮嫩多汁的燒賣。

「呵……」Pilanthita冷冷地笑了一聲，不免感到有些哀怨。「想吃多少隨妳便吧，總比特地做給某人吃，結果人家一直不回來而必須丟掉還好。」

語畢，Pilanthita氣呼呼地抬頭挺胸走回蓮花宮去了，Prik不斷伸長脖子張望，直到確認Pin小姐消失在視線之外後，她才一口接著一口把燒賣塞進嘴裡，大快朵頤了一番。

「Prik在吃什麼呀？分我一點吧，我已經餓得發慌了。」

「咳咳咳！」

Prik被口中的燒賣嗆了好大一口，使她不得不慌忙地拍了拍自己的胸口，這句話的聲音來源，竟然是神不知鬼不覺潛入客廳裡的Anil公主。

「請殿下恕罪，只剩下三四顆燒賣而已了，在下不小心吃太快了，咳咳！」

Prik吞了太多顆燒賣，講話時不時還會咳個幾聲，而Anil公主則大剌剌地抓了一顆燒賣塞進口中。

「慢慢吃，殿下，小心吃得跟在下一樣撐。」

Prik嘴上忙著制止Anil公主，但雙眼卻緊緊盯著剩餘那幾顆飽滿多汁的燒賣，彷彿她的眼睛和燒賣就像一對相吸的磁鐵。

倒數第一顆燒賣……

倒數第二顆燒賣……

倒數第三顆燒賣……

最後一顆燒賣！！！

「妳想吃嗎？」

即使公主試著忽視 Prik，但最後仍無法抵抗對方盯著燒賣目光如炬的眼神。

「咕嚕嚕……」Prik 吞了好大一口唾沫當作她的回答。

「給妳吃吧。」公主哈哈笑道。

嗦！

公主的話音剛落，眨眼間，燒賣便消失在 Prik 的大嘴巴裡。

「殿下……萬……歲！」

「慢慢講啊，Prik，小心又噎到了。」此話聽起來有點嚴肅，但公主的臉上卻掛著慈愛的微笑。「這些燒賣這麼合我們的胃口，看來又是 Pin 小姐親手做的吧？」

「那是理所當然。」Prik 還在用舌頭回味豬肉燒賣的滋味，臉頰一下子凸出來，一下子凹進去，連每個牙齦的細縫也不放過。「殿下每天忙著讀書，回來都已經很晚了，所以這幾天我才有榮幸能嘗到 Pin 小姐的手藝。」

「那 Pin 小姐沒有對我很不滿嗎？」公主疑惑地揚起眉頭。

「哼……那還用說嗎？」Prik 抬起嘴角。「每天都這麼晚回家。」

「說得像妳是我的老婆一樣。」Anil 公主促狹地笑道。

「沒有沒有，但真正的老婆，噢不！Pin 小姐每天都一直抱怨，所以我才記起來了。」

公主搖了搖頭警告 Prik 注意對 Pin 小姐的稱呼，而 Prik 則乖乖地馬上用掌心搗住自己的嘴。

「Pin 小姐每天都抱怨我嗎？她說了些什麼？」

「抱怨殿下太晚回家，每天都等不到殿下回來吃[2]她做的點心。」

「妳是想說savoey吧，chan是沙彌在用的。」公主不禁笑了出來，臉上滿是關愛。

「請殿下恕罪。」Prik像是怕被賜死般連忙低頭。

「難怪每次回家都沒看見Pin小姐，點心也沒得吃，原來都進到妳的肚子裡了，妳知道我每晚都飢腸轆轆嗎？」

「在下罪該萬死！」Prik故意輕輕打自己的嘴。

「妳不能死。」公主高高抬起下巴，睨了一眼Prik後露出微笑。

「殿下在擔心在下嗎？」

「我只是怕松宮會被厄運纏身。」

「……」

「妳如果要死的話，麻煩死在大皇宮，知道嗎？」

「殿下在開玩笑而已，在下看得出來。」Prik表現出臨危不亂的架式，臉上掛著咧嘴的微笑。

「哼，算了，妳愛怎麼想就怎麼想，總之我有件事需要請妳幫忙一下。」

「只要殿下一開口，就算要在下上刀山下油鍋都行。」

「沒那麼難啦，Prik。」公主笑道，她從袋子裡掏出一本便箋和一枝鉛筆，構思了許久後在紙上寫了一串話，接著將紙撕下對摺兩次，最後再交給Prik，看起來就像個小朋友在玩神祕的遊戲。「把這封信拿去給Pin小姐，跟她說是我給的。」

---

2 原文這裡用的字為 ฉัน (chan)，若解釋為「吃」，屬於佛教用語。下一句公主提到的 เสวย (savoey)。

Prik 呆若木雞地看著公主，有點跟不太上對方的動作，但因為剛才已經誇下海口了，所以只好趕快接下命令。

「是的，殿下。」

Prik 從公主手中接下信紙後，飛也似的朝著蓮花宮奔去，她帶著鑰匙從廚房的門鑽出去後，鬼鬼祟祟地爬上了通往 Pilanthita 臥室的樓梯。

叩！叩！叩！

Pilanthita 正板著臉、抱著胸坐在書桌前，她狐疑地瞥了一眼房門，不知道這麼晚了是誰跑來打擾。

「Prik？」Pilanthita 纖長的眉毛皺成一團，簡短的一聲聽起來不太開心。「這個時間跑來找我，有什麼事？」

「Anil 公主請我把這封信交給您。」

Pilanthita 聞之斜睨著 Prik 手上的短箋，少女用兩根手指把信捏起來端詳了一番，與此同時，Prik 不停垂眼盯著地板，猛一看還以為是一隻頭縮在殼裡的烏龜。

「我回來了，已經好幾天沒見到妳了。」

看見信裡這句短短的話後，Pilanthita 只是輕輕地笑了聲，她搖了搖頭，隨後走回書桌前，從抽屜裡挑出一張漂亮的便條紙，毫不遲疑地動筆寫下一些東西。

「Prik，幫我一個忙。」停筆後，Pilanthita 轉過身把對折好的便條紙交給正躲在門旁探頭探腦的 Prik。「幫我拿去給殿下。」

Prik 忍不住翻了一個小小的白眼，她有預感，這場信箋之戰絕對不會輕易結束，顯然她必須在松宮和蓮花宮之間來來回回好幾趟。然而她只能順從地接下 Pin 小姐的命令。

「是的。」

語畢，Prik便再次躡手躡腳走下樓梯，當她的身子順利地從蓮花宮的圍籬鑽出來後，Prik立刻拔腿衝回松宮去。

等到Prik氣喘吁吁地跑回來松宮時，Anil公主早已翹著腳坐在她最喜歡的那張單人煙灰色沙發上，她淺淺笑了一下，然後端起一杯熱可可來抿了一口。

「Pin小姐請妳帶她的信回來給我對吧？」

「殿下英明過人！」Prik的嘴角拉得好高，一邊把對折的便條紙遞給公主。「給您。」

「回來就好，跟我有什麼關係？」

閱讀Pin小姐的短句時，Anil公主的眼睛散發著瑩瑩的亮光，儘管這行字看起來沒什麼，但公主依然笑得非常開心。

「Prik。」Prik正跪坐在公主的膝蓋邊，一聽見自己的名字，女孩全身抖了好大一下，如果沒猜錯的話一定是……「幫我一個忙。」

看吧！果然猜對了！

Prik不禁嘆了好長一口氣，Anil公主又在同一本便箋裡一筆一畫地寫，接著一樣撕下來把紙對折兩次後交給她。

「把這封信拿去給Pin小姐。」

叩！叩！叩！

「怎麼又來了？」

Pilanthita的應門聲聽起來有點厭煩，但她看著Prik手中的信箋的眼神卻在閃閃發光。

「關於Pin小姐的疑問，我覺得您應該要直接問公主殿下。」

「對啊……殿下像個小孩一樣在玩什麼？」

Pin 小姐瞅了一眼 Prik，但讀完信裡面的句子後，嘴角忍不住害羞地微微上揚。

「怎麼會沒有關係？我很想妳。」

Pilanthita 的臉紅得像是熟成的番茄，她將信紙沿著原本的折痕折回去，然後緊緊攢在手中。

「Prik，妳可以回去了，很晚了我想睡覺。」

Pin 小姐說完便輕聲將房門帶上，獨留 Prik 一頭霧水地呆站在門外，但既然沒有 Pin 小姐的回信，就代表不需要再跑來跑去了，這麼一想，Prik 便興高采烈地走回松宮了。

「嗤……」看到 Prik 兩手空空地回來後，Anil 公主的聲音聽起來頗為不悅。「為何妳沒有帶 Pin 小姐的信回來呢？」

「在下也想知道答案為何。」

「唔……」Anil 公主用食指敲了敲手上的書，忖度了半晌後突然笑了一下道：「既然如此，試著這樣好了。Prik 妳靠過來一點。」

公主朝著 Prik 勾了勾手示意對方靠近，隨後在 Prik 的耳邊說了一些悄悄話，使得 Prik 深褐色的眼珠驚訝地瞪得好大好大。

「如果妳照我**吩咐**的去做，保證這次我不只會收到信而已。」

Anil 公主的臉上泛起一抹慧黠的微笑。

「說不定我還會收到一盒包裹。」

叩！叩！叩！

「Prik？」

「……」

「Pin 小姐嗎？」

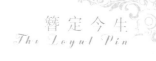

「……」

Anil公主靜靜地在臥室門後等了許久，確信門外的人不會出聲回應後，公主只好親自打開房門一探究竟，看看這位深夜的訪客到底是誰。

「真的是Pin啊！」Anil公主就像小女孩得到了喜愛的玩具，眼睛立刻亮了起來。「請進。」

公主牽著Pilanthita的手來到床尾的那張長型沙發，但Pin小姐依舊板著面孔。

「我好幾天沒看到妳了，別一直臭著臉嘛。」

Anil公主輕輕托著對方的下巴使其抬頭與自己近距離對視，但Pilanthita卻將公主的身子推了開來。她往旁靠在沙發的扶手上，一邊鬧著脾氣撇開公主的視線。

「Pin……」

Anil公主不只聲音聽起來輕柔細膩，連那雙深色的眼眸都像是在索求對方的溫暖，宛如小嬰兒渴望母親的懷抱。

「妳惹我生氣了。」見到公主的舉動後，最後Pilanthita終於開口抱怨道。「這次我真的生氣了。」

「在氣我好多天都很晚回家嗎？」

「算是。」

Pilanthita邊說邊用小手搓了搓自己的右臉，尤其剛剛發生的事使她越想越生氣……

叩！叩！叩！

「Prik，妳是講不聽嗎？」

雖然嘴上抱怨著，但Pin小姐卻迅速地上前開門，像是早就期

待著Prik再次來敲門。

「對呀。」

「那⋯⋯信在哪？」

「很抱歉，Pin小姐，Anil公主叫我這麼做。」

Prik雙手合十舉到頭前向Pin小姐恭敬地行了一個禮，同時張著水汪汪且天真無邪的大眼，使Pin小姐絲毫沒有一點防備。

沒想到，Prik說完那句天外飛來的道歉後，竟然用粗壯的手臂扣住了Pin小姐的頭，倏然在對方的臉頰偷走了一個大大的吻，接著趁Pin小姐驚愕不已之際飛快地以最安靜的步伐下樓，深怕萬一太大聲會吵醒Padmika夫人。

「但我更生氣的是妳叫Prik來我房間親我的臉！」

Pilanthita仍不停搓揉著自己彈潤的臉頰。

「我沒有叫她親妳呀，我只是請她幫我帶一個吻給妳。」

Anil公主忍不住對眼前變得更加惱怒的人微微一笑。

「就算是幫忙帶也不行。」Pilanthita癟著嘴道。「我的臉頰只屬於妳，妳讓Prik這樣做，我真的很生氣。」

「那我該怎麼做妳才會消氣？」Anil公主緩緩貼到Pin小姐身邊，食指輕柔地摩娑著Pin小姐的手臂試圖安撫對方。「還是妳也要請Prik帶一個吻給我？就當作是報仇？」

「Anil！」看來是無法擊敗陰險狡詐的公主了，於是Pilanthita的聲音聽起來變得和緩了許多。「除了我之外，別想讓任何人碰到妳的臉。」

Anil公主笑到臉頰浮現出深遂的酒窩，她摟住Pilanthita纖瘦的身軀將其拉向自己，並在對方的臉頰上落下諸多深長的吻。

「如果像這樣一直蓋掉Prik親過的地方，能不能算是贖罪了呢？」

Pilanthita原本下厚上薄的唇形癟成了一條波浪線，但她卻沒有阻止公主不停在她臉上啄吻。

「還在生我的氣嗎？」

Anil公主深情地親了一下懷中的人的額頭。

「如果妳一直親我的臉的話，可能就不氣了……」Pilanthita望著公主的淺褐色眼珠別有深意。「但如果今晚妳不只親臉頰而已的話……」

「說不定我會更快氣消……」

第三十七章　Chaofah 大宅

其實蒙拉差翁 Euangfah 的血緣不單只傳自泰北的統治者，因為 Darawan 家族的沙德（也就是 Euangfah 小姐的祖父）原本是來自暹羅的某個郡王，後來發生了一些事故後，娶到了清邁的領主 Chao Burirat 家的獨生女，因此 Euangfah 小姐的父親探差 Chakkham 從暹羅那邊獲得了「蒙昭」的爵位，並且得以繼承母親這方位於清邁的遺產——Chaofah 大宅。

當探差 Chakkham 和同樣來自暹羅的 Darawan 公主結婚後，他們的獨生女 Euangfah 小姐便成了暹羅的血緣大於蘭納的「二代混血兒」，然而由於 Euangfah 小姐的生長環境都圍繞著蘭納的文化和傳統，因此她時常搞不明白究竟自己應該算是暹羅人還是蘭納人。

除了這個一半一半的身分認同難題外，Euangfah 小姐還得想辦法在尋找伴侶這條路上生存，而她的出路只有兩條。

第一條是在來自暹羅的母親 Dararai 夫人的家族中，挑選心儀的少爺和王子，第二條路則是選擇和她的奶奶（Chaofah 大宅最初的主人）關係不錯的泰北男子們。

多年以來，蒙拉差翁 Euangfah 已經習慣那些美其名「對兩家都好」的牽線。

然而從來沒有一次令人感受如此強烈……

這次和她配對的人，為「蒙拉差翁 Muangram Sirirampha」，是一位和她有著一模一樣血緣背景的少年。

談到這位皇室成員，必須從他的爺爺開始說起，Chao

Muangram的爺爺來自暹羅，娶了蘭納地主Chao Rangsi的獨生女後生了一名男嬰，名為「蒙昭Manfah」，也就是Chao Muangram的父親。

身世背景雷同……

地位也相似……

蒙拉差翁Muangram可說是才貌雙全，皮膚白皙，眼睛細長深邃，鼻梁高挺，還有著薄薄的唇瓣。然而以Chao Euangfah來看，這名少年卻長得膚色白青、額頭寬大、髮量稀少、眼睛細小斜長、鼻子過大且唇薄如紙，看起來不太可靠的樣子，尤其和Anil公主標緻的臉龐比起來，這位簡直是一無是處。

因此在Chao Euangfah的眼中，蒙拉差翁Muangram無疑是「奇醜無比」。

Chao Muangram剛從美國取得碩士學位回到泰國，一回到家，他的父親蒙昭Manfah便迫不及待媒合自己的兒子和蒙昭Darawan家的獨生女，因為對方現在擁有清邁最大的宅院「Chaofah大宅」。

Chao Muangram和Chao Euangfah宛如天作之合般匹配，因此比起過去的那些候選人，這回Dararai夫人二話不說便答應了女兒的婚事。

如果說要像以前一樣撮合Chao Euangfah和泰北的男子，老實說有點可惜，因為「Chao」這個字在蘭納的文化裡只是一個敬稱，不像暹羅這邊有正式的爵位。

然而，萬一和暹羅的皇族成親，雖然未來的孩子保證能獲得皇室的爵位，但同時Chao Euangfah必須放棄Chaofah大宅並搬去千里之外的帕那空，而這是Dararai夫人不願割捨的。

如果真的要結婚，只能讓女婿入贅⋯⋯

因此，擁有暹羅血統和蘭納宅院的蒙拉差翁Muangram，恰好能解決所有Dararai夫人擔心的問題。

當Chao Muangram的父親探差Manfah得知Alisa夫人將帶著兒子和女兒來清邁拜訪Dararai夫人，這個日期正好遇上下週即將在Manmueang大宅舉辦Chao Muangram的歸國宴，於是探差Manfah便藉此機會邀請Sawetawarit家的人都來當他們的座上賓。

由此可知，Chao Muangram的歸國宴上來了一大批Sawetawarit家的賓客和他們的隨從，主要的人物包括Alisa夫人、Anantawut王子和妻子Parvati小姐、Anon王子和他的未婚妻Orn小姐、Anil公主和她的跟班Prik，以及Padmika夫人和姪女Pin小姐。

而這對Euangfah小姐來說既是個好消息，也是個壞消息。

好消息是她又有機會近距離見到無時無刻都思念著的Anil公主，無論是夜晚睡前抑或白日甦醒時⋯⋯

壞消息是，她們必須在一個幾乎人人都在「介紹自己的伴侶」的場合見面。

尤其當Dararai夫人把Euangfah小姐推進歡迎Chao Muangram的蠟燭舞娘群中，Euangfah小姐就顯得愈加焦慮不安。

確實，她和Anil公主之間不可能會有結果，但她不想反覆提起這件事實，更不想跟Anil妹妹說其實自己已經有婚約了。

這是一件難以理解，但同時又稍微能理解的事⋯⋯

Euangfah小姐為此愁眉不展了整個禮拜，絲毫找不出任何能逃離的辦法，以致天天茶飯不思、輾轉反側，直到Alisa夫人帶著一家人真的來訪的這天。

　　Chaofah 大宅占地好幾萊[3]，為一棟由水泥和木頭混合而成的雙層建築，融合了泰式和歐式的風格，一樓有數根粗壯的紅磚柱，表層再用水泥抹灰，而二樓則是用木頭搭建，外頭有一個寬敞的陽臺包圍著屋子，上方的屋頂為廡殿頂，整棟房屋都刻上了精細的雕紋，最漂亮的點在於那片替陽臺遮蔭的屋頂，每當陽光灑落時，總是像在陽臺上演一場光影秀，美得令人陶醉。

　　由於房子非常寬廣，因此替遠從帕那空而來的賓客們安排客房並不困難，尤其 Alisa 夫人和 Padmika 夫人先前就已經有屬於自己的客房了，因為她們經常來拜訪 Dararai 夫人。

　　大的客房是特地為 Anantawut 王子和 Parvati 小姐準備的，至於 Anon 王子仍必須和 Orn 小姐分房睡，因此被安排到稍微小一點的房間。

　　「我可以跟 Pin 小姐一起睡一間房嗎？」

　　Anil 公主向母親說出心中的願望，她有預感 Pilanthita 應該會被分到和 Padmika 姑姑同一間，而自己則可能會和 Orn 小姐一起睡，或是像上回一樣和 Euangfah 小姐共處一室。

　　「Anil 不想自己一間房嗎？」Alisa 夫人的聲音溫柔無比，就像是在和一位小女孩講話。「妳是不是想煩 Pin 小姐，或是一直找人家聊天聊到不能睡呀？畢竟妳這麼會盤算。」

　　「不會煩 Pin 小姐啦，我只是不太習慣這裡，所以不想自己睡。」

　　不只聲音聽起來嗲嗲的，Anil 公主還鑽進了母親的懷中，連動作都充滿了惹人憐愛的嬌態。

　　「好吧好吧，有哪次是你求了但我不給你的嗎？」Alisa 夫人呵呵笑道。

---

3 泰國的面積測量單位，1 萊 = 1,600 平方公尺。

「那如果我求您讓我和 Orn 小姐一起睡可以嗎？」

Anon 王子試圖接著討價還價。

「絕對不行！胡說什麼呀，真討厭。」

Alisa 夫人驚愕地瞪大雙眼，沒想到二王子竟敢這麼說。

「母親大人真偏心，比起兒子更愛妹妹。」

Anon 王子努著嘴道，看起來像個氣鼓鼓的小男孩。

「唉呦唉呦～ 可憐的老二啊～」

Anantawut 王子開了一下弟弟的玩笑，短短一句便逗得眾人
哄堂大笑，尤其是覺得二王子十分可愛的 Ornida 笑得最開心。

「大哥更偏心，寵著 Anil 的第一名非大哥莫屬。」

「沒辦法呀，如果你有 Anil 一半的可愛，說不定我也會很寵你。」

大王子的話又再度引來所有人的笑聲，除了 Padmika 夫人板
著嚴肅的面孔，神情憂心忡忡的樣子。另一位笑不出來的人則
是 Euangfah 小姐，她的臉上浮現出一道不知為何而失望的神色。

大家各自進到自己的房間後，Anil 公主做的第一件事就是鎖
上房間的門和所有的窗戶，Pilanthita 見狀不太開心地癟著嘴道：

「把門和窗戶都鎖上，是想做什麼事嗎？別忘了現在仍是日
正當中。」

「妳的腦中怎麼一直想著那種事呢？我只是覺得外面吹進來
的風很冷。」

Anil 公主嘻皮笑臉地調戲眉頭緊鎖的 Pin 小姐。

「最好是啦，Anil，不要讓我看到妳來親親抱抱。」

「唔……」公主瞬間變了個聲音，姿態也變得乖巧聽話，最
後還是將自己的額頭緊緊貼在 Pilanthita 纖瘦的肩膀上。「我只是
開開玩笑而已嘛～」

當然，被靠著的人並沒有把公主推開。

「不用來跟我撒嬌。」Pilanthita 的雙唇向下彎成一條弧線，但雙眼卻像是飽含幸福般閃閃發亮。「妳向夫人請求和我一起睡時，我差點不敢相信自己的耳朵。」

「會怎麼樣嗎？如果有很渴望的東西，我們就必須為此付出一點行動不是嗎？」

「我很佩服妳從來不會放棄自己想要的東西，跟我差多了。」

Pilanthita 實話實說，在她的眼中，Anil 公主向來是個直來直往且真心對待情感的人。

「以前我總是照著自己的感覺走，但請妳銘記，從今以後⋯⋯如果是為了我們，只要我做得到⋯⋯」

「我都會盡力去做⋯⋯」

* * *

今晚的宴會在 Manmueang 大宅無邊無際的大草皮上舉辦，賓客們的座椅全是刻有精美蘭納花紋的木椅，一張接著一張整整齊齊地排在兩側，留下中央用石頭鋪起來的地面作為舞臺。

左側是 Darawan 家族和 Sawetawarit 家族成員們的座位，右側則坐著探差 Manfah、Chao Muangram、Sirirampha 家族的貴族以及諸多泰北的親戚朋友們。

「那是誰啊，Naan Muang ？」

身穿全套蘭納服飾的 Chao Muangram 低聲問道跪在他旁邊的僕人 Naan Muang，同時目光灼灼地盯著坐在對面的少女。

「那位是 Anil 公主，Alisa 夫人的小女兒。」

「真是美若天仙。」Chao Muangram 緩緩點了點頭道:「美得不像是個真人。」

「聽說是沙德和 Alisa 夫人的掌上明珠,很小就去英國留學了,前陣子才剛回國不久。」

「確實實至名歸。」Chao Muangram 投以 Anil 公主讚許的眼光,公主正興致勃勃地環顧著會場的氣氛,無暇的臉上無時無刻掛著淺淺的微笑。「那坐在旁邊的那位又是誰?」

「Pin 小姐,Padmika 夫人的姪女。」

「看起來甜美可人,舉止相當優雅得體。」

Chao Muangram 的臉上浮現出一抹含蓄的微笑,以致 Naan Muang 不得不出聲警告主人。

「注意您的舉止啊,殿下,今天不是選妻的日子,況且您的父親已經替您選好 Chao Euangfah 了。」

「這件事我知道啦,我的心現在只有 Chao Ueang,只是依男人的天性而想稱讚一下美麗的女子罷了。」Chao Muangram 笑道,隨後轉頭面向由白色麻布搭建而成的舞臺,現在有一群女舞者們正躲在幕後準備上臺,各個散發著迷人的眼神。「在我此刻的眼中,找不到其他和 Chao Euangfah 一樣花容月貌、謙恭有禮的人了。」

Chao Muangram 的話音剛落,會場立刻響起一陣響徹雲霄的樂音,Klong Aew[4]、Pi Nae[5] 和其他弦樂器交織出悠揚的蘭納樂曲,伴隨著五位舞女雙手持著蠟燭緩緩登場,搖曳的燭光在深藍色月光的渲染下顯得如詩如畫。

4กลองแอว (Klong Aew),為泰北傳統的一種鼓,外型有如一個倒放的沙漏吊在木架上,鼓身主要由兩個部分組成,一頭逢上鼓皮,另一頭是空心的長木筒,向中央逐漸變細。

5ปี่แน (Pi Nae),為泰北簧管樂器的一種,外型有點像嗩吶。

　　五位舞女們的面貌皆相當嫵媚動人，她們穿著傳統蘭納樣式的筒裙，頭髮整齊地挽成髮髻並綴上白色的蘭花，圍住上胸的亮色布匹凸顯出脖子和肩膀白皙柔嫩的肌膚，裙尾繡上精細的金色和銀色花紋，使得每個步伐顯得格外曼妙。

　　在這段絕美的蘭納表演中，站在中央領舞的 Chao Euangfah 尤其光彩奪目，和其他穿著桃紅色上衣配淺藍色布裙的姑娘不同，Euangfah 小姐選了一套靛藍色的抹胸和筒裙，原因只有一個⋯⋯

　　因為靛藍色是 Anil 公主最喜歡的顏色⋯⋯

　　然而盯著她曼妙的舞姿的那道眼神，既不屬於 Anil 公主，也不屬於 Chao Muangram。

　　而是來自 Anantawut 王子⋯⋯

　　事實上，Euangfah 小姐的一顰一笑反而再度喚起了大王子對於「夢中女神」的愛慕之情。

　　而大王子望著那位「舞女」含情脈脈的眼神，顯然超出了倫理的界線，令坐在一旁的二王子忍不住打了一下哥哥的膝蓋。

　　「咳咳！」

　　二王子彷彿有東西卡住喉嚨般用力咳了一聲，頓時將大王子從恍神中拉回現實。無庸置疑地，大王子當然知道什麼事「應該做」什麼事「不該做」，而且他也心知肚明，這場蠟燭舞不用說也看的出來是 Euangfah 小姐要獻給 Chao Muangram 一人的，再者，那兩人簡直如天生一對般相配。

　　事實宛如一條鞭子狠狠抽在大王子的心上，使他感受到前所未有的劇痛。

　　看來這次真的必須徹底死心了⋯⋯

　　大王子眉頭深鎖，他默默牽起坐在一旁的妻子，此時的

Parvati 小姐正饒富興味地欣賞臺上的演出，對於丈夫的舉手投足渾然不覺。

儘管大家都知道這場舞是為 Chao Muangram 而跳的，然而中間那位舞者多次在表演時有意無意地看向 Anil 公主，甚至露出淡淡的微笑，而她的這些眼神全部都被 Pilanthita 看在眼裡。

舞曲結束後，Chao Muangram 親自上前獻給所有舞者花環，但只有 Euangfah 小姐同時獲得少年一抹寵溺的微笑，本意是想當作額外的獎勵，然而 Euangfah 小姐卻只是出於禮貌淡淡地笑了一下。

令人感到意外的是，Euangfah 小姐下臺後竟然沒有選擇坐在 Chao Muangram 旁邊的座位，而是走向了連在 Anil 公主旁的空位。

二王子全程直楞楞地看著妹妹，大王子則呆若木雞地望向 Euangfah 小姐，至於 Chao Muangram 眼睜睜目睹了 Euangfah 小姐只要一逮到機會便不停偷瞄 Anil 公主，而少女的一舉一動通通逃不過 Pin 小姐的法眼。

身為旁觀者的 Prik 不停悄悄地左看右看，最後忍不住嘀咕道：

「這群人的關係到底是怎樣……」

「跟打結的紗線一樣錯綜複雜。」

第三十八章　WiangPing 玫瑰

「卿卿兮美人　風姿翩翩天上仙　凝膚皓質　宛若無暇月　明眸善睞　脩眉聯娟　婀娜可比緊那羅[6] 艷壓一眾芳華。」

小時候被 Anil 公主一直要求背誦的美人詩詞突然縈繞在 Prik 的腦海裡。Euangfah 小姐換上一襲裙尾鑲著白銀色花紋的靛藍色筒裙，裹住上胸的緋紅色布塊凸顯出雪白無暇的肌膚，胸前掛著顯眼的銀鍊，烏黑的秀髮用一根寶傘型的髮簪固定成髮髻，並綴上數朵黃橘相間的石斛蘭，髮髻垂下來的髮梢披在脖頸旁，使她的面容看起來更加嬌媚動人。

尤其當她優雅地漫步於 Chaofah 大宅中，刻著圖紋的深褐色木材更襯托出她的婀娜多姿，使得 Prik 不得不承認，在清邁的 Euangfah 小姐比在帕那空時美麗數百倍。

「Euangfah 小姐～」Prik 爬向 Euangfah 小姐，對方正和一群女僕坐在大宅中庭裡一塊架高的木板上忙著製作 Bye Sri[7]。「Chao Muangram 來找您了。」

Prik 邊說邊抬頭欣賞 Euangfah 小姐甜美婉約的美貌，秀麗的眉毛宛如由畫筆所勾勒，又大又圓的淺褐色眼珠在陽光的折射下，彷彿有一股令人一不小心就會為之沉迷的魔力，嬌小且翹挺的鼻子襯著粉嫩嫩像栗子的嘴型，使她看起來更加楚楚動人。

她的美不如 Anil 公主那般令人如痴如醉，也不如 Pin 小姐嬌聲細語般甜美可人，然而只要認真凝視著 Euangfah 小姐的臉

---

6 為佛教的天神之一，形象為半人半鳥，是天神的歌者和樂工。
7 บายศรี (Bye Sri)，為一種由芭蕉葉和鮮花製成的禮籃，外型可大可小。

蛋，無論是誰都會沉迷於她的魅力之中。

「怎麼是Prik來告知我？我們家的僕人都跑去哪了？怎麼這樣麻煩客人？」

Euangfah小姐的語調及言詞和她的容貌一樣甜美，從來沒被尊稱為客人的Prik驚愕得瞪大雙眼。

「不是的，Euangfah小姐，在下只是站在大門口送公主和王子，碰巧遇到Chao Muangram前來，他恐怕不知道在下不是這裡的僕人，於是直接請我來轉達了。」

「這樣啊。」Euangfah小姐和Prik對話時的聲音依舊十分溫婉，但一轉頭便吐出平淡的語調向一旁正在製作Bye Sri的年輕女僕道：「Tongnuan，去請Chao Muangram到依蘭花廊那裡等我。」

「是的，Euangfah小姐。」

女孩接到小主人的命令後立即起身前往接待Chao Muangram。

「Prik有空嗎？跟我一起去吧。」

Euangfah小姐竟然突如其來地回頭邀請Prik一同去迎接這位重要的客人。不過話說回來，今天Prik確實非常有空，因為她的主人（包括Anil公主和Pin小姐）一整天都會跟在二王子和他的未婚妻身邊，他們一行人出門去坐清邁老城的觀光車了，原本公主想帶Prik一起去，但Prik因為不想佔了一個後座的位子，怕會擠得公主不舒服，於是遺憾地謝絕了公主的邀請。

「這樣好嗎？也許Chao Muangram只想單獨和您說話。」

Prik努力找理由推辭，因為她可不想淪為Euangfah小姐和Chao Muangram之間的電燈泡。

「一起去嘛～」Euangfah小姐的聲音仍像糖水般甜蜜。「我不

想自己去。」

「是……」

Euangfah 小姐都這樣苦苦哀求了，Prik 怎麼有理由拒絕呢？於是只好跟著 Euangfah 小姐下樓，穿過一條捷徑後來到了一座木造涼亭，涼亭上是一座佈滿依蘭的花廊，濃郁的花香幾乎飄散至宅院的外牆。

「妹妹～」

見到未婚妻的那瞬間，Chao Muangram 柔聲向對方打了一聲招呼，同時疑惑地看了一眼 Prik。

「小弟～」一聽見 Euangfah 小姐稱呼 Chao Muangram 的方式，Prik 不禁用力地搗嘴憋笑。其實他們兩人的年齡只差沒幾個月而已，但 Euangfah 小姐就是不願照實叫對方哥哥。「等很久了嗎？」

「沒有啦。」

小弟望著 Chao Euangfah 的那對雙眸散發出無限的柔情。

「請坐。」Euangfah 小姐張手示意站著不動的 Chao Muangram 坐在她的對側。「想喝熱茶還是咖啡？」

「妹妹隨便選吧，我都可以。」

Chao Muangram 露出一抹癡癡的微笑，Prik 觀察到 Euangfah 小姐的笑容第一秒充滿了不以為意，然而下一秒隨即變成了如蜜糖般甜美。

「那麼茉莉花茶應該不錯。」

Euangfah 小姐轉過頭像是在對著 Tongnuan 下令，又像是在和她商討，女孩點了點頭，接著便跑去了大宅後方的廚房。

「妹妹裹著緋紅色的布看起來好美啊。」看來 Chao Muangram

是打算裝成一名瞎子，完全忽略了坐在 Euangfah 小姐旁邊的 Prik。
「昨天晚上也很美，但因為是晚上，所以看得不如白天清楚。」

先生您的嘴真甜啊……

Prik 忍不住在內心稱讚道。

「應該比不過西方的美女們吧。」

Euangfah 小姐說話時的笑顏優雅甜美，但 Prik 看得出來那是她認識 Euangfah 小姐以來最虛假的笑容。

然而 Chao Muangram 的所見貌似恰好與 Prik 相反，否則現在他的臉就不會如此通紅。

「可惜我覺得妹妹比較漂亮。」

「過獎了，沒這麼誇張。」Euangfah 小姐像是佔了優勢般笑了一下。「我只是個鄉下的姑娘，無法和那些西方國家的少女們比。」

「西方的女生普遍品行都不太好。」Chao Muangram 細長深遂的雙眼看起來完全深深著迷於 Euangfah 小姐。「不像妹妹這種蘭納姑娘溫柔婉約。」

這回 Euangfah 小姐不再回覆，她靜靜地為對方倒了一杯茶。

「妹妹倒的這杯茶又香又好喝。」

還來……

Prik 就坐在這裡眼睜睜看著，Chao Muangram 竟然還能像一臺甘蔗榨汁機般嘴甜個沒完。

「這是 Alisa 阿姨帶來給母親的。」

「哦～我最近才知道 Dararai 阿姨和 Sawetawarit 家的皇室貴族們關係非常親近，從昨天的宴會來看，那些公主王子們各個宛如雕像般標緻。」

「尤其是Anil公主呦！」少年提到公主這個詞時眼睛所散發出的星光，看了不禁使Prik在內心附和道。

「對呀，非常漂亮。」

Euangfah小姐的眼神突然不知道神遊到哪裡去了。

「但還是沒有妹妹好看。」

還沒完⋯⋯

小弟還在不停地誇讚，以致Prik恨不得想啃個羅望子乾來解解油膩。

「小弟之後會一直留在國內嗎？還是打算繼續出國讀書？」

Euangfah小姐拋出問題。

「這次回國打算長住下來。」小弟回道，接著擠出一抹燦爛且真心的微笑。「以後應該不會離開清邁了。」

小弟的眼睛變得明亮有神，彷彿在提到「清邁」這兩個字時特別指向妹妹。

然而「清邁」在某人的眼中反而閃過了一道陰鬱，在他說出不離開之前，微小的希望就猶如一道閃爍的燭光，但在他表示要永遠留在清邁後，等同於直接在Euangfah小姐面前將希望吹熄。

「小弟會照所學的做法律相關的工作嗎？」

「對，我打算當公務員，現在父親正在幫忙找。」

「明白了。」

Euangfah小姐輕聲回道，她的眼神看起來頗為恍惚，臉上那抹淺淺的微笑也消失了。

「妹妹⋯⋯打算什麼時候結婚呢？」

Chao Muangram默默吞了好幾杯茶後終於鼓起勇氣問道，

Euangfah 小姐嚇得差點摔破手中的茶杯。她的臉色鐵青，雙手止不住地顫抖。

「應該是很久以後，我還沒準備好。」

這下換成 Chao Muangram 的臉蒼白得毫無血色，他不禁開始反省是否是自己太魯莽，乃致對方有如此抗拒的舉動。

「沒關係，我會一直等妳。」

現在 Prik 完全明白 Euangfah 小姐拜託她「一起來」的用意是什麼了，她就跟 Euangfah 小姐的「證人」沒兩樣。

Euangfah 小姐早就預料到，像 Prik 這麼聰明的人，肯定一眼就能看出她一點也不喜歡她的未婚夫。

而 Euangfah 小姐希望 Prik 把這件事說出去的對象，很顯然非 Anil 公主莫屬……

「早安呀，妹妹。」

「哥哥早安～」

Prik 跟著 Euangfah 小姐回到大宅的中庭後便聽到了 Anantawut 王子和 Euangfah 小姐的對話。

「Chao Muangram 來了是嗎？」

大王子看了一眼正在前往 Dararai 阿姨的住所的少年，但 Prik 從來沒看過大王子有過那種眼神。

一種珍愛的瑰寶被搶走的眼神……

「是的，看起來像是去拜訪母親和 Alisa 阿姨了。」

「看來我必須認識一下他了。」大王子的雙眸明顯沉了一階。「過不久就要變成一家人了。」

「為何今天哥哥沒有跟二王子和 Anil 妹妹去城裡遊玩呢？」

Euangfah 小姐聞之趕緊轉了一個話題，不想再因為 Chao Muangram 的事而愁眉苦臉。

「唔……我太晚起床了，所以懶得跟去。」

Anantawut 王子的聲音柔柔的，Prik 聽到後忍不住抬起眉頭，好奇地偷偷觀察大王子深邃的眼眸。

「真可惜，清邁城很漂亮呢！」

或許得怪 Euangfah 小姐的聲音太溫柔甜美了，使得大王子的雙眼不經意閃過了一道亮光。

「既然妹妹都這麼說了，勢必得找個機會去逛逛。」

Prik 僵直了脖子，這是她這輩子第一次聽到平常十分敬畏的大王子發出如此寵溺的聲音。

聽起來難以置信……

「總之哥哥一定要帶 Vati 姊姊去城裡玩呦！」

Euangfah 小姐朝著大王子甜甜一笑，然而在大王子的耳裡，這句話背後的涵義即暗指他已經不是位單身男子了。

關於大王子和 Euangfah 小姐的事，其實昨晚 Prik 早已暗中觀察到。大王子望著 Euangfah 小姐和 Chao Muangram 的眼神完全截然不同。

大王子的每一道神情都被 Prik 看透了……

但如果可以，她寧願什麼都不知道。

「好！」

Euangfah 小姐使出的這套策略非常精妙，因為只要提到 Parvati 小姐，大王子通常就不會再多說什麼了。

到了傍晚 Anil 公主回來後，Prik 就必須趕緊去服侍自己的

主人，不能再像白天那樣跟在 Euangfah 小姐身邊。然而，由於 Padmika 夫人想帶著姪女去城外拜訪同樣也是位泰北地主的朋友，因此 Euangfah 小姐便有了更好的機會能接近 Anil 公主。

「Anil 妹妹～」Prik 敢發誓，就算拿一大桶的糖來溶解，其甜度也無法勝過 Euangfah 小姐呼喚 Anil 公主的聲音。「有空和我談談嗎？」

Euangfah 小姐張手請 Anil 公主坐在陽臺的椅子上，從這個位置能清楚看見夜空中的點點繁星。

「可以呀！」

Anil 公主微微一笑，同時給了 Prik 一個心照不宣的眼神。

Prik 像是變成了一隻縮頭烏龜，抑或說是像一隻藏身在木頭牆板裡的小蟲子，她立刻躲到了大柱子的後方。不過靠著絕佳的聽力，她依然能清楚聽見 Euangfah 小姐和 Anil 公主對話中的每一個字。

「這次來清邁玩如何呀？上回我都在忙著處理父親的喪禮，所以幾乎沒有時間好好招待妳。」

儘管 Euangfah 小姐與 Anil 公主對話時的聲音比面對 Chao Muangram 和大王子時更顯得溫柔數倍，但 Prik 立馬能感受到 Euangfah 小姐的柔情沒有半分虛假。

「清邁……之前有多美麗，現在就依然那麼美。」Anil 公主的回覆果然如 Prik 意料中的巧妙。「今天出去欣賞了一圈清邁的美景很開心，Ueang 姊姊別再自責了。」

「我只是覺得很可惜不能一起去。」

Euangfah 小姐的雙眼蒙上了一層黯然，正如她所說的那樣，顯得非常可惜。

「但是二哥的車太小了。」

Anil公主笑道，但Euangfah小姐的眼神看起來像是想聽見更多解釋。

「而且我不應該和妹妹一起坐在後座。」

「不是這樣的，Ueang姊姊。」果然和Prik猜想的一模一樣，Anil公主的心地太過善良，以致無法堅定地拒絕。「只是我們有空的時間不太一樣罷了。」

「我會努力這麼想的。」Euangfah小姐的臉色變得更為淡然。「但還是有點難做到。」

「為何姊姊會對這件事如此焦慮？」

Anil公主換了一個端正一點的坐姿，她翹著腳，雙手輕放在膝蓋上。

「我忍不住去想，妹妹是不是一直在努力躲著我？這不是一天兩天的事，而是自從上回去華欣就這樣了。」

「……」

Anil公主費力地嚥下一口黏膩的唾液。

「我說的對嗎……？」

「沒那麼誇張啦，姊姊，我只是有太多事要做了。」

Anil公主靜靜地凝視著Euangfah小姐淺褐色的眼珠，像是希望能藉此安撫並緩解對方的焦慮。

「無論如何，還是算是有避而不見。」Euangfah小姐的聲音聽起來又變得更加黯然神傷。

「Ueang姊姊可以不要這樣想嗎……？」

Anil公主的語調溫柔似水，就連躲在遠處的Prik聽見也不禁羞紅了臉。

「我表現得太過明顯了嗎？」

Euangfah小姐突然問道，隨即緊緊將雙唇抿成一條直線。

「什麼事表現得太明顯？」

「就是……我對Anil妹妹深深的愛戀……」

Euangfah小姐的聲音聽起來頗為細小破碎，但卻真誠得令Anil公主無法照原本計畫的裝作不聞不問。

「……」

「我知道……」Euangfah小姐抬起頭看著Anil公主嚴肅的面孔，眼神中充滿了無數想傳遞給對方的情思。「我知道很明顯……但卻無法制止自己這麼做，因為我對妹妹的傾心已經多到無法按耐住了。」

「……」

「我知道我現在沒有資格。」Euangfah小姐嚥下卡在喉中的哽咽。「母親大人已經將我許配給Chao Muangram了。」

「……」

「我只是想說出來讓妹妹知道。」

「……」

「自從兩年前在大王子的婚宴上初次見到Anil妹妹……」

Euangfah小姐纖長的手指輕輕地摩娑著Anil公主瘦弱的手背，而公主正屏氣凝神地張大耳朵聆聽。

「無論是睡前……抑或睡醒時……」

「……」

「在我的每一個思緒裡……每一分每一秒都是妹妹的影子。」

「……」

「我知道我們無法在一起……因為我們不但是近親，而且同

樣都是女生。」

　　Euangfah 小姐依然意志消沉地說著，彷彿從今以後將與 Anil 公主訣別。

　　「我只是想讓妹妹知道。」

　　「……」

　　「就算這輩子我的人生會有多大的轉變……無論誰擁有了我的軀殼。」

　　清澈的淚珠不停地湧出 Euangfah 小姐的眼眶。

　　「Ueang 姊姊……」

　　Anil 公主嚇得不知所措，她伸出手拭掉表姊臉上的淚水，Euangfah 小姐隔著浸滿淚液的眼簾望著 Anil 公主，接著握住公主的手將其放在自己的臉頰上，最後嗚咽著道：

　　「我的心只會永遠屬於 Anil 妹妹……」

第三十九章　金簪銀簪

「Anil這樣穿著蘭納風格的衣服⋯⋯」

Pilanthita的聲音輕輕柔柔的，一邊將Anil公主的髮絲撥到耳後根。

「美得令我快要無法呼吸⋯⋯」

「有那麼誇張？」Anil公主含笑著問。

「當然。」

Pilanthita嫣然一笑，忍不住迎向公主並在對方的臉頰上親了好大一口。

其實這套衣服是Dararai夫人特地為Sawetawarit家的賓客們準備的，為了讓大家穿著傳統的蘭納服飾參加今晚的康托克宴[8]。

裹住上半身的菫紫色布條凸顯出公主白皙嫩滑、吹彈可破的肌膚，下半身配上一條深紫色交織著淺紫色花紋的筒裙，頭髮向上高高梳起，露出了優越的五官，雙唇抹上粉嫩的口紅，胸前戴著一條有點氧化了的彎月形純銀項鍊，另外還戴上手鍊和一對黑瑪瑙鑽石耳環。

「我來幫妳插上髮簪。」

Pilanthita打開絨布首飾盒，從中取出一根傘蓋型的銀簪，髮簪的尾端垂著一串小巧的流蘇綴飾，Pin小姐小心翼翼地將其穿過Anil公主挽好的包頭。

插好髮簪後，Anil公主著裝成蘭納少女的任務總算大功告

8ขันโตก (Khantoke)，中文普遍譯為「康托克」，康 (Khan) 意指「小碗裝的菜肴」；托克 (Toke) 則是「矮圓桌」，傳統的康托克宴相傳是蘭納王朝時的宮庭料理。

成了。

「那我也來幫妳戴上髮簪吧。」

Anil公主深情地摸了摸Pin小姐的手臂，接著打開另一個絨布盒，盒子裡躺著一根墜著香欖花的皇冠形金簪，公主輕輕捧起簪子，隨後將其固定在Pin小姐的盤髮上。

「今天妳也美得令我心跳不已。」公主邊說邊抬起Pilanthita的下巴，深情款款地望著對方的雙眸。「妳的臉這麼甜美，真適合蘭納少女的打扮。」

Anil公主一點也沒有言過其實，因為Pin小姐玲瓏有緻的身材與嫩粉色的裹胸布相得益彰，襯著她光潔水靈的肌膚更顯溫婉恬靜，尤其配上深紫色的筒裙後，Pin小姐整個人看起來更加楚楚動人。

「聽起來好像妳眼中的蘭納少女都很美。」

「嗯……」Anil公主咧嘴一笑。「妳怎麼想那麼遠了呢？」

「因為妳說長相甜美的人很適合打扮成蘭納少女。」Pilanthita咄咄逼人地瞪著Anil公主。「很明顯地，妳覺得蘭納少女都長得很甜美。」

「妳的邏輯真獨特。」Anil公主哈哈笑道。「其實妳有事想問我對吧？」

發現Anil公主終於意會到言外之意後，Pilanthita悻悻然地癟起嘴巴。

「昨天晚上我沒有和妳一起過夜，因為必須和姑姑一起去朋友的宅院……」嬌小的雙手輕輕捧住Anil公主的臉將其拉向自己。「妳昨天有乖乖的嗎？」

Anil公主覺得Pin小姐實在太可愛了，忍不住噗哧一笑，公

主摩娑著Pin小姐烏黑亮麗的秀髮，彷彿對方仍只是個小女孩。

「我當然是妳的乖小孩……」Anil公主頓了一下，為了嚥下黏膩的唾液。「但是Ueang姊姊不太乖。」

Pilanthita聞之立刻鄙夷地抬起下巴，她的預感果然非常準確，加上Prik一直抓著自己的嘴唇，看起來像是有事想稟報的樣子，Pin小姐便更加確信昨晚肯定有什麼和Euangfah小姐有關的大事。

「妳要說給我聽嗎？」Pilanthita依舊抬著頭瞅了一眼那對沉鬱的深色眼眸。「如果不說……我也不會怪妳什麼。」

「如果我不說，雖然妳不會責備我，但妳會生悶氣呀。」

Anil公主的聲音充滿了撒嬌、討好的口吻，令面前的人忍不住淺淺笑了出來。

「快說吧，別一直拐彎抹角的。」

「Ueang姊姊說有事想和我聊聊。」一想到昨晚那件至今仍令人頭痛不已的事，Anil公主的眉頭倏地皺了起來。「她說我故意躲著她。」

「……」

「她跟我道歉，說她對我的愛慕太過明顯了。」

「……」

「她說我佔據了她所有的思緒。」

「……」

「無論是睡前或清醒時。」

「……」

「就算我們無法在一起，她還是想讓我知道，她的心會永遠屬於我。」

「夠了，Anil。」Pilanthita 緊緊抿著唇，用力得差點滲出鮮血。「我聽不下去了。」

「妳沒有生我的氣對吧？」

眼看 Pilanthita 的臉龐瞬間抽乾了血色，Anil 公主連忙從身後環抱住纖瘦的身軀。

「為何我要生妳的氣？是我逼妳說出來的。」

「……」

「但實際聽到後，真的不是一件令人開心的事。」

Pilanthita 轉身俯首在 Anil 公主的腹部上落下一個吻，她凝視著自己印在對方肚皮上的唇印沉默了半晌，最後鼓起勇氣道出內心的疑惑。

「那妳……」Pilanthita 更加吃力地抱緊公主。「怎麼回覆 Euangfah 小姐？」

「我什麼話都沒說。」Anil 公主真心誠意地坦白道。「因為姊姊完全沒有問我任何問題。」

「……」

「她只是想把心裡的話說給我聽而已。」

「但至少妳應該跟她說妳對她沒有那方面的情感。」

Pilanthita 沉著的表象下，其實已經怒火中燒，彷彿滾滾的岩漿正在她的體內流竄，隨時都有可能會爆發。

「她沒有問呀，而且她哭得很厲害，我不知道該在什麼時機說比較好。」

「既然如此……妳應該又忙著安慰人家吧？」

「我承認我有安慰她。」深邃的眼眸微微張了一點，像是在苦苦哀求。「但沒有那麼誇張。」

「Anil！」

Pilanthita 低沉的嗓音夾帶的威力使 Anil 公主立馬不敢再回嘴。

「我要懲罰妳。」

Pilanthita 現在的樣子絲毫沒有在開玩笑的意思。

「理由是什麼？我明明把所有的事都告訴妳了。」

Pin 小姐美麗的臉龐蒙上了一層失落，其實現在她很想向對方撒個嬌。

「因為妳不直接老實地拒絕她，甚至還找理由說是因為人家沒有問。」

Pilanthtia 說完便走去從行李箱裡拿出某樣東西，緊緊攢在手中後再走回來。

「手張開，Anil。」Pilanthita 板著臉道，但嘴角卻含著一抹羞澀的微笑。「戴上我的信物。」

Anil 公主不禁露齒而笑，Pin 小姐正戴著一枚鑲滿了細鑽的白金戒指。

這是 Anil 公主見過最低調奢華的鑽戒。

「Pin……」Anil 公主的眼眶泛著淚珠，難以掩飾當下的興奮之情。「謝謝妳。」

Pilanthita 同樣興奮地把戒指戴在公主右手的無名指上，她深情款款地捧起那隻手，並落下了一個忠貞不渝的吻。

「為何妳不把這枚戒指戴在我左手的無名指呢？」

「我不想害妳得一直跟別人解釋。」Pilanthita 摩娑著公主的右手。「但我還是想宣示一下我的主權。」

「……」

「我想向全世界宣告，Anil公主只屬於我。」

「如果我想換戴在左手可以嗎？」

「不行。」Pilanthita堅定地道。「先讓我多存一點錢，我會再找一個更適合戴在左手無名指上的戒指給妳。」

「我會等妳的……」Anil公主迎向Pin小姐柔嫩的肩膀，接著印下一個飽含深情的吻。

* * *

今晚在Chaofah大宅舉辦的康托克宴盛況空前，Dararai夫人事先下令眾多僕人們精心布置宴會場地，大宅的中庭掛滿了蘭納的燈籠，處處映照於柔和的黃光下，會場中央由一塊巨大的白布為背景架起一座舞臺，舞臺上有樂隊和許多長相秀氣的女舞者正在跳著迎賓舞。

舞臺兩側的地上鋪滿了竹蓆，上頭放著帶有精緻圖騰的銀製康托克，每張矮圓桌裡都裝著五道菜，分別為炸豬皮、咖哩燉肉、香辣肉湯、番茄豬肉醬和烤豬肉，另外再配上生菜和最不可或缺的糯米飯。Dararai模仿學習西方的文化，讓每一至兩位客人就有一套自己的餐點。

於是舞臺的兩側排滿了長長的康托克，左側的貴賓包含Alisa夫人、Anantawut王子和妻子Parvati小姐、Anon王子和他的未婚妻Orn小姐，接著是Anil公主和Pin小姐；右側依序為Dararai夫人、Padmika夫人、Chao Muangram、Chao Euangfah，最後則是Prik、Plai叔以及Perm大哥。

傳統的蘭納舞蹈成功帶來了助興的效果，尤其對蘭納的藝

術與文化非常敏銳的大王子更是讚不絕口。

欣賞完各種表演後，大家便開始認真聊起天來。

「今天我的外甥女 Anil 公主好美啊！」Dararai 夫人連連讚賞 Anil 公主的美貌。「阿姨幫妳準備了菫紫色的衣服，想說非常適合妳，但沒想到本人穿起來會這麼好看。」

「謝謝阿姨。」

Anil 公主露出一抹燦爛的微笑。

「那是我上次送妳的髮簪嗎？高雅的東西果然很符合高貴的 Anil。」

「阿姨過獎了，我快要被您捧上天了！」

Anil 公主的回答引來一陣哄堂大笑，除了 Euangfah 小姐之外，她反而面無表情、不發一語地默默望著公主的臉龐。

「我贊同阿姨說的！」Anon 王子順勢搭話道。「Anil 妹妹和 Pin 小姐都很適合蘭納少女的風格。」

「就是說呀！咦……Pin 小姐頭上的那根金簪，是我送給 Anil 的嗎？」

「是的，阿姨。」無疑是 Anil 公主趕緊跳出來替 Pin 小姐解圍。「是我借給她的，這樣剛好很配蘭納的打扮。」

Pilanthita 偷偷鬆了一口氣，然而 Euangfah 小姐卻滿臉狐疑地盯著她頭上的金色髮簪。

不過此時還有一道綜觀全局的眼神……

這道冷峻嚴肅的眼神，來自 Padmika 夫人……

Dararai 夫人贈送給 Anil 公主如此貴重的金簪和銀簪，現在竟然跑到了別人的頭上，這種行為在 Padmika 夫人眼中實在是極為不妥。

更別提那枚一直吸引著她的視線的鑽戒，小小的白金戒指不停閃耀著碎鑽的光芒。此外，夫人確信自己以前從來沒看過公主戴過這枚戒指……因此怎麼可能不心生懷疑呢？

「所有女生穿上蘭納的服飾都會變得很漂亮。」

Chao Muangram 最後終於找到機會說點話，但對 Euangfah 小姐來說此話一點意義也沒有，因為在她眼中，服裝和飾品並不會使一個人變得更美，原本就長得漂亮的人，不管穿什麼都很美。

就好比現在 Euangfah 小姐完全深深著迷於一身蘭納裝束的 Anil 公主，以致一直忍不住悄悄地偷瞄，但這並不代表穿著白襯衫和短褲等家居服的公主就顯得相貌平平。

「如果真的想看到 Anil 比較不美的樣子，就得叫她去跳跳舞。」

Anantawut 王子故意調侃妹妹，眼神中盡是寵愛。

「我馬上就想到一隻猴子在跳舞的樣子了呢，大哥。」

Anil 公主開懷大笑道，惹得眾人跟著捧腹大笑了起來。

「Anil 靜靜地坐著就好，比跳舞的時候好看多了。」Dararai 夫人趕緊出面化解尷尬。「話說 Anil 吃得習慣嗎？今天準備的都是一些在地的食物。」

Dararai 夫人寵溺地問著親愛的外甥女。

「不但很習慣，而且還很合我的胃口呢！」

不愧是 Anil 公主，Prik 不禁在心中稱讚自己的主人。

而她仍饒有興致地觀察著所有人的眼神……

無論是 Parvati 小姐深情地望著大王子，或是二王子像是隨時要找碴的樣子盯著大王子不放，然而 Anantawut 王子卻側過臉

高傲地注視著 Chao Muangram，至於 Chao Muangram 則是一往情深地凝視著 Euangfah 小姐，無庸置疑地，Euangfah 小姐的目光只鎖定在 Anil 公主動人的臉龐上。

幸好 Anil 公主的眼神只有偶爾才會飄向 Pin 小姐，而 Pin 小姐的眼神也只偷偷地瞥向 Anil 公主而已。

最後這場接龍的終點落在了 Prik 的身上。

不過 Prik 漏掉了其中一位參賽者——來自 Padmika 夫人的眼神。

這道充滿猜疑的眼神直直地聚焦在 Anil 公主的肚子上……

Anil 公主右側的腹部上有一道未擦乾淨的淡淡唇印。

而且唇印的顏色和姪女的唇色如出一轍。

更驚人的是……

Pilanthita 的肩膀也不惶多讓，纖瘦白皙的肩膀上殘留了某人的淺粉色唇印……

第四十章　夫人的命令

「我們必須談談，Pilanthita **小姐**。」

前腳剛踏進蓮花宮的廳堂，Padmika夫人立刻發出低沉且嚴屬的嗓音。

Pilanthita的心瞬間墜落腳底……

Padmika夫人已經好多年未曾這樣叫過她的全名，上一次聽到應該是好幾年前在排大學志願的時候，當時夫人氣得氣急敗壞，因為除了第一志願是姑姑安排的首府裡那所赫赫有名的大學的藝術系，其餘的選項Pin小姐都填了外府的大學，幸虧她的考試成績名列前茅，否則現在夫人可能還氣得不願見到她的臉。

「是的，姑姑。」

Pilanthita顫抖著細聲回道，她跟在夫人後頭上樓前往以前的書房，也就是現在她的辦公室，姑姑已經先坐在她替客人準備的木頭長椅上等著她了。

「請坐。」

Padmika夫人張手示意Pilanthita坐在她的對面，而少女仍站在一旁低頭不發一語，彷彿絲毫沒聽見姑姑說的話。

「我請妳坐下。」

Padmika夫人加重每一個字的力道，Pilanthita聞之全身顫了好大一下，接著渾身乏力地緩緩坐了下來。

「最近妳一直很不聽我的話。」

「……」

「妳不愛我……不尊重我了是嗎？」

此話表面上聽起來麻木不仁，但Pilanthita卻能感受到每一個字背後隱含的傷痛。

　　「沒有，姑姑……」Pilanthita自責地抬起頭看著姑姑深邃的眼眸。「我絕對不會失去對您的愛和尊重。」

　　「是嗎？」

　　Padmika夫人凝望著眼前親手拉拔長大的姪女，從懵懵懂懂的女孩，變成了全方面都相當傑出的少女，夫人的眼中不禁流露出心痛的傷痕。

　　「是的，姑姑。」

　　Pilanthita又大又圓的淺褐色眼珠絲毫不含半句謊言。

　　「如果妳還愛姑姑，為何要這麼做？」Padmika夫人緊緊抿上雙唇，隱忍住激動的情緒道。「為何要奢望高攀不起的東西？而且還讓自己越陷越深，Pilanthita小姐！」

　　Pilanthita的雙眼張至不能再大，她的身體開始顫抖，腦袋一片空白，彷彿有人在她的頭頂淋下一壺滾燙的熱水。

　　「姑姑……指的是什麼事？」

　　「都已經說到這了，妳還想裝蒜嗎！」

　　姑姑強力譴責的語調像是狠狠擰住Pilanthita的頭腦，使其蒼白得毫無血色，少女現在唯一能做的只是一味低著頭，默默地看著自己靠在大腿上緊扣的雙手。

　　「一直以來，妳都把我當作毫不知情的笨蛋嗎？」

　　「沒有，姑姑」

　　「我只是裝作不知道，以為妳會想通了一點……」

　　「……」

　　「老實跟我坦白吧，Pilanthita。」

「……」

「好！既然妳不願直說，那我就把所有事一件一件說出來，要不要？」

「……」

「首先，妳錯在不懂得自愛，竟然癩蝦蟆想吃天鵝肉……」Padmika夫人艱難地嚥下一口黏膩的唾液。「我沒有教過妳嗎？**我們是誰？殿下是誰？**為何與人家平起平坐？」

「有，但我並沒有記在心上，就算有這麼做，我也無法控制自己的內心。」

Pilanthita的第一顆淚珠悄然無聲地落了下來，但現在看來無論有多少顆淚珠，都無法抵過Padmika夫人的憤怒和失望。

「第二，妳錯在沒有及時停下！愛情確實能在任何人、任何時間上發生，但如果妳適時克制好自己，事情就不會演變成現在這樣。」

「……」

Pilanthita無聲地流著淚水，她緊緊握住雙手，雙眼茫然得宛若她的世界正在分崩離析。

「第三，妳錯在放任自己隨心所欲，以致已經產生了深厚的情感。」Padmika夫人的聲音有點斷斷續續。「我說的沒錯吧？」

「……」

Pilanthita開不了口，然而此刻的沉默清楚道盡了所有的回答。

「妳怎麼敢這麼做！」這回換成Padmika夫人的淚水禁不住滾滾湧了出來。「有哪一點是我不曾苦口婆心教妳的嗎？」

Pilanthita終於再也忍不住了，她滿懷自責地瘋狂啜泣。

「姑姑沒有錯，是我錯了。都怪我對殿下的愛慕太過深切，所以才沒有管好自己，請姑姑別再自責，也別為了不孝的我而落淚。」

「怎麼可能不哭，Pilanthita？」Padmika夫人拭去滑落至臉頰兩側的淚水，每一個動作都充滿了Pin小姐從未見過的柔弱。「妳知道我費盡多人的心思在教導妳嗎？我希望妳能長成最漂亮的女人，讓妳懂得是非對錯，讓妳學會謙虛有禮。」

「……」

「為什麼一切會淪落到這個地步？」

「……」

「第四，妳錯在收下殿下的戒指，而且還戴在左手的無名指上，但妳明明就知道這麼做的意義有多麼重大。」

Padmika夫人的淚乾了，但和Pilanthita的帳還沒算完。

「第五，妳膽敢送戒指給殿下！這件是唯一我無法原諒的事，我真的很生氣。」

「姑姑……」

Pin小姐站了起來，一副罪孽深重的樣子換坐到夫人身邊。

「回答我……妳送戒指給殿下，是想將殿下佔為己有對吧？」

「……」

「對嗎！」

「請姑姑恕罪，拜託請原諒我。」

Pilanthita輕輕將手放在姑姑的腿上，全身顫抖著嗚嗚咽咽。

「妳傻傻地以為，只要把戒指送給殿下，總有一天殿下就會屬於妳。」

「真是太傻了，Pilanthita……」

「很對不起，姑姑……」

「再多的道歉也只是徒勞無功。」

「……」

「事情已經發生了，我們無法改變過去，但現在可以找到方法讓一切回歸正軌。」

「姑姑指的是什麼？」

「妳必須要有個未婚夫了。」

「姑姑……我…」

Pilanthita再次抽噎了起來。

「別以為這次妳的眼淚能幫上忙，Pilanthita小姐。」Padmika夫人冰冷地瞅了一眼跪在她膝蓋旁磕頭的Pin小姐。「無論如何，妳一定會有婚約。」

「我不……」

Pilanthita不停搖頭，彷彿姑姑說的話刺耳得令人不堪忍受。

「可以不要再違抗我了嗎？」

Padmika夫人的語氣冷冽得令人難以招架，Pilanthita只能流著淚接受姑姑的命令。

「是……」

「我已經找好了……唯一的人選非Kua少爺莫屬。」

Padmika夫人思索了半晌，邊用食指敲著面前的圓桌道。

「為何一定要是Kua少爺？」

Pilanthita使勁地抽噎著，差一點就要昏厥過去。

「Kua少爺有哪裡不好？她是我好朋友的兒子，也是二王子的摯友，身形和樣貌都相當出色，學歷好，家世背景也好，比

其他人都更適合妳。」

「但我不愛他……」Pilanthita 低聲駁斥道。

「**愛!?**」Padmika 夫人用力敲擊桌面，聲音大得令 Pilanthita 全身縮了好大一下。**妳愛的那個人是妳碰得起的嗎？妳忘了殿下是誰嗎？最重要的是，殿下和妳同樣是女生啊！**」

Padmika 夫人的表情因痛苦而扭曲，這些「不能去愛」的原因，其實同樣也深深烙印在夫人自己的心中。

「如果有其他適合的王子，我就會考慮妳的看法，但問題就出在於完全沒有更適合的人選了，別的王子們各個都有未婚妻了，若真要嫁就會變成小妾，但我無法接受變成這樣。」

「……」

「Kua 少爺雖然只有蒙拉差翁的頭銜，但至少跟妳的地位相等。」

「……」

「所以和妳相配的人就只有 Kua 少爺而已！」

「……」

「但光是這樣還不夠。」Padmika 夫人的聲音聽起來非常決然。「妳必須住手……」

「……」

「從今以後……」Padmika 夫人抬起下巴堅定地道。「妳不用再負責準備給 Anil 公主的點心了，我會請 Koi 姨處理。」

Pilanthita 聞之猛然抬起頭與姑姑對視，淺褐色的眼珠充滿了苦苦的哀求。

「而且休想再找理由去和 Anil 公主過夜。」

「……」

「從現在起，妳不准再接近松宮。」

Pilanthita不停跪拜在夫人的腳底邊。

「姑姑，姑姑，姑姑。」Pilanthita顫抖著全身道：「拜託別這麼做。」

「……」

「求求您網開一面……」

「……」

「如果不能見到殿下……」

「……」

「我一定會窒息而死……」

Pilanthita一邊下跪一邊哭得上氣不接下氣，一副真的快窒息的樣子，然而Padmika夫人只是揚起臉冷傲的回道：

「那我倒想看看……」

「……」

「妳會不會真的在我面前窒息而死。」

第四十一章　稟告

「Padmika 夫人有事想求見 Alisa 夫人。」

蓮花宮的僕人 Bua 姨前來打斷 Alisa 夫人和大王子及 Anil 公主的對話，他們正在討論下個月要為沙德舉辦的生日會。

「請夫人來這裡吧。」

Alisa 夫人指的是這間位於大王子的東宮裡又大又寬敞的書房，經常被用來當作討論重要事宜的地點。

「遵命。」

Bua 姨鞠了一個躬後連忙退了出去。

「真奇怪，平常你們的姑姑不會在假日早上來見我。」

Alisa 夫人一頭霧水地轉頭向大兒子和小女兒道，但王子和公主的臉上都沒有任何疑惑的神情，因為每到需要辦宴會的時候，Padmika 夫人這般突然請見 Alisa 夫人一點也不奇怪。

直到看見 Pilanthita 滿臉愁容且不情不願地跟在 Padmika 夫人後頭，王子和公主才終於對姑姑臨時的造訪感到事有蹊蹺。

Padmika 夫人和 Pilanthita 恭敬地行了一個屈膝禮，Alisa 夫人張手請她們兩位坐在一張華貴的沙發椅上。

發現東宮的書房裡原來不只有 Alisa 夫人和 Anantawut 王子，甚至連 Anil 公主都在場時，Padmika 夫人和 Pilanthita 的神色都露出了不小的驚訝。

Pilanthita 用餘光瞥了一眼 Anil 公主，今天公主穿著一套繡著靛藍色和天藍色花紋的白色洋裝，腰間繫上一條細細的黑色皮帶，一頭長髮自然垂在背後，雙唇擦上深紅色的唇彩。公主

翹著腿自在地坐在母親旁邊的那張長沙發上，看起來極為明豔動人。

那是 Pilanthita 殷切期盼，卻又難以觸及的美……

「有什麼事嗎，Pad？妳看起來很焦急。」

「沒什麼很焦急的，夫人。」Padmika 夫人抬起頭望著 Alisa 夫人。「我只是有事必須向您稟告。」

「請說，我準備好要聽了。」

Alisa 夫人正全神貫注地等著 Padmika 夫人回答，畢竟以前從來沒看過對方如此焦慮不安的樣子，Padmika 夫人向來都是個非常沉著冷靜的人。

Alisa 夫人揮揮手示意在場的所有僕人通通退下，大王子隨即領會到母親的用意，遂起身關上門和每一扇窗。

「Kua 少爺來談和 Pin 小姐求婚的事了，夫人。」

Padmika 夫人抬起下顎道，緊接著瞄了一眼 Anil 公主，於是便看到公主秀氣的臉龐瞬間變得愁眉不展。

Anil 公主幾乎在 Padmika 夫人講出下一句的同時迅速地看了一眼 Pilanthita，然而 Pilanthita 只顧著低頭凝視著自己靠在大腿上緊握著的雙手。

「但是適宜舉辦訂婚宴的日子有點太緊湊了，我覺得不太妥，畢竟最近皇城裡正在忙著準備沙德的生日宴。」

「原來是這件事啊。」Alisa 夫人呵呵笑道。「我覺得還是照著吉日來辦比較好，至於接近沙德的生日宴這部分，只要不是在同一天，我覺得不會有什麼問題，而且城裡接連有喜事也挺好的。」

「聽您這麼一說我就放心了。」

Alisa 夫人的話音一落，Padmika 夫人臉上的焦慮立刻消減了不少，然而 Anil 公主卻完全相反。

纖長的眉毛皺成了一團結，白皙的肌膚紅得宛如發高燒，雙唇緊緊抿成一條細線，深色的眼眸看起來宛若深井裡的死水。

原來這就是 Anil 公主已經一個禮拜看不到 Pilanthita 的原因，這幾天都是 Koi 姨在準備公主的正餐和點心，就算問了 Koi 姨她的主人跑去哪了，也依舊等不到一個答案。

Anil 公主原本以為 Pilanthita 只是又在鬧小脾氣罷了，所以像之前一樣請 Prik 送安撫的便條去給 Pin 小姐，不料 Prik 卻垂頭喪氣地走了回來，兩手空空連一封要給公主殿下的信都沒有。

原來實際上，事情遠比 Anil 公主所預料的更雪上加霜。

「為何要這麼急著辦呢，姑姑？」

Anil 公主淡然的語氣不費吹灰之力便吸引了在座所有人的目光，不過第一位出聲回應的卻變成 Alisa 夫人。

「Anil 啊，怎麼這麼問呢？Kua 少爺沒有什麼不好的呀。」

「他確實沒有什麼不好的。」Anil 公主表面上跟著讚許 Kua 少爺，心中卻冒出了少爺數以百計的缺點。「但是他們倆人還未交往、還不認識彼此，為何要急急忙忙趕著訂婚呢？」

「怎麼會不認識彼此？我看 Kua 少爺這幾年來經常進出蓮花宮，而且他非常遵循禮儀和習俗，又很懂得尊重長輩，從來沒有做出令人反感的事呀。」

Alisa 夫人滔滔不絕地解釋了好長一串，希望小女兒能聽進去一些，這樣才不會一直鑽牛角尖並問一些無濟於事的問題。

想不到……夫人親愛的女兒不但仍不罷休，下一句話甚至更加咄咄逼人。

「那不叫做認識彼此，母親大人，那個叫做 Kua 少爺只顧著滿足自己的虛榮心，他是因為喜歡對方的美貌和家世背景才來接近 Pin 小姐，而且還用與長輩套近乎的方式讓人家毫無拒絕的機會。」

「Anil……」

Anantawut 王子伸手碰了一下妹妹的手肘試圖讓她別再說了，但是 Anil 公主突然挺直腰桿，絲毫沒有要妥協的意思。

「這樣等同於男人把女人當作可以挑選的物品，只不過是每個月講幾句話而已，現在就有膽子來求婚了嗎？」

「Anil！」Alisa 夫人的怒吼響徹整間書房，顯現出夫人這輩子從未在他人面前爆發過的憤怒。「不准這樣對姑姑沒禮貌！」

Padmika 夫人輕輕嘆了一口氣，而 Pilanthita 的身體開始止不住地顫抖，她依舊低著頭沉默不語，雙唇幾乎快要抿出鮮血。

「Anil 應該是習慣西方的文化了，那裡的人在訂下婚約前都會先了解彼此的個性，而且最重要的是必須兩情相悅才行，母親大人。」

第一次看到親愛的妹妹被母親訓話，Anantawut 王子忍不住跳出來緩頰道。

「西方的文化那是他們西方的事，為什麼要拿來套用在我們國家？如果一對男女的相貌、地位和家境都相配，還需要了解彼此什麼？反正最後結了婚就會相愛了。」

「那如果結婚後還是沒有愛……」Anil 公主不屑地抬起頭道：「誰能為 Pin 小姐下半輩子的人生負責？」

「Anil！」由於不忍心看見母親慌忙地在包包裡翻找舒緩用的藥草，這次換成 Anantawut 王子大聲喝止妹妹。「不要這麼不

聽話！事到如今，Padmika姑姑一定是經過一番深思熟慮了，不要用妳自己的理由去干涉別人做的決定，該怎麼做每個人自有理由。」

Anil公主聽到哥哥說的話後啞口無言了半晌，她轉過頭來靜靜盯著Padmika夫人，然後再次開口道：

「這個婚約是姑姑深思過後的決定嗎？」

Anil公主的雙眸直勾勾地瞪著Padmika夫人，絲毫沒有要屈服的意思。

「這是他們男女間勢必要做的事。」

「您是指Pin小姐『需要做的事』嗎？」

「……」

Pilanthita仍一聲不吭，彷彿整間屋子裡吵得人仰馬翻的事全和她無關。

「沒錯。」

Padmika夫人毫不猶豫抓準時機代替姪女回答。

「真的嗎，姑姑？」Anil公主對視著Padmika夫人的眼神充滿了一股威嚇。「我敢保證，Pin小姐絕非是自願的。」

Alisa夫人和Anantawut王子同時詫異地張大雙眼，以前無論Anil公主有多麼伶牙俐齒，也不曾像這樣對長輩不敬。

為何這次Anil公主會完全判若兩人？

「這麼說等於Anil在指控姑姑說謊。」

Padmika夫人瞬間板起臉色，她從來沒想過會在這種情況下與公主殿下對峙。

「我並沒有這個意思。」Anil公主的聲音明顯放軟了許多，但眼神卻變得更加犀利，一副打算爭到底的樣子。「我只是照我

看到的說。」

「Anil 看到的是什麼？跟姑姑看到的一樣嗎？」

「如果把我看到的事實比擬成 Pin 小姐對 Kua 少爺的感情。」
Anil 公主露出一抹冷笑。「就像是一塊白布。」

「……」

「Pin 小姐對 Kua 少爺一點感情也沒有……」

「……」

「但現在姑姑正努力把這塊布染成自己喜歡的顏色。」

Padmika 夫人聞之心臟瞬間揪了一下，她意識到自己正在對
唯一的姪女做的事，確實完完全全和 Anil 公主的指控沒什麼兩
樣。

「但是在姑姑眼中的卻是 Kua 少爺對 Pin 小姐的情感，您看
到的是一條高檔名貴的上等布疋，無論怎麼看都很適合您的姪
女。」

這番比較下來，Anil 的話堵得 Padmika 夫人不再反脣相稽
了。

Anil 公主冷冷地笑了一下，接著對上 Padmika 夫人冷峻的眼
神，看得不禁使 Pilanthita 不敢喘氣。

「既然如此……您看出來我對 Pin 小姐的情感了嗎？」

Anil 公主的發言引來所有人不可置信的目光。

「如果沒發現到……請容我直接說出來。」公主投以 Padmika
夫人一抹溫柔婉約的微笑。「我對 Pin 小姐的情感……」

「……」

「就像是一條由金線和銀線製成的布，一針一線交織出精細
且柔美的花紋。」

「……」

「我花了人生一半的時間不辭辛勞地縫製……經年累月好不容易才成形。」

「……」

「但現在姑姑正打算無情地撕毀這塊精美的布，甚至把它丟至地上狠狠地用雙腳踐踏。」

「Anil！」

Alisa夫人和Anantawut王子異口同聲叫了出來，尤其領悟到對話中的「言外之意」時，Alisa夫人忍不住不停大口吸著手中的藥草包，而大王子見狀則憂心忡忡地趕緊上前攙扶母親。

「別再胡言亂語了。」

「我說的都是事實。」

Anil公主依舊無所畏懼地道。此時Pilanthita終於抬起頭來望向公主，眼神中飽含著哀求：

「求求妳別再說了。」

Anil公主並非不知道坐在對面的少女想表達什麼，只是現在她已下定決心要吃掉棋盤上剩餘的棋子，說不定最後有機會險勝而出。

「Anil指的是什麼事？」

Alisa夫人一邊向小女兒問道，一邊仍在吸著藥草包，試圖安定腦中雜亂無章的思緒。即使現在她已經清楚察覺出某件事，以至於不再抱有任何希望。

「我的意思是，如果Pin小姐必須有另一半。」

Anil公主轉頭面向母親，眼神中盡是楚楚可憐的央求。

「那個人一定是Anil，絕非Kua少爺……」

「胡說八道！」

Alisa夫人吼了一聲，心中期望著這一切只是自己的幻想。

「不可能！」Alisa夫人看向大王子和Padmika夫人，她的眼神像是在懇求兩位的協助。「Anil是女生，Pin小姐也是女生，怎麼可能結為伴侶！」

「母親大人請先冷靜，Anil還小、還很任性，讓我來跟妹妹談談吧。」

大王子很是擔心地扶著Alisa夫人，至於Pilanthita則啜泣到全身都在顫抖，然而Anil公主仍高高地抬起下巴怒視著Padmika夫人，一副誰也不讓誰的樣子。

「我怎麼可能冷靜得下來？你也知道從小到大，Anil只做她喜歡的事，只要是她想要的，她都會毫不猶豫地去爭取。」

Alisa夫人被大王子抱在懷裡，腦中因女兒的事而陷入一陣漩渦。

「Anil！」大王子別無選擇了，於是叫了一聲妹妹的名字使對方面向自己。「這次妳不得不接受事實就是不可能，無論怎麼看都是死路一條，因此出口只有一個。」

「……」

「妳必須死了這條心。」

大王子不得不這麼說，即便心裡清楚明白說了也只是徒勞無功，因為只要是妹妹想得到的，就算是天上的星星和月亮他也會奮不顧身地去摘下來，不過現在妹妹想要的比摘星星還簡單多了。

因此大王子只能裝作忽視妹妹的願望……

Anil公主悲愴地看著大哥，就算全世界的人都不諒解她，

她仍希望至少哥哥會是唯一的例外。

　　大王子瞥見親愛的妹妹同樣也發出求救的眼神，不禁陷入了一陣思忖。

　　「該如何死心啊，大哥？」

　　「……」

　　「我做不到眼睜睜看著自己的束西落入別人的手中。」

　　「……」

　　「難道不是哥哥教我要盡全力捍衛自己的權利嗎？」

　　「但這件事我無法順 Anil 的意。」Alisa 夫人發現 Anantawut 王子的雙眼在跟妹妹溝通後流露出心軟的那瞬間立刻說道。「如果是其他的事我全部都能聽妳的話，妳也知道比起自己的生命我更愛妳。」

　　「……」

　　「Pin 小姐和妳一樣是女生，無論如何都不應該交往甚至結婚，沒有人這麼做的！」

　　「我沒有要讓您蒙羞的意思，我只是想和 Pin 小姐相伴到老，這樣不行嗎，母親大人？」

　　「當然不行，Anil 是皇族的後代，以後也只能跟皇室的人成親，妳的父親已經在找尋適合的人選了。」

　　Alisa 夫人順道搬出沙德當擋箭牌，希望能藉殿下的威嚴來壓制 Anil 公主。

　　想不到……

　　「既然如此，我要退出皇室，這樣問題就能解決了。」

　　「Anil ！」Alisa 夫人失去理智地叫道。「妳知道自己在說什麼嗎！」

「知道……而且我說到做到，我要退出皇室後帶著 Pin 小姐去別的地方生活。」

語畢，Anil 公主立刻堅定地站了起來，一副無所畏懼的樣子。然而 Pilanthita 見狀卻從椅子上起身跪到了公主的腳邊，接著哭哭啼啼地道：

「求求您了殿下……千萬別這麼說。」

Pilanthita 輕輕將手放在公主的腳上，以嗚咽得幾乎不成字句的聲音說：

「別為了我拋棄您的爵位……別這麼做。」

「……」

「我會結婚……」

「我會和 Kua 少爺結婚。」

第四十二章　憤怒

「我會和Kua少爺結婚……」

Pilanthita邊說邊抽噎，以致幾乎無法聽清楚。然而即使聽起來既破碎又細微，她說的每一個字卻都清清楚楚地傳進Anil公主的耳裡，彷彿直接貼在公主的耳邊大聲宣布。

「妳說什麼……Pin小姐？」Anil公主不敢置信地注視著跪在自己腳邊的少女，她忽地蹲坐到地上，雙手心疼不已地搭在對方瘦弱的肩上。「妳不需要這麼委屈自己，知道嗎？」

Pilanthita一句話也不說，只是不停搖頭，伴隨著不停向下砸的淚水。

「關於我們的事，我會親自去和父親說。」

Anil公主的話一說完，Pilanthita越是哭得更加厲害，以致全身都在顫抖。

「殿下別這麼做，拜託別這樣犧牲自己，無論如何我都會嫁給Kua少爺。」

眼看Pilanthita如此堅決的樣子，Anil公主瞬間刷白了臉。公主慢慢站直身子，雙手緊緊握拳，乃至浮出了鮮紅的壓痕，接著用沙啞的聲音低喃道：

「為何這麼輕易就放棄了？」

「……」

「這就是妳的愛嗎……Pilanthita？」

「是我自己的錯……拜託請您原諒我。」

Pilanthita哭得撕心裂肺，她爬到公主的兩隻腳邊再跪了一次。

「不要跪拜我……我不是什麼可以實現人們願望的天神。」

「……」

「我跟妳一樣都是凡人……有血有淚，也懂得什麼叫做心痛。」

話一說完，Anil 公主立刻把腳抽了回來，裙襬因猛烈的力道而甩過了 Pilanthita 浸滿淚水的臉龐，公主怒氣沖沖地奪門而出，離開東宮後直徑走向大皇宮的方向。

Pilanthita 仍然趴在地上放聲痛哭，彷彿從眼眶流出來的幾乎不再是淚水，而是一道又一道的鮮血。

Anantawut 王子小心翼翼地攙扶住失魂落魄的 Alisa 夫人，至於 Padmika 夫人則是憂喜參半。

一方面因為 Anil 公主和 Pin 小姐的關係不會再進展下去而鬆了一口氣，一方面又同情現在的姪女真如之前所說的快要「窒息而死」。

＊ ＊ ＊

大王子找到妹妹的時候已經是下午快接近傍晚的時分了。事實上 Anil 公主跑到了一個不難猜到的地點，她正站在大皇宮的書房裡出神地望著窗外。

「原來妳在這啊，找妳找了好久。」

「我還能去哪呢？」面無表情的臉令人難以看透。「只能待在這個狹小的皇城內。」

「妳說的對。」Anantawut 王子低頭看了看地板，無力地淺淺笑了一下。「比皇城更狹小的，是我面前這個人的心。」

「……」

「不過剛才我也一樣。」大王子和妹妹同樣呆望著窗外。「很抱歉方才沒能站在妳這邊。」

「別自責了。」Anil公主瞥了一眼大王子壯碩的肩膀，接著長嘆了一口氣。「哥哥只是在用另一種方式保護我。」

大王子的眼眶瞬間變得紅熱，他沒想到妹妹居然沒有因為自己倒向母親那邊而生他的氣。

「Anil真有雅量。」大王子的聲音細微得像是一陣徐徐的清風。「而且妳是我見過最勇敢的人。」

「哼。」Anil公主嗤笑了聲。「很勇敢又怎麼樣……最後Pin小姐還不是說要和別人結婚。」

「Pin小姐會那麼說是因為把妳放在心上。」

「是看在我的分上……還是看在我的爵位的分上？」

Anantawut王子輕輕地把手搭在妹妹纖瘦的肩膀上，柔聲低語道：

「即便我是個外人，也能明顯看出Pin小姐比起自己更愛Anil。」

「我曾經這麼想過。」公主不以為意地聳了聳肩。「但現在我不太確定了……」

「……」

「母親大人還好嗎？」

「不太好，需要靠大量的藥草來舒緩，現在已經睡著了。」

「我真是個叛逆的小孩。」

「妳只是在爭取自己的權利而已。」

「那姑姑呢？她還好嗎？」

「姑姑還是一樣堅強。」Anantawut王子默默笑了一下。「在Pin小姐哭得昏天暗地，以及母親忙著索要藥草的混亂當中，只有Pad姑姑看起來最清醒。」

「Pin小姐哭得那麼嚴重喔？」

Anil公主疑惑地抬起眉毛。

「妳可能難以想像，在妳走出書房之後，Pin小姐哭到差點失去意識。」

公主聞之頓時撇過臉看著大哥的雙眼，過去她那道深邃的眼神，此刻充滿了陰鬱和困惑。

「這樣啊……」

「沒錯，我還得把她抱到沙發上休息讓姑姑趕緊照顧，但她醒來後卻一直呈現憂鬱的狀態，一句話都不肯說，所以剛才姑姑好不容易才把她帶回蓮花宮。」

「……」

Anil公主靜靜聽哥哥解釋稍早的情況，她唯一的動作，就是茫然地轉動著右手無名指上的鑽戒。

「Anil……」

王子滿懷心疼地叫了一聲妹妹的名字，不忍心看到她這般目光渙散、神情恍惚的樣子，大王子能察覺到妹妹明顯流露出一股悲痛萬分的絕望，從以前到現在，從來沒有人看過他親愛的妹妹掉過一顆眼淚。

二王子甚至曾經說過「Anil哭不出來」。

「……」

「如果想哭就哭出來吧，不會有人指責妳很軟弱。」

「我贏不過Kua少爺啊，大哥。」

最後滾滾的眼淚沖刷著公主細嫩的雙頰，大王子見狀立刻溫柔地把妹妹擁入懷中，宛如 Anil 公主是一塊隨時會四分五裂的玻璃。

　　「怎麼可能贏不過，我的妹妹各方各面都比別人還厲害。」

　　「但 Kua 少爺是男人啊……」公主艱難地忍住嗚咽。「光是這點我就輸得徹底了。」

　　大王子突然感到心臟一陣椎心的劇痛，猶如遭到一根鐵槌狠狠地捶擊。大王子緊緊抱住自己視為女兒般疼愛的妹妹，接著以最溫柔的聲音安撫道：

　　「是男人又沒什麼了不得的，只要 Pin 小姐的心還牽絆著 Anil，Anil 就佔有較大的勝算。」

　　「……」

　　「而且 Kua 少爺一定有什麼缺點，我保證。」

　　「……」

　　「但我需要再確認一下，請等等我。」

＊　＊　＊

　　「是 Anil 嗎？」

　　Alisa 夫人甦醒時一看到小女兒正坐在床邊守候著，立刻緊緊牽起了 Anil 公主的手。

　　「可以讓媽媽抱一下嗎？」

　　Anil 公主毫不猶豫地點了點頭，一邊湊近母親的身體好讓對方擁抱，Alisa 夫人深情地把女兒纖瘦的身軀擁入自己的胸前，同時在女兒的身上落下許多個吻，彷彿懷中的人仍只是個

小女孩。

「對不起，今天下午的時候我對您太不敬了。」

Anil公主帶著撒嬌的口吻緊緊抱住母親的胸口。

「我做不到對妳生氣……」Alisa夫人道，接著又在公主的臉頰上啄下好大一個吻。「但妳不准再拿自己的爵位開玩笑。」

「……」

「可以答應媽媽嗎？」

Anil公主苦笑了一下，但沒有開口答應。

「聽到妳那麼說，我的心跳差點驟停了。」

「……」

「妳是媽媽和爸爸的寶貝，知道嗎？」

「只要是父親和母親大人希望我做的，即使再怎麼艱難我都乖乖照做了。」

Anil公主退開了Alisa夫人的懷抱，為了騰出足夠的距離看著對方的雙眼。

「就連在我還只是個懵懂無知的女孩時送我出國讀書我都答應了，等我回國後，您說擔心我工作會太辛苦，不想讓我發揮所學的專長，所以我也乖乖聽從父親和您的心願繼續讀碩士。」

「……」

「為什麼我只求這麼一件事……您卻不願答應我呢？」

「……」

「既然無法依自己的心願得到想要的，我為何還要留著如此高貴的爵位？」

「Anil……妳想要的東西不符合妳的身分。」

「哪裡不符合？遇見心愛的人，您覺得很容易嗎？」

「……」

「既然如此，您就繼續尋尋覓覓吧，直到找到一位地位與我相等或比我更高，而且能讓我愛上他的男人。」

「到時我就會徹底忘掉Pin小姐。」

「否則這輩子別想看到我嫁給誰！」

第四十三章　房間裡的女子

「聽說他們已經訂下吉日了是嗎，Prik？」

Anil 公主正待在大皇宮的臥室裡看書，她坐在一張單人沙發上突然問道。

「是的，殿下。」

Prik 回完話後默默地垂下頭，深褐色的眼珠此刻實在是不敢對上主人哀傷的雙眸，因為她怕自己會被公主影響，以致忍不住跟著流下淚來。

「什麼時候訂婚？」

Anil 公主繼續追問，眼神絲毫沒有離開手中的書本。

「大後天。」

「喔……」Anil 公主的嘴角微微上揚，但雙眼卻明顯浮現出一層惆悵。「真如同 Pad 姑姑所願的非常快呢。」

「聽說選了一個很好的日子。」Prik 掛著一道相當侷促的笑容。

「現在蓮花宮應該忙得不可開交了。」

「並沒有，殿下。」Prik 坐立不安地不停晃動身體。「訂婚宴將在大皇宮的廳堂舉辦。」

Anil 公主聞之頓時錯愕地抬起頭來。

「在這裡辦嗎？」

「是的，是沙德殿下出的主意。」Prik 不知所措地左看右看。

「哼。」Anil 公主嗤笑了聲。「突然覺得 Sawetawarit 城可真大呀，大到我沒有地方可以待著了。」

「這幾天殿下先去住松宮好嗎？」

「不行，最近母親大人每天都來和我一起睡覺，完全不讓我離開。」

「那麼趕緊加快建造南宮還來得及嗎？」

聽見 Prik 的這番童言童語，Anil 公主不禁露出睽違多日以來的第一道笑容。

「聽妳在胡說。」Anil 公主闔上書本，側過頭來一本正經地道：「建造南宮是父親大人的心願，才不是我想要的呢。」

「但沙德殿下還是為了公主殿下而建了呀。」

「這樣也好，如果 Kua 少爺真的住進蓮花宮了，我恐怕無法忍受每天都看見那裡上演一些令人反感的畫面。」Anil 公主垂喪著肩膀道。「我會把松宮送給妳，這樣就能杜絕憂患了。」

「在下不敢收啊，殿下！蝨子肯定會把我的頭啃光啦！」Prik 連忙低下頭道，以致額頭差點撞到膝蓋。「再說，殿下走到哪，在下就必須跟到哪。」

「謝謝妳總是對我不離不棄。」Anil 公主怔怔地望向臥室的窗戶外頭。「但看來還要好一大段時間呢，我都還沒開始設計那裡的家具。」

「在下可以慢慢等！」Prik 興奮地打直腰桿道，接著對公主露出一抹燦爛的微笑。

成功地再次引來了 Anil 公主的笑聲。

「現在她在哪裡……妳知道嗎？」

Anil 公主邊說邊轉動著右手無名指上的鑽戒，自從那天在書房大鬧一番後，Anil 公主開始出現了這個習慣動作。

「殿下指的『她』是誰呀？」Prik 天真地問。

「就是……那個人。」

Anil公主故意藏著某人的名字，但聰明的Prik不用多說也知道主人指的是誰。

「現在Pin小姐正和其他的僕人們在樓下的廳堂串花環。」

Prik像隻躲在龜殼裡的烏龜縮著脖子道。

公主一聽，心臟為之顫了一下，胸口感覺有一團火球在熊熊燃燒。

已經好多天沒見面了……

但若問說想見面嗎……

答案當然是──「**不想**」。

依照大皇宮內部的格局，如果想下樓，勢必得走樓梯，但不幸的是，路途中一定會經過大廳堂，而Padmika夫人正召集了多位僕人在這裡製作大量的花籃和花串。

「如果我仍是個到處跟妳玩耍的小孩，現在就會綁一條長長的布在床頭，然後從窗戶垂降下去，這樣就不必經過樓梯那裡了。」

「吼，殿下，您就正常地走，眼神別去瞄Pin小姐就好了呀！」Prik好心出了個主意。

「我做不到對她視若無睹。」

Anil公主垂頭喪氣地凝視著右手上的白金戒指，內心早已宛如千瘡百孔般破碎。

「我的這雙眼一輩子都在追尋著那個人的身影，突然要我對她不理不睬，我實在做不到。」

「噢……Prik親愛的公主殿下。」

Prik雙手交握疊在心口，一邊擔心著她的主人。

「只要那個人還在樓下，我就會一直守在這間房間裡。」

Anil公主轉頭拾起一本厚重的書放到自己腿上，復又埋首於書本當中。

「那在下下樓去為您端點心上來吧，殿下。」Prik表示自願跑腿，此時距離中午已經過了好幾個鐘頭了。

「一壺茶和一些甜點就夠了，我不太餓。」

「中午幾乎沒吃，昨天晚上也是。」

「我吃不太下。」

Anil公主簡短回了一句話後便繼續默默看起書來，意味著想要就此打住與Prik的對話，Prik微微嘆了一口氣後便退到了樓下，接著朝大皇宮後方的廚房邁進。

下樓梯時，Prik忍不住偷瞄了Pin小姐瘦弱單薄的身軀，這下才發現對方曾經吹彈可破的肌膚竟變得蒼白枯槁，而且雙眼像是好幾天沒睡覺般倦怠無神。

Pilanthita不經意地和Prik短暫對到了一眼，隨即又撇開了視線，Prik憋住呼吸低著頭快速地從Pin小姐面前經過，一副自己也和Pin小姐吵了一架的樣子。

Prik奔進廚房一會兒後端著一個托盤跑了出來，手中托著一壺茶和些許餅乾，看了不禁使Padmika夫人把視線從監督僕人們換到Prik身上。

「Prik。」

「是的，夫人。」一聽見Padmika夫人的叫喚，Prik立刻彎著身子道。

「那是要給公主殿下的茶嗎？」深邃犀利的眼神疑惑地盯著Prik手中的托盤。

「是的。」

「現在已經過了點心時間，不是應該要端正餐去嗎？」

Padmika夫人充滿威嚴的聲音一瞬間傳進了Pilanthita的耳裡。

「殿下表示只想吃這些就夠了，還說最近吃不太下。」

Prik說完恭敬地低頭行了一個禮，但是深褐色的眼珠子裡暗藏了諸多埋怨。

「這樣啊……」

Padmika夫人嚴肅的臉上充滿了憂慮，雖然Anil公主和夫人本身對於結婚這件事的看法大相逕庭，但出於一股根深蒂固的責任感，Padmika夫人已經習慣要達成公主所有的需求。

「那妳再去問一次殿下，如果殿下想吃晚餐了，我這就去做。」

「遵命，夫人。」

Prik只有簡短回了幾個字，內心仍在生Padmika夫人和Pin小姐的氣，就是因為她們兩人才害得她的主人心碎不已。

Pilanthita望著Prik端著托盤上樓直至消失在視線之外，她總覺得每次只要看見Prik，彷彿就能在對方的身上看見Anil公主的影子。

Pin小姐不禁想像著公主端起茶杯細細啜飲的樣子，通常這時若殿下沒有一邊在看書，那麼就是在眺望窗外的風景，要不然就是挑了一片好聽的西洋樂曲唱片放至留聲機上，接著動筆寫下一些和建築相關的東西，抑或隨手畫起素描。

也許是畫她的畫像……

……但有可能畫的不是她

或許因為憎恨而這輩子都不再畫她了……

Pilanthita 無從確定答案。

「Pin 小姐……」

「……」

「Pin 小姐！」

「是的，姑姑。」

「在發什麼呆？現在要忙的事可多了。」Padmika 夫人的聲音極為嚴厲。

「很抱歉，姑姑。」

Pilanthita 細聲回道，隨即全神貫注地串起單圈的香花串。

這時二王子的那輛高級紅色名車停在了大皇宮前方，從車上下來的人不只有二王子，後頭還跟著他的未婚妻 Orn 小姐，以及她的妹妹 Alisara。

兩名妙齡少女優雅地向 Padmika 夫人行了一個禮，接著轉頭向 Pilanthita 道：

「有什麼需要我幫忙的嗎，Pin 小姐？」

「謝謝 Orn 小姐的好意，但我不敢麻煩您，請先到客房休息吧。」

Pilanthita 朝兩姊妹微微一笑。Ornida 跟著二王子走進客房裡，至於 Alisara 則站在原地，不停探頭探腦找尋某人的身影。

Pilanthita 曾經非常懷疑為何 Aon 小姐的暑假這麼長，因為一直沒看到 Aon 小姐有打算回英國完成學業的跡象。

「Anil 公主去哪了……？」

翹首了半晌後，少女轉過頭來對著失落的 Pilanthita 問道。

「應該在房間裡。」

「真可惜……」Aon 小姐嘆了一口氣。「今天我有些課業上的問題想請教 Anil 公主。」

「可能要等下次了吧。」Pilanthita 擠出一道淺淺的微笑。

正當 Aon 小姐要吐出另一口悶氣時，Prik 不巧從樓梯上走了下來。

「咦？是 Prik 呀！」

Aon 小姐宛如迷路的人突然見到了出口的亮光。

「您好，Aon 小姐。」

Prik 原本打算下樓去廚房找點東西來當晚餐，一聽見 Aon 小姐的招呼聲，她頓時停下了腳步。

「麻煩妳去跟殿下說我有事來訪。」

Prik 心裡想回答 Aon 小姐，但卻忍不住先偷瞄了一眼 Pin 小姐，然而對方不再像以前一樣面露一道凶狠的眼神，看了不禁使 Prik 感到有點詭異，相反地，Pin 小姐如琥珀般的眼珠正散發著希望的光芒。

「好的，Aon 小姐。」

Prik 別無選擇只好乖乖答應 Alisara 的請託，於是轉身小跑步沿著原路趕上樓。

Pilanthita 又再度望著 Prik 的背影消失在視線之外，意料之外地，她竟然開始希望……

希望能看見 Anil 公主走下樓梯來迎接她的好朋友。

已經好幾天沒見面了。

但若問 Pilanthita 想見面嗎。

答案當然是──「想」

即便殿下可能還在生氣而對她不理不睬，但只要能再見到

公主美麗的臉龐一秒鐘……

Pilanthita 願意用她所有的一切來交換。

Pilanthita 殷切期盼著 Anil 公主的到來，每一分每一秒都如永恆般漫長。

結果卻是 Prik 獨自又走了回來……

「公主殿下不願見面是吧？」

Aon 小姐一看到 Prik，表情瞬間垮了下來。

「不是的。」Prik 盡可能用最小的聲音說道，深怕會被 Pin 小姐聽見。「殿下請我代為轉述，煩請 Aon 小姐前往殿下的房間。」

「真的嗎，Prik？」

Aon 小姐笑得無比燦爛，她喜上眉梢地跟著 Prik 上樓往 Anil 公主的臥室前進。

然而後頭的 Pilanthita 一看見 Aon 小姐的身影漸漸往樓梯的方向移動，她的心臟瞬間墜落至腳底，無窮無盡的問題突然大量浮現於腦海。

「讓訪客直接進到臥室這樣合宜嗎？」

「不是說沒有喜歡 Aon 小姐？難道曾經說的話都是謊言？」

「如果在臥室裡會面客人，發生什麼事外面的人都不知道。」

「Pin 小姐。」

「Pin 小姐！」

「怎麼了嗎，Koi 姨？」Pin 突然回過神來微微顫了一下。

「別這麼用力捏花串。」

「……」

「您看看，花串都折到了……哎呀必須重做了。」

第四十四章　賜福

我做了一個好長的惡夢。

在夢中⋯⋯

我夢見 Anil 公主穿著一襲黑色的洋裝，翹著腳坐在陽臺落地窗邊那張她最喜歡的煙灰色單人沙發上，望著窗外的傾盆大雨吞噬掉一片陰沉灰暗的天空。

當我在對側的沙發坐下的那瞬間，Anil 的身體突然就像太陽直射後的晨霧漸漸飄散，我茫然若失地伸手捕捉虛無的空氣，意識到一切徹底化為烏有後，我倏地跪坐在沙發邊，將臉埋進掌心中開始放聲痛哭⋯⋯每次夢境進展到這個階段時，我總是會猛然驚醒。

我發現⋯⋯

當我再次睜開雙眼時，我的額頭佈滿了細小的汗珠，而頭下的枕頭則浸滿了淚水。我魂不守舍地胡亂捉著 Anil 的身體，希望她能翻個身緊緊將我擁入她懷裡。

然而我得到的卻是空蕩蕩的床位⋯⋯

這段空虛的日子已經久到彷彿 Anil 不曾陪在我身邊。

彷彿我們的關係只是一場不曾存在過的夢。

不過⋯⋯

如果只是從表面上來看，只要我還留有一口氣，沒有真的如先前所說的在姑姑面前斷氣而亡。

人人大概都會覺得我過得很好⋯⋯

實際上我依舊食不下嚥⋯⋯

夜夜輾轉難眠……

即便好不容易睡著了，也是因為哭到虛脫無力而不自覺沉睡。

更不用說這一天天的每個心不在焉的動作，全然只是為了聽從姑姑的話罷了。

每日每夜陷入了這種渾渾噩噩的循環。

雖然還留著一口氣，但我卻活得像一塊脆弱得隨時都有可能碎裂的玻璃。

我「選擇」與 Kua 少爺結婚而非讓 Anil 拋棄自己的爵位，所換得的懲罰就如同遭到處決一樣殘忍，因為這是我生平第一次看到 Anil 如此怒不可遏。如果把 Anil 的窩火比喻成一張紙，從前的 Anil 就是一張潔白無瑕的白紙，畢竟她從來不曾對任何人生氣，但我犯的錯卻嚴重到像是在那張紙潑上清楚的墨痕。

我得到的懲罰是再也看不見 Anil，因為只要我在蓮花宮，Anil 就會跑去睡大皇宮，或是一整天都待在大學裡，等回到松宮時都已經夜深了，而若我有事需要待在大皇宮，Anil 就會立刻移駕到松宮，要不然就是一直把自己關在樓上的房間裡足不出戶。

如此殘酷的懲罰吞噬著我的心靈，將其撕裂成無人關心的碎片……

我依舊渴望見到 Anil，依舊默默許著這個願望。

儘管我知道那天在所有人面前狠狠拒絕了她的好意後，我便再也沒有資格與地位崇高的她相見。

她是如此的勇敢，勇於挺身而出爭取自己想要的東西……

反觀我卻是如此的懦弱……

　　或許是因為姑姑的教訓使我不斷惦記著不應「將天空扯下」[9]，然而我的一舉一動皆與之背道而馳，我試圖叛逆地往上爬將天空拉下來，甚至差點使天際崩下來化為塵埃，害得 Anil 險些為了我而丟失自己的爵位。

　　雖然起初我也不知道為何會如此看重 Anil 的爵位，後來才發現其實是因為我不願讓她為了我而犧牲自己一點。

　　若 Anil 真要這麼做，我願意以自己的性命作為代價。

　　但當我選擇了另一條路……

　　即便沒有交出自己的性命，卻踏上了通往人間煉獄的通道。

　　「跪拜儀式和戴戒指的儀式時，Pin 小姐會先摘下左手無名指上這枚漂亮的鑽戒嗎？」

　　Kua 少爺的母親 Lamom 夫人略顯侷促地問道，或許是因為頗為介意姑姑的關係，畢竟關於戒指的這件事對於姪女的訂婚宴來說事關重大，但姑姑至今仍隻字不提。

　　我心生不滿地用右手緊緊攬住左手，姑姑一眼便看穿了我的肢體語言。

　　「這件事得問 Pin 小姐的意願，她已經帶著這枚戒指很久了，恐怕不會想摘下來吧，而且戴著兩枚戒指也不奇怪，您說對不對呀，Lamom 夫人？」

　　Padmika 夫人扭頭看著瞠目結舌的 Lamom 夫人。在 Lamom 夫人眼中，Padmika 夫人一直是位恪守禮教的人，若連對方都不在意這件事了，Lamom 夫人哪裡還有理由再繼續追問呢？

　　「Pin 小姐想把舊的那枚戒指摘下來嗎？」

　　姑姑面向我仁慈地問，同時無意識地轉動著右手無名指上

---

9 意指「以下犯上」。

那枚鑲著黃寶石和一圈小鑽石的戒指。

「不想。」

我老實地說。

我不免在心中默默希望姑姑能成全我這個小小的心願，用來換取我為了「選擇」這門充滿虛偽的婚事而放棄的幸福。

「既然如此就別讓 Pin 小姐摘戒指了吧，又不是什麼很怪異的事，有時候戴兩枚戒指就像西方流行的那樣摩登呢！」

「那麼就照 Pin 小姐的意願吧，夫人。」

Lamom 夫人勉強答應了，同時又瞥了一眼鑲著閃亮的碎鑽的白金戒指。

「可惜我的戒指比妹妹的少了好幾克拉，而且亮度也不比人家的閃耀。」

Kua 少爺仍抓著同樣的話題不放。

「那就是 Kua 少爺的責任了，少爺必須找到更大更亮的鑽石來娶 Pin 小姐。」Padmika 夫人冷冷地道。「若找不到就只能按照剛才的決定。」

Kua 少爺聞之立刻瑟縮地低下頭，與他這幾個禮拜的相處讓我明顯感受到他是個愛自吹自擂的人，但只要碰到和他的日常無關的事，就會變得一點信心也沒有。

「那我只好讓妹妹在我們的訂婚宴上多戴一枚戒指了。」

他邊說邊用一種哀求的眼神望著我。

我一臉厭惡地看著我的未婚夫，因為對他一點愛也沒有……所以無論他做什麼我都覺得礙眼。

「就這麼辦。」姑姑態度堅決地道。「就讓 Pin 小姐戴兩枚戒指，可別讓她在不情願的狀況下逼她摘下。」

我不禁在姑姑的腳邊行了一個跪拜禮以示感謝，無論姑姑再怎麼要求我遵照她的想法，至少沒有真的像是把我逼入絕境般強迫我違背自己的心願。

「待會我們要一起去大皇宮準備了。」姑姑的聲音充滿一股令人懾服的威力。「我跟 Pin 小姐先去確認一切是否都備妥了，等到了約定的時間 Lamom 夫人和 Kua 少爺再跟過來就好。」

姑姑說完便拉起我的手上車前往大皇宮。

一路上，我心灰意冷地靠著車窗，越是看見今早的天空陰雲密布，我的心就越深深陷進痛苦的泥沼裡。

在我的訂婚宴這天……

連天空都與我作對。

我苦思了不久後，Perm 大哥一下子就把我和姑姑載到了大皇宮前，然而我的身體頓時竄起一股刺骨的寒意。

眼前的大門裝飾著由盛開的鮮花組成的拱門，從入口至大樓梯，處處布滿了美麗的花環。

我實在非常不想讓這場儀式舉行……

但到頭來不就是因為我嗎？

都是我讓皇城裡的所有僕人們忙著串花環，還讓他們以為我墜入了情網……

但其實根本就沒有！

我和姑姑一起檢查了諸多環節，例如雙方的禮品是否都備齊了，以及沙德殿下的座椅是否鋪上了合適的椅墊。

我怔然地看著眼前的畫面……

除了讓事情繼續進展下去，還能有什麼辦法呢……

不久後，Kua 少爺的父親探差 Kobkiat、Lamom 夫人和 Kua

少爺來到了會場，又過了一下子，Kasidit家族的親戚朋友們也陸續現身了，姑姑熱情地上前招待，至於和那些叔叔阿姨們不熟的我，只能用微笑來代替各種寒暄。

「今天Pin小姐好美啊！Kua少爺也很好看，真的是天生一對！」

我已經數不清聽見了幾次賓客們諸如此類的讚美，以致快要把那些話都記在腦中了，Kua少爺聞之嘴角都快裂到了耳邊，但我卻兩眼空洞地呆望著廳堂的地毯。

儀式開始不久後，沙德殿下、Alisa夫人、大王子和二王子紛紛從樓上走了下來，我和Kua少爺正跪坐在中央的一張長椅前，我不停往樓梯的方向瞄，然而遲遲看不見Sawetawarit家的小女兒。

Anil應該是不想來了吧……

「Anil呢？」沙德殿下向大王子問道，莊重的臉上皺起疑惑的眉毛。「都這個時間了怎麼還不下來？」

「Anil好像生病了。」

大王子回道，但雙眼不敢直視父親犀利的眼神，至於知悉來龍去脈的Alisa夫人則默默地嘆了一口氣。

「不行！」沙德的聲音宏亮有力。「以輩分來看，Anil是Pin小姐的小姑，怎麼能不來接受跪拜禮！」

「是。」大王子畏怯地低下頭道。「我現在就去找她。」

一聽到大王子這麼說，我的心突然紊亂地跳動，導致胸口一陣悶痛，我感覺到自己的臉紅得發燙，身體止不住地發抖。我不禁緊緊抿住雙唇，以致Kua少爺轉頭問我：

「不舒服嗎，妹妹……？」

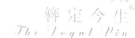

少爺擔憂地將粗厚的大手搭在我的手臂上，我緩慢地搖搖頭，接著用連自己都快聽不見的音量道：

「沒事，我很好。」

這段時間內，姑姑已經準備好所有需要在儀式上使用的東西。依照傳統，跪拜儀式需要從女方的父母開始，但由於我算是個孤兒，姑姑便麻煩沙德殿下和 Alisa 夫人來代替我的父母，替新人賜福的長輩依序下來為姑姑、大王子、二王子……

以及 Anil……

儀式正式開始前幾分鐘，Anil 終於穿著一襲潔白的洋裝和大王子一同緩緩從大樓梯上走了下來，我癡迷地盯著那張久久未見的臉龐，這才發現 Anil 同樣也在凝視著我。

與 Anil 的雙眼對上的那剎那……我的心瞬間墜落至冰冷的腳底。

她那道冷漠且銳利的眼神，猶如一把利刃狠狠桶進我的心窩。

那張美麗的臉沒有表現出任何不悅……但也不像以前總是掛著笑容了。白色洋裝的裙襬隨著每一個步伐輕盈地擺動了起來，曼秒的姿態立刻成為了眾人的焦點。Anil 面無表情地坐在二王子旁的單人座上，看起來絲毫沒有任何喜悅之情。

我別無選擇，只能跪坐在地上默默吸收所有的痛苦。無法見面的時候，想見到對方的欲望幾乎快使我心碎，但當好不容易見到面時，彷彿又有一條隱形的鞭子把我抽打至痛不欲生。

這就是我該受的罪吧……

感覺比死刑還令人痛苦數以百倍。

最後，我們的跪拜儀式獲得了許多祝福，我和 Kua 少爺將

用金色圓形托盤裝著的供香和供燭獻給沙德和Alisa夫人，殿下收下後，我們再獻上姑姑事先準備好的上等布疋作為供品。

儘管我曾經出言不遜，但Alisa夫人顯然還是對我疼愛有加，不僅總是對我露出慈祥的微笑，而且還溫柔地摸了摸我的頭髮。夫人回送我一個偌大的珠寶盒，說是一套祖母綠寶石鑲鑽的首飾，而整場儀式中，幾乎全程跪拜在殿下腳邊的Kua少爺則從沙德手中獲得一個鑽石的別飾。

「祝我親愛的Pin小姐能快快樂樂地和Kua少爺生活，彼此相知相惜，吵架時懂得相互原諒，最後祝你們早生貴子。」

Kua少爺笑容滿面地接受Alisa夫人的祝福。

「祝兩位白頭偕老，希望Kua少爺成為一位能守護家庭的好男人，並學會逗另一半開心，絕對不能讓Pin小姐有一絲一毫的不悅。」

沙德殿下的話聽起來非常堅定，Kua少爺邊聽邊唯唯諾諾地低下頭。

下一位輪到我的姑姑。

姑姑辛辛苦苦地獨自把我從小拉拔長大，總是給我滿滿的關愛，但此刻在我面前的她看起來格外柔弱。

不禁令我感到十分慚愧，這樁婚事其實不是為了報答姑姑的養育之恩，純粹只是為了留住Anil的爵位罷了。

我真的是個很不孝的孩子……

姑姑送了我們一整盤的金條，我偷偷瞥了一眼Kua少爺，一看到他那閃閃發亮的眼神，實在忍不住替姑姑花掉的錢感到可惜。

「親愛的Pin小姐，從今以後我終於能放心一點了，因為有

個人能代替我來照顧妳，希望 Kua 少爺能好好呵護我的 Pin 小姐，她就像是我的另一顆心臟一樣。」

姑姑邊說邊牽起我的手，而我已經熱淚盈眶。

「我用我的為人發誓，我一定會好好照顧她。」

Kua 少爺的回話聽起來頗為諂媚。

接著獻上祝福的長輩為大王子和二王子，如果真的以輩分來看的話，他們算是我的叔叔，而最後一位接受跪拜禮的長輩則是 Sawetawarit 家的小女兒，即便這位小姑姑的位階排在最後，但對我來說卻是意義重大。

我抬頭望著 Anil 緩緩移到我的面前。

那張臉依舊秀麗端莊，即便帶著一絲難過的影子，但微弱得幾乎無法察覺，雙唇擦上了緋紅色的唇膏，臉頰上能微微看出酒窩的印子，一頭飄逸的長髮垂在頸後，垂墜式的耳環使她的脖頸看起來更加纖細迷人。

曾經的 Anil 有多麼美麗，而今的她依然如此。

Anil 的眼神對到我時，我的心臟赫然顫了一下，於是我只好刻意避開她的雙眼，再把一條鑲著銀邊的靛藍色高檔布裙獻到對方手裡。

Anil 送給我的賀禮，是當初 Dararai 夫人送給她的那根銀色髮簪，和她轉送給我的金色髮簪是一對的。

「我把這根銀簪還回去，讓它和原本一對的金簪在一起。」

Anil 輕聲道，雖然掛著淺淺的微笑，但看起來卻是滿臉惆悵，我抬起頭飽含渴望地凝視著她深色的眼眸，不知不覺中，一顆接著一顆的眼淚眼淚突然開始吞噬掉我的雙頰。

「祝福 Pin 小姐……」

Anil 把臉湊了過來。

　　「祝妳的愛情幸福美滿。」

　　我凝望著 Anil，眼淚悄悄地流淌。

　　「至於 Kua 少爺……」Anil 慎重地把一個白金的手鍊遞給 Kua 少爺。「我只能說……」

　　公主漠然地抬了一下嘴角，接著把臉湊到我和 Kua 少爺的耳邊，用只有我們能聽得到的音量冷冷說了一句椎心刺骨的話。

　　「請 自 重。」

第四十五章　Prik 親愛的公主殿下

「Prik……」

「是的，殿下。」

「上來和我一起坐吧，坐在地上小心漂亮的裙子髒了。」

Anil 坐在一張深褐色的公園長椅上，面前是一座寬廣的湖泊，她轉頭和端坐在自己腳邊的 Prik 說道。

「不好吧，殿下，在下不敢和殿下平起平坐。」

「有什麼不好嗎？這裡是公共場所，又不是在皇城裡，妳坐在地上人家走過去都一直看，上來坐我旁邊吧。」

Prik 惴惴不安地左看右看，花了好幾分鐘才終於坐到 Anil 公主旁邊。

「呵。」Anil 公主瞅了一眼坐到椅子最右邊的 Prik，不禁噗哧一笑。「坐那麼遠……是討厭我嗎？」

「沒有，殿下。」Prik 連忙搖頭。「在下只是覺得不好意思。」

「說過幾次了，在外面請像朋友一樣相處。」

「抱歉……朋友。」Prik 邊說邊撥了撥頭髮。「我忘記了。」

經過了好多天，Anil 公主終於再次展露笑容，Prik 乖乖一點一滴地挪動位置向公主靠近，但還是在自己和對方之間留了一點空隙。

「妳來過這裡嗎？」

Anil 公主隨口問道，一邊眺望著廣闊的池塘，雨季尾聲剛踏入涼季的微風徐徐吹來，使今日午後的湖面上波光粼粼。

Anil 公主的頭上有一棵巨大的雨樹，朝四面八方延伸的樹

枝形成了一片廣袤的樹蔭，偶爾還會有些枯黃色的落葉緩緩飄落。

「沒來過，殿……呃，沒有。」

Prik 尷尬地撥了一下頭髮，她仍在努力適應扮演好公主的「好閨密」。

「沒關係啦，只有我們兩個而已，沒有人會聽到。」

Anil 公主微微笑著道。

「是的，殿下。」

Prik 如釋重負般悄悄鬆了一口氣。

「妳喜歡這裡嗎？」

Anil 公主柔聲道。

「喜歡！這裡大到看不見盡頭，放眼望去都是銀光閃閃的湖面、蔚藍的天空，和綠意盎然的大樹，真是美不勝收。」

「Pin 也喜歡這裡。」

「殿下……」

Prik 狐疑地看向 Anil 公主，因為這是自從好幾週前事發後，公主第一次直呼 Pin 小姐的名字，而非用「她」或「那個人」來代稱。

但公主的表情依舊平淡得令人難以猜透，那對深色的雙眼依舊靜靜地凝望著湖面，外表看起來就像一尊精心雕刻出來的雕像。

「我曾經帶 Pin 來這裡散步兩三次。」

「……」

「如果可以的話，我還想帶她來好多好多次。」

「……」

「我們的約會就是先去看一場電影，接著到中國城附近的中餐廳吃美味的中華料理，最後再來這裡一起靜靜地欣賞這座湖。」

「……」

「但妳相信嗎……」Anil公主漫不經心地轉動著右手無名指上的鑽戒。「光是這樣我就覺得好幸福了。」

「……」

「我只求能待在Pin身邊，我並不想大聲向大家宣告我和她相愛，也不想從誰那裡獲得多麼特別的祝福……」

「……」

「我只希望我和她主動躲到眾人的視線之外時，沒有人會來打擾我們，僅此而已……」

「……」

「然而即便如此，我們仍然無法像其他人一樣擁有愛情。」

話說到這，Anil公主的嘴角微微抬了起來。

不過在Prik眼中，那是世界上最悲傷的微笑。

無論是在Anil公主的世界，或是Prik自己的世界裡……

「親愛的殿下……別這麼難過好嗎？」

Prik立刻抹去眼角溫熱的淚水，因為不想在主人的面前潸然淚下，以免害得公主變得更加傷心。

「請別為了我的事而哭泣。」

Anil公主的聲音輕輕柔柔的，不過好像有點太過綿柔了，以致Prik忍不住嚎啕大哭了起來，Anil公主憂心忡忡地掏出手自己的帕遞給Prik，但Prik已經胡亂用身上的衣服把眼淚給擦乾了。

「怎麼可能不哭，公主殿下？在下這輩子從來沒看過殿下如此悲傷。」

「妳怎麼可能看過呢？」Anil公主低聲道。「人人都說我是個不曾傷心難過的女孩。」

「但是殿下的才智過人！」

又大又圓的深褐色眼珠充滿景仰地望著Anil公主。

「恐怕辦不到了。」Anil公主笑道。「現在的我可能比Pin還更常流淚。」

「絕對不可能，殿下。」Prik撅了撅嘴唇，像是不太想繼續說下去。

「為什麼這麼說？」

「因為Pin小姐幾乎把淚水當飯吃了呀，殿下。」Prik的手仍未停下。「Koi姨跟在下說，如果Padmika夫人沒有叫Pin小姐做事，Pin小姐就會一直魂不守舍地呆坐在書房裡，整天默默地擦眼淚。」

「那Kua少爺呢？」Anil公主的眼神充滿了疑惑。「沒有每天都來找她嗎？」

「每天都來，殿下。但是Kua少爺並非每次都能見到Pin小姐，有時Pin小姐會說身體不舒服，有時又說在忙翻譯的工作，用了各式各樣的理由來避開Kua少爺。」

「那姑姑都沒有說什麼嗎？」Anil公主困惑地抬起眉毛。「姑姑應該不可能讓她這樣對Kua少爺沒禮貌。」

「關於這點，在下和Koi姨也覺得很奇怪，但確實自從Pin小姐和Kua少爺訂婚那天後，Padmika夫人好像就什麼事都讓著Pin小姐，不再像以前那樣處處嚴格要求了。」

「是這樣嗎？」

「是的，殿下。」

「話說Pin的健康還好嗎？有沒有昏倒？」

Anil公主邊說邊恍惚地看著右手無名指上的白金鑽戒散發出閃耀的光芒。

「沒有人知道事實是什麼，因為Pin小姐一直把自己關在房間裡，她或許真的生病了，但有時可能只是當作迴避Kua少爺的藉口。」

「嗯……」

「總之，現在沒有人是開心的。」Prik喃喃道。「連Kua少爺也是。」

「不對吧，都跟Pin訂婚了，為何他還不開心？」Anil公主反諷道。

「只得到了她的人，但得不到她的心，怎麼可能開心得起來呢？」

「但如果Kua少爺真的贏得了Pin，應該不會在乎是否擁有了她的心，佔有某樣東西的快樂是無與倫比的，Prik。」

「人心真複雜。」Prik繼續嘟嚷道。

「人類的情感一直都很複雜。」

「不過其實可能有個解決辦法。」Prik費力地嚥下一口黏膩的唾液。「畢竟Pin小姐現在只是訂婚而已，並非真的結婚了。」

「……妳說的辦法真是虛幻不實。」Anil公主的聲音細微到Prik快要聽不見。「但也不是真的完全看不見。」

「就連在訂婚宴當天，Pin小姐也沒有摘掉殿下送給她的戒指。」Prik信誓旦旦地抬起嘴角。「在幫女方戴戒指的環節中，

在下親眼看到當 Kua 少爺把自己準備的戒指疊在 Pin 小姐原本那顆又大又閃的戒指旁時，他的臉色變得好鐵青啊！」

Anil 公主自滿地抬起下巴望著天空，同時眉頭緊鎖，彷彿在思忖著什麼。

「這件事我也覺得很奇怪，姑姑怎麼會同意讓她戴兩枚戒指。」

「Padmika 夫人本來就難以捉摸呀。」

「說的也是。」Anil 公主頷首稱是。「但 Pin 的感受不會是這件事的解決方法。」

「什麼意思，殿下？在下不太明白。」Prik 滿臉困惑地道。

「無論是我的還是 Pin 的想法都無法解決這件事。」Anil 公主的食指一上一下規律地敲著長椅的扶手。「重點取決於 Kua 少爺的表現。」

「嗯……」Prik 的喉中發出了低沉的哼聲。「是在下太笨還是在下太蠢？完全不懂啊，殿下。」

「妳才不笨。」Anil 公主呵呵笑道。「真正愚蠢的人……是 Kua 少爺，不是妳。」

「明明手中握有一顆鑽石，但卻傻傻地挖著路邊的泥巴。」

「殿下的意思是……？」

「我還不是很確定……大哥只有跟我暗示一點點而已。」

「……」

「其他的必須請妳幫忙了……」

第四十六章　Anil 妹妹

「好久沒來訪了，松宮還是一樣漂亮、一樣迷人呢！」

Euangfah 小姐如熟成的蜂蜜般甜美的嗓音瞬間喚醒了 Prik 耳朵裡的每個細胞，今晚是這道聲音的主人頭一次被邀請在松宮留宿一晚。

Prik 毫不猶豫地將這件事視為 Anil 公主和 Pin 小姐之間冷戰的反作用。如果不是因為她們兩人在今晚沙德的生日宴上碰面了，Anil 公主無論如何絕對不會明知 Euangfah 小姐對自己有意思，還開口邀請她來松宮過夜。

若要形容今晚宴會上的氣氛，Prik 的答案為「極度令人窒息」。

由於沙德的主桌坐滿了皇族的親戚長輩，因此分開來的另一張桌子便屬於年紀較小的少年少女們，包含 Anantawut 王子和妻子 Parvati 小姐、Anon 王子和他的未婚妻 Orn 小姐，坐在 Orn 小姐旁邊的是她的妹妹 Aon 小姐，接著是 Anil 公主和 Euangfah 小姐，最後一對則是 Kua 少爺和他的未婚妻 Pin 小姐，另外還有一位獨自笑得十分燦爛的賓客，也就是二王子和 Anil 公主的好友 Pranot。

熱死人了！

觀察力敏銳的 Prik 即便遠遠地看，也能感覺到身上湧出一股燠熱難耐的蒸氣。

若用譬喻法來形容眼前的這張餐桌，Prik 會說這裡就像一座舞臺，上頭圍滿了演技精湛的演員們。

第一幕的主角為 Anantawut 王子，即使表面上看起來相當疼愛自己的妻子 Parvati 小姐，但卻時不時不自覺地投以 Euangfah 小姐數道溫柔的眼神。

Prik 光是用眼角的餘光一瞥就察覺出來了，這樣可以說大王子演得很到位吧。

下一幕的主角則是 Aon 小姐……

這名少女除了回答 Pranot 一些瑣碎的問題之外，刻意保持沉默並對餐桌上的一切置若罔聞，然而她的雙眼卻一直偷偷瞄向身旁的 Anil 公主。

鏡頭切換到 Kua 少爺身上，少爺只要一逮到機會就拚命地向他人明示自己已經和 Pin 小姐訂婚了，但相反的，不斷被提及的人臉上卻充滿了極度的麻木與冷漠。

在所有演員之中，除了 Pin 小姐之外，最能完全展現自我的就是總是笑靨如花的 Euangfah 小姐。

每當和心愛的 Anil 妹妹談話時，Euangfah 小姐的臉上無不展現一抹發自內心的笑容，不過 Anil 公主反到滿臉愁容，彷彿全世界正在她的面前分崩離析。

Prik 看著這齣真真假假的戲碼，心中感到百感交集。

「什麼時候結婚呀？選好日期了嗎，Kua 少爺？」

Anon 王子突然開啟了話題，不禁使 Anantawut 王子和 Anil 公主同時舉起杯子抿了一口茶以掩飾心中的反感。

「選好了，就是下個月中。」Kua 少爺猶如擁有了全世界般燦爛一笑。「這次的宴會將在蓮花宮舉辦，先在這裡邀請您的蒞臨。」

「你也未免笑得太開心了吧！」Anon 王子笑道。「不知為何

看起來很討厭。」

「別這樣調侃 Kua 少爺。」Orn 小姐莞爾笑道。「看看人家 Kua 少爺臉都紅了。」

先看看 Pin 小姐吧，她的臉已經臭到不能再臭了！

Prik 在心中大聲腹誹，幸好沒有人聽見。

不過事實確實和 Prik 說的一樣，Pin 小姐正繃著臉低頭看著自己放在桌子下方的手。

「這門婚事好快呀，從訂婚到結婚相差不到一個月而已。」

Euangfah 小姐果真想到什麼就說什麼，絲毫沒有察覺到任何異樣。

「如果從我開始認識並追求 Pin 小姐來算，時間一點也不短呢，Euangfah 小姐。」Kua 少爺笑容滿面地向 Euangfah 小姐道。「甚至可以說已經非常久了。」

咣噹！

Anil 公主手中的叉子掉到了盤子上，發出了一聲巨響。一聽見名叫 Kuakiat 的少年與 Euangfah 小姐的對話，公主的右手彷彿頓時使不上力。

「不好意思，今天我有點沒力氣，好像是身體不太舒服。」

這麼一說，Anil 公主瞬間引來所有人的目光，每個人幾乎都在同一秒轉頭看向她的臉，尤其是 Pin 小姐、Euangfah 小姐和 Aon 小姐三名少女，各個臉上都掛著無法掩飾的憂心。

「有沒有怎樣，Anil？吃點藥然後去休息好嗎？我會去跟父親大人說妳身體不舒服。」

Anantawut 王子的聲音中飽含了對妹妹的擔心，沒想到 Anil 公主竟若無其事地說：

「只是一點點頭痛。」公主迅速瞥了一眼Pin小姐。**我可以忍。**

Pilanthita聞之心煩意亂地再次低下頭望著自己的雙腳，她緊緊抿住雙唇試圖隱忍著情緒，尤其當Euangfah小姐繼續吐出新的話時，她能做的只有盡全力憋住話靜靜地聽。

「既然如此，可以讓姊姊去松宮過夜嗎？」

「……」

「萬一妹妹發高燒了才有人能照顧。」

「這是我的榮幸。」

Prik不禁驚愕地瞪大雙眼，不敢相信Anil公主竟然輕易就答應了這位對她充滿愛慕的表姊。

如果把這一切比喻成一盤棋，Pin小姐已經輸掉了一大把的棋子了。

然而Pin小姐對此只是緊緊地攢住雙手，以致她的裙子被擰出了多道皺褶。

雖然餐桌上的其他人都沒發現，但Prik一眼便看出了Pin小姐的舉動。

「聽說Anil妹妹的學期快要結束了。」

「是的，大約下個月底就會正式結束了。」Anil公主回覆Euangfah小姐的聲音聽起來依舊十分輕柔。

儘管看起來非常自然，但那其實是Anil公主最高超的演技。Prik在心中默念道……

「那麼我想邀請Anil妹妹來Chaofah大宅過這個長假，不知妹妹是否會介意？」

「……」

「我保證會提供最好的招待。」

不只聲音莞爾動聽，Euangfah小姐的臉蛋更是甜美可人，仔細觀察還能發現Anantawut王子望著少女的眼神中蘊含了更加飽滿的柔情。

「謝謝Euangfah姊姊對我的好意。」Anil公主同樣溫柔地道。「關於去清邁的這件事請讓我再想想，不久後一定會給您一個答覆。」

「我會等妹妹的回覆呦！」

Euangfah小姐的聲音依然沒變，但對Pin小姐和Aon小姐來說，Euangfah小姐的話就如同一桶腐蝕性極強的藥劑直直地潑向她們，兩名少女正拚命透過咬緊牙根和抿緊雙唇來忍氣吞聲。

「Euangfah姊姊過獎了。」招待今晚的賓客時，Anil公主的聲音和以前一樣輕輕柔柔的。「我已經好久沒有打理松宮了，都沒有增添新的擺設，因為一直忙著處理讀碩士的事……」

Anil公主邊說邊張開手請Ueanga小姐坐在壁爐前的杏色沙發上，順便朝Prik點了一下頭，示意讓她趕緊去整理好客房，接著再轉過頭來泰然自若地和Euangfah小姐談天，彷彿忘記了對方曾經向自己告白過。

「Euangfah姊姊最近如何呢？過得好嗎？」

「我的身體一切安好。」Euangfah小姐氣若游絲地笑了一下。「但心理上不太好。」

「……」

「尤其看到Pin小姐這麼快就訂婚了，我就越是覺得悶悶不樂。」

「……」

「因為她使我忍不住想起了自己的遭遇。」

「Chao Muangram開始在催Euangfah姊姊了嗎？」

Anil公主替Euangfah小姐斟了一杯茶後憂心忡忡地遞給對方。

「他沒有在催促什麼，但是母親大人……」Euangfah小姐滿懷感激地舉起茶杯啜飲了一口。「一直不眠不休地向我談起訂婚的事。」

「……身為女人真的很困擾。」Anil公主笑道，但這抹微笑夾帶著一股苦澀。「為何我們就沒有選擇的權利……」

「事實上，就算我們有選擇的權利……」Euangfah小姐淺色的眼珠凝視著Anil公主的眼神別有深意。「對方的想法也有可能不一樣。」

「……」

「就像我對妹妹一往情深，但還是無法在一起……」

「……」

這下換成Anil公主好奇地問：

「有那麼明顯嗎，Euangfah姊姊？」

「也許在別人眼中不明顯。」Euangfah小姐鼓起勇氣牽起Anil公主纖細的手。「但在我眼中卻顯而易見……」

「……」

「而且很顯然的，妹妹正深陷於痛苦之中。」

「……」

「就跟我一樣……」

Anil公主艱難地嚥下黏膩的唾液。

「就當作是我的報應吧。」

深邃的深色雙眸明顯泛起一股哀愁。

「為何這麼說？」

Euangfah 小姐的聲音聽起來相當柔婉。

「若非如此……」Anil 公主的眼眶漸漸盈滿淚水。「為何會感到這麼痛苦？我覺得我的心就像是被四分五裂成撒落一地的碎屑。」

最後 Anil 公主的眼淚終於溢出了眼眶，沿著面頰滾滾落下，Euangfah 小姐見狀立刻將心愛的 Anil 妹妹擁入懷中，希望能安撫一點對方的情緒。

「我想不透，一定是因為我的罪孽才害得姊姊必須為了我而落淚。」

「我從來沒有想過要怪罪妹妹。」Euangfah 小姐安慰人的話語聽起來極為溫柔。「我只希望妹妹的愛情能有個圓滿的結局。」

「……」

「請別輕易放棄，就像我從沒放棄過。」Euangfah 小姐宛如在呵護某樣瑰寶般輕輕地摩娑著 Anil 公主細嫩的雙頰。「我知道 Anil 妹妹絕不是個輕易認輸的人。」

「……其實我很軟弱。」

「……」

「其實我已經敗給了世界上所有的男人。」

「……」

「其實我無法和我最心愛的人在一起。」

「Anil 妹妹……」Euangfah 小姐流下了寂靜的淚珠。她將懷

裡的公主抱得更緊，接著像是在跟小女孩說話般用細柔的聲音道：「請別這樣責怪自己了好嗎……」

Prik剛整理好客房走出來時，恰巧撞見脆弱的Anil公主被Euangfah小姐擁入懷中的這一幕。

但Prik完全能理解這一切，彷彿方才親自參與了Anil公主和Euangfah小姐之間的對話。

因此Prik悄然無聲地迅速躲進了松宮的其他角落。

「我現在明白了……」依偎在Euangfah小姐懷裡的Anil公主沙啞著道。「……明白了Euangfah姊姊的痛苦是什麼。」

「其實我一點也不想讓妹妹體會這股滋味……」Euangfah小姐輕柔地將Anil公主柔軟的髮絲勾到耳後根。「因為對於愛情的失望嘗起來非常酸苦……」

「……」

「如果妹妹有辦法的話……」

「請不要淪落到我這種地步。」

第四十七章　求求妳

對 Pilanthita 來說……夜晚總是過得特別漫長，彷彿茫然地走在一條無盡的黑暗道路上。尤其是睡不著覺的時候……伸手不見五指的道路宛如形成了一個迴圈，令人永遠找不到盡頭。

因此她已經習慣了等待第一道曙光從地平線上探出頭來，有如不停地在等著某位朋友的來訪。

而 Pilanthita 費盡千辛萬苦才度過了昨天的夜晚。

昨日傍晚 Anil 公主和 Euangfah 小姐那段嬌滴滴的對話不斷縈繞在腦中，Pilanthita 拚命從她們的談話中找尋一些字，或許聽起來能讓自己稍微舒坦一點，結果卻是一無所獲。

於是 Pilanthita 只能蜷縮著身子躺在冰冷且皺巴巴的床舖上，任由淚水流淌至潤溼了整顆枕頭，好不容易等到枕頭都乾了以後，復又迎來了新的一波淚液，一整晚不停重複同樣的循環。

直到黎明的晨光穿過白色的窗簾，溫柔地灑在她全身僵硬的肢體上，Pilanthita 才終於感到獲得了一絲絲的救贖。

多虧了這道光，難熬的夜晚總算盼到了盡頭……

Pilanthita 緩緩撐起身子享受陽光的洗禮，宛如殷切地期盼著她的到來。

起床後的第一件事，就是走到那扇向外眺望就能輕易看見松宮的窗戶，她慢慢地將窗門關上，感覺與 Anil 公主疏遠的這段期間以來，不僅兩人變成了素不相識的陌生人，連這扇窗也跟著變得沉重了起來。

陽臺上那道柔和的黃光代表 Anil 公主正待在松宮裡，不幸的是，這回公主很有可能不是獨自一人，昨晚傳進耳裡那道關上車門的聲音，使 Pilanthita 確信公主歡迎 Euangfah 小姐到松宮過夜的這件事，並非只是隨口說說或是開玩笑而已。

Pilanthita 出神地眺望檯燈的黃光在靛藍色的陽臺上暈出一片溫暖的光暈，不禁想起了約莫兩年前一個雨季轉涼季的清晨，在她的初吻被奪走後的隔天，她就站在這扇窗戶旁偷偷看著 Anil 公主坐在陽臺的長椅上淋雨。

初吻……

和初戀……

那是 Pilanthita 這輩子唯一的愛。

一思及此，Pilanthita 的心臟突然紊亂地跳動，以致不得不摀住左邊的胸口，沒想到，如今竟然是自己無情地將這份唯一的愛給摒棄。

真可恥……

Pilanthita 決定再次打開那本滿載喜怒哀樂的日記本，並將心中所有的情緒全部發洩給這位總是一聲不吭、默默聆聽的好友，即便這本日記本這幾年來反覆經歷淚水的摧殘，乃至部分的紙張已經模糊得令人難以閱讀了。

Pin 小姐刻意在房間裡待到日上三竿，接著才去盥洗並和往常一樣下樓與 Padmika 夫人吃早餐，只是現在已經不再需要端早飯去給 Anil 公主了。

從前的 Pilanthita 本來就非常安靜內向……自從訂婚儀式後，她就變得更加寡言少語，但 Padmika 夫人並沒有對此做出指責，因為夫人仍在為逼迫姪女作違背意願的事而感到相當內

疾，而Pilanthita只希望往後那些毫無任何意義的日子能湊合著過就好。

所以為何還要和別人講話呢？反正說了也只是白說⋯⋯

最後這頓早飯在一片寂靜中結束了，但對Pilanthita來說，期待已久的時刻終於到來。

趁著Padmika夫人去大皇宮的廚房監督廚娘們做菜的時候⋯⋯

Pilanthita的心驅使著她的身體悄悄地溜到松宮。

不知是否該說幸運，Pilanthita前腳剛踏進松宮客廳的那一刻，她的雙眼立刻對上了某人的淺褐色眼珠，原來是Euangfah小姐恰巧從Anil公主的臥室走了出來。

「Pin小姐您好。」Euangfah小姐身穿一件美麗的淺紫色長洋裝，她率先開口打破了和Pin小姐之間尷尬的氣氛。「我正好要回去大皇宮了。」

「是⋯⋯」

Pilanthita冷冰冰地回道，同時上下打量著對方的穿著，以致Euangfah小姐不禁露出了警惕的眼神，但由於不知道該如何應對才好，於是只好先回以一個甜美的微笑。

「那我先告退了，Pin小姐，我的車已經在外面等了。」

「好的⋯⋯」

「Anil妹妹在房間裡整理儀容。」

Pilanthita不屑地抬起下巴，但心裡卻充滿了疑惑，為何Anil公主在著裝的時候，Euangfah小姐能這樣自由進出公主的臥室？

Pilanthita只希望不是因為美麗的Euangfah小姐要幫她心愛

的 Anil 公主換裝。

「是⋯⋯」

對於如此簡短的回答，Euangfah 小姐抬了一下嘴角，隨後頭也不回地從大門走了出去。

Pin 小姐用眼角斜睨著 Euangfah 小姐纖瘦的背影直到消失在視線之外，接著來到 Anil 公主的臥室駐足於熟悉的房門前，靜靜凝視著這扇對她來說沉重得不堪負荷的大門⋯⋯

Pilanthita 深深吸了一口氣後，未先敲門便直接緩緩地推開了木門。

在臥室裡⋯⋯

第一個令她的心臟為之一顫的是一股名貴的香水和保養品所散發出來的馥郁，緊接著是從化妝鏡裡反射到她身上的那道眼神。

身穿靚藍色洋裝的 Anil 公主正在佩戴一條祖母綠寶石鑲鑽的項鍊，和訂婚儀式那天 Alisa 夫人送給 Pin 小姐的首飾是同一組的。

Pilanthita 情不自禁地盯著 Anil 公主那對漆亮深邃的眼珠，直到公主把項鍊戴好了都還離不開視線。

因此突如其來的話語使她愣住了⋯⋯

「Pin 怎麼會來這裡⋯⋯？」

「⋯⋯」

「有事找我嗎？」

過了這麼多禮拜，公主的第一句話不禁使 Pilanthita 感到萬分心痛。

「我⋯⋯」Pilanthita 結結巴巴地道。「我只是想知道⋯⋯昨

天晚上妳說妳身體不太舒服……」

「……」

「現在有好一點了嗎？」

Anil公主沒有馬上回答，但卻直直地盯著Pin小姐愁眉不展的小臉，心中不由得油生一股憂慮。

「如果不包含已經支離破碎的心。」

「……」

「現在算是還過得去。」

「……」

Pilanthita聞之感覺像是心臟同時被十幾把鋒利的刀胡亂捅了好幾刀般疼痛。

「妳很清楚……」Pilanthita顫抖著道。「該說什麼才會讓我感到心痛對吧？」

「我以為我知道。」

「……」

「但現在我不知道了。」

「……」

「因為妳有時常做出令我出乎意料的決定。」

Anil公主不再透過鏡子的倒影，而是轉過身來面對著Pialnthita道。

「有時我是真的別無選擇。」

Pilanthita捏了捏自己瘦弱的肩膀，然後像是個高燒無力的病人般彎起腰，眼眶裡盈滿了晶瑩的淚珠。

「那為何要選擇一條讓彼此都這麼痛苦的路？」

Anil公主優雅地站直身子，一步一步緩緩走向Pilanthita。

「因為妳是如此美麗而尊貴。」

「⋯⋯」

「我希望妳能永遠這麼美。」

「外表漂亮。」Anil公主將臉湊近身子燙得像是高燒不退的Pilanthita。「**但體內卻空無一物。**」

Pilanthita張著又大又圓的眼珠，苦苦哀求般凝視著Anil公主冷淡的雙眸。

「Anil⋯⋯求求妳。」Pilanthita單薄的肩膀不停地顫抖。「求求妳別這麼說好嗎？」

「為何不能這麼說？」

「⋯⋯」

「少了妳，就等於我的世界徹底失去了意義。」

「但若失去了爵位，**等同於妳不再是原本的**Anil了。」

「⋯⋯」

「我只是不想奪走妳擁有的東西。」Pilanthita抬起頭來堅定地看著Anil公主。「我不願意看到妳做出這麼大的犧牲。」

「哼。」Anil公主聳了一下肩膀，對於Pin小姐的藉口嗤之以鼻。「我寧願犧牲自己也不願犧牲妳。」

「⋯⋯」

「現在妳還是深信不已嗎⋯⋯？」Anil公主頓了一下，強忍著內心的煎熬。「難道妳還是相信自己選了一條最完美的路？」

「現在我意識到了。」

「⋯⋯」

「意識到我真的選錯了⋯⋯」

「⋯⋯」

「我就是個把自己搞得痛不欲生的傻子。」

「……」

「我選了自己根本無法忍受也無從應付的路。」

「……」

「我怎麼可能忍得了？聽到妳開始把注意力放到別人身上，不再把我當成最重要的人時，我就快要窒息而死了……」

「……」

「更別說妳有可能會答應Euangfah小姐帶妳去Chaofah大宅玩的邀請。」

「……」

「光是聽到那句話我就快瘋了，Anil！」

Pin小姐緩緩伸出手緊緊環抱住Anil公主纖瘦的身軀，像是渴求對方的溫暖般把浸滿淚水的臉龐依偎進公主的胸口。

「……」

「我還是不想讓我以外的人在妳身邊，而且我也極度厭惡站在Kua少爺旁的自己。」

「……」

「另外，Euangfah小姐邀請妳去清邁玩這件事也令我很不開心。」

「……」

「只要我知道Anil還待在這裡，無論是松宮還是大皇宮，至少不會在得知妳去清邁後，而變得天天難以呼吸。」

「……」

「求求妳別答應獨自去Chaofah大宅好嗎？」

「如果我說我想逃到遙遠的地方，這樣就不必看見妳和Kua

少爺在一起了呢？」

Anil公主淺聲回道，絲紋不動地待在Pin小姐的懷抱中。

沒有將對方推開……

但也沒有環抱住胸前這名瘦弱的少女。

「我……」

Anil公主用Kua少爺來反駁Pin小姐，堵得她啞口無言，使得Pin小姐現在對於Kua少爺產生了更加深刻的憎恨。

「為何妳執意要和Kua少爺訂婚……不覺得這樣太傷我的心了嗎？」

「那是姑姑的期望……」Pilanthita增強擁抱的力道，接著以微弱的聲音坦白：「……而且如果我希望能像以前一樣繼續看到妳，我就不得不這麼做。」

「……」

Anil公主艱難地吞下一口黏膩的唾沫。

「我從來就不喜歡Kua少爺……我只是名義上嫁給了他，拜託請相信我，我絕對不會允許讓他成為我的主人，這輩子我只屬於妳而已。」

Anil公主抬起頭仰望著天壓抑住內心的折磨，此刻彷彿心臟在毫無防備的狀況下突然被猛力地捶擊。

公主不禁在心中質疑Pin小姐到底在想什麼，為何能像是個不知情的人般把公主冠上一個情婦的名號？

「既然如此，我不去Chaofah大宅了……」

「妳是說真的嗎？」

短短的幾個字就讓Pilanthita像是喜獲甘霖的花朵般重新活了過來。

「真的⋯⋯」Anil公主冷淡地往下睨了一眼胸前的少女。「但我要去英國繼續完成學業⋯⋯」

「⋯⋯」

「從此再也不會回來這裡⋯⋯」

Pilanthita聞之立刻全身癱軟跪倒在公主的腳邊，她開始抽抽噎噎地哭了起來，一邊像是個無力回天的人般抱著公主的小腿。

「Anil⋯⋯Anil⋯⋯Anil求求妳⋯⋯」Pin小姐邊說邊用求饒的眼神看著公主。「求求妳別這麼說好嗎？妳曾經答應過不會再離開我了。」

「⋯⋯」

Anil公主依舊站得直挺挺的，同時冷眼地瞥了一眼腳下緊緊抱著自己的少女。

「求求妳⋯⋯」

「⋯⋯」

「⋯⋯別這樣對我好嗎？」

Pilanthita激動到全身都在顫抖，如潮水般的淚液順勢一波接著一波湧了出來。

Anil公主蹲下身子坐在房間的地板，雙手不捨地搭在Pin小姐單薄的肩上，公主掏出了自己的手帕輕輕替少女擦掉臉上的淚水，接著抬起對方的下巴使其與自己對視，靜靜維持這個姿勢許久後，Anil公主開口道：

「回去吧，Pin⋯⋯」

這句話冷漠無情得令Pilanthita幾乎不敢相信自己的耳朵。

「Anil⋯⋯」

Pilanthita固執地搖搖頭，好不容易蒸發的淚水又爆發了出來。

　　「拜託……」

　　「……」

　　「請妳回去。」

　　「因為我現在連一秒都不想見到妳……」

第四十八章　婚禮

　　Pilanthita望著自己在鏡子裡的倒影，神情極為麻木，然而鏡子裡的少女卻倩麗得堪稱「完美無瑕」……烏黑亮麗的秀髮挽成了一個髮髻，凸顯出嬌小的臉蛋上那對如琥珀般晶瑩剔透的眼珠，以及那副纖長捲翹的睫毛，粉嫩的雙頰光滑細嫩，栗子形的小嘴擦上了淺粉色的唇彩，使她原本就相當甜美可人的臉蛋看起來更加溫柔婉約。

　　Pin小姐穿著一條帶有紫薇花圖案的紫色筒裙，裙襬的緯紗穿入了銀色的紗線，並在腰前打了長型和摺扇型的摺子來裝飾，上半身披著一條荷花粉的披肩，Padmika夫人不僅親自為這條披肩設計精美的花紋，甚至動手一針一線地將其繡在高檔的絲綢上，除了這條披肩外，上層還疊了另一條同樣顏色的褶皺披肩，襯得Pilanthita的肩膀看起來更加光潔白皙。

　　「除了皇后以外，姑姑不曾為其他人繡披肩，但為了Pin小姐……姑姑特地精心製作了一件給妳。」

　　就算Padmika夫人這般溫柔地道，Pilanthita依舊絲毫開心不起來。

　　最後一道程序，就是戴上Alisa夫人送給她的石柳石鑲鑽首飾，裡頭包含了耳環、項鍊和手鍊，Pilanthita再次抬起頭輕蔑地看著自己在鏡中的倒影，忍不住露出了一抹自憐的苦笑。

　　她只能在心中不斷反問自己……

　　如果當初選擇了公主開出的另一條路，無論後果是喜是憂……

　　至少Anil公主還能陪在她身邊……

否則昨天就不會被當成過街老鼠一樣無情地被趕走了。

昨天跪在公主腳邊抱著對方的小腿，哭哭啼啼地哀求公主別離開她的畫面依舊歷歷在目，從那一刻起，Pilanthita 的世界頓時化成了齏粉，再也無法恢復成原有的樣貌

即便如此，Pilanthita 仍然不把讓自己痛不欲生的罪魁禍首栽贓到 Anil 公主身上，她只是一味地責備自己選了錯誤的路。

如果能回到過去……

她絕對不會再重蹈覆轍。

「Prik，妳覺得 Anil 公主會來嗎？」

即便心裡已經有了答案，Pilanthita 還是忍不住問了從天還未亮就跑來忙東忙西的 Prik。

「肯定不會來，Pin 小姐，殿下昨天傍晚就去華欣了。」

Pilanthita 鬆了一口氣，其實她也不願讓公主因看到她和 Kua 少爺在如此重要的日子裡成雙成對而傷心難過。

此外，另一件令人感到心安的是幸好 Anil 公主沒有和 Euangfah 小姐一起去清邁，或許是因為 Euangfah 小姐必須留下來參加她的婚禮，畢竟 Dararai 夫人和 Padmika 夫人的交情非常好。

「為何 Alisa 夫人同意讓 Anil 公主缺席這種大日子？」

「公主殿下親自去徵得了夫人的同意。」Prik 吞了一大口唾沫。「表示不願意出席，**只需要把結果告知殿下就好。**」

Pilanthita 嘆了好長一口氣，Prik 的回答已經充分道盡 Anil 公主的想法了。

「自己去的嗎？」

Pilanthita 出於關心而問，沒想到答案卻是在她的傷口上灑鹽。

「不是的。」Prik 摳了摳嘴角，每當有什麼重要的事不想說時她就會出現這個動作。「殿下和 Aon 小姐一起去。」

「兩個人去嗎！」Pilanthita 修長的眉毛瞬間忿忿地皺了起來。

「是的。」那道怒火中燒的眼神使 Prik 膽怯地縮緊下巴。

「哼！」Pilanthita 不自覺地咬緊下唇，以致快要滲出鮮血。「算了，反正現在殿下想做什麼就做什麼，根本就不在乎我……」

Prik 表面上保持緘默，內心卻在腹誹道：難道不是 Pin 小姐先不考慮 Anil 公主就擅自妄下決定嗎？然而當她發現 Pin 小姐此刻的雙眼盈滿了絕望，像是在無聲地努力把淚水吞回腹中的樣子，不禁又油生一股憐憫之情。

「笑一下嘛，Pin 小姐，很快就到 Khan Maak[10] 儀式的日子了。」

「我笑不出來，Prik。」Pilanthita 瞥了一眼左手無名指上那兩枚上下交疊的鑽戒，忍不住喟嘆道。「請妳不要也變成一直強迫我做事的人。」

「對不起，Pin 小姐……」

Prik 細聲回道，一隻手擔心地輕輕搭在對方的手肘上，然而 Pin 小姐毫無反應的樣子加劇了她的擔憂。

到了迎娶當天，由新郎一家組成的的檳榔盤隊伍浩浩蕩蕩地從大皇宮啟程走向蓮花宮，領在隊伍最前方的是 Kua 少爺的哥哥 Karnkan 少爺。Karnkan 少爺的手中捧著一個金缽，缽裡裝有八顆檳榔和兩對銀色和金色的小袋子，袋子裡塞了綠豆、芝

---

10 พิธีขันหมาก，泰國傳統婚禮的習俗之一，男方為表示敬意而送女方家長許多用俗稱「檳榔盤」裝著的禮品。這些檳榔盤常用花草裝飾，外觀極其精美，上頭裝著各種帶有寓意的物品。在迎娶過程中，新郎一家會組成一支隊伍，並帶上這些檳榔盤前往女方家。

麻、米糠和由稻米製成的爆米花，除此之外，缽裡還裝了一包鈔票，以及一些彩葉木和皇冠花。

跟在其後捧著彩禮的人是Kua少爺的母親Lamom夫人，她手中的托盤專門裝著禮金，包含了銀子、金子和鑽石首飾，夫人一路上笑得滿面春風，燦爛的笑容都快堆到了眼角，可見她非常滿意這位媳婦，因為Pin小姐不僅長得明眸皓齒，而且她的爵位和Kua少爺最為契合。

隊伍中央的Kua少爺穿著一襲正式的傳統服飾，上半身為白色的立領長袖襯衫，下半身則是煙灰色的絆尾幔，看起來和Pin小姐華美的泰服極為相配。Kua少爺雙手捧著Phaan Thuup Thien Phae[11]，外型如水燈的托盤上裝著堆成塊狀的蠟燭和線香，頂端再綴上一小團鮮花。Kua少爺今日的造型看起來十分莊重且尊貴，深邃的雙眼炯炯有神，薄薄的嘴唇笑得合不攏嘴，整個人顯得容光煥發。

Kua少爺表現得像是世界上最幸福的少年。

排在Kua少爺身後的是男方的親友們，大夥兒幫忙拿著芭蕉樹和甘蔗樹各兩盆，其中芭蕉樹象徵子孫滿堂，而甘蔗則比喻夫妻甜甜蜜蜜。最後，隊伍的末端是一名由女方派來的年輕親戚，這個小孩手裡的托盤裝著檳榔、蔓綠絨和偶數對的香菸。

當隊伍來到蓮花宮時，Kua少爺便遇上了由Pin小姐大學時期的好友Sunee和Chada設下的第一道關卡，兩位少女拉著一條長長的布擋住眾人的去路，嘴角上還噙著促狹的微笑，不過Kua少爺見狀只是不停地哈哈大笑。

---

11 พานธูปเทียนแพ (Phaan Thuup Thien Phae)，主要由蠟燭和線香組成，帶有極高的敬意，同時象徵著為過去的罪行請求原諒，因此一定要由新郎親自來捧，代表向未來的岳父岳母以及自己的父母道歉，並請求他們原諒自己過去在身體上、言語上和心理上對他們的冒犯。

「兩位美女好呀～」身為男方的長輩，Karnkan少爺笑容滿面地率先上前與Sunee和Chada攀談。「看在Kua少爺深愛著Pin小姐的份上，請開門讓我的弟弟進去吧！」

Karnkan少爺不僅使出溫柔的聲線，甚至二話不說就把事先準備好的一大袋禮金遞給兩位少女。

「好吧，手上變得這麼重，這條薄薄的布恐怕撐不住了。」

Sunee邊說邊鬆開手中的布，使兩位少爺輕而易舉地跨過了第一道門檻進到屋內。來到了客廳前，少爺一行人遇上了俗稱「銀門」的第二道關卡，這道門是由Pilanthita在出版社的女性友人們拉出一條緞面的布，這回Karnkan少爺絲毫沒有半分猶豫，立刻掏出了更大、更多包的禮金送給兩名女子。

最後一道「金門」的關主為Euangfah小姐和Ornida，兩個人各自抓著金色鍊子的兩端擋在前頭，然而Karnkan少爺見狀愣了一會，初次見到Euangfah小姐的那瞬間，和弟弟一樣深邃的雙眸默默地聚焦在少女美若天仙的容顏上。Kua少爺發現哥哥突然愣在原地後，趕緊戳了一下對方的手肘試圖喚回他的神智，而被提醒的人回過神後不禁笑了笑掩飾尷尬。

「這道門恐怕不太好過喔。」Ornida帶著清脆的嗓音開朗地道。「如果少爺的禮金不夠多的話，我可是不會輕易開門的喲！」

「太狠心了吧，Orn小姐。」Kua少爺呵呵笑道。「別再發愣了，哥哥，我已經等不及要進去了！」

Karnkan少爺聞之連忙翻出兩包裝有黃金項鍊的金色錢袋，分別交到Euangfah小姐和Ornida嬌小的手上，Karnkan少爺銜著含蓄的微笑並張著透出亮光的雙眼凝視著Euangfah小姐，而對

方只輕輕回給他一抹出於禮貌的微笑。

「不好意思。」Karnkan少爺直視著眼前漂亮的少女。「請問您叫什麼名字？」

「咳咳咳！」

Kua少爺重重的咳聲打斷了Karnkan少爺的對話，不過Euangfah小姐一點也不介意，她含了一口甜甜的微笑，但背後卻充滿了對這名陌生男子的鄙棄。

「我叫Euangfah。」

「少爺怎麼沒有問問我叫什麼名字呢？」Ornida調侃道。

「我早就認識Orn小姐了呀！」Karnkan少爺的臉泛起了一片紅暈。「但我從來沒見過Euangfah小姐。」

「那我來替兩位介紹一下吧！這位是Euangfah小姐，她是Alisa夫人的外甥女，至於這位笑容可掬的叫做Karnkan少爺，也就是Kua少爺的哥哥。」

「很高興認識您。」

Karnkan少爺歡欣地咧嘴一笑，然而Euangfah小姐只是靜靜地點了點頭。

兩位少年花了不少功夫最後才通過了金門，不僅得接受Ornida的捉弄，還得犧牲掉一袋又一袋的禮金。

通過了所有的門後，女方家的小花童端著裝有檳榔的托盤出來迎接新郎，並歡迎他們進到客廳內，隨後便是正式的迎娶儀式。

第一眼看見穿著新娘服的Pilanthita時，Kua少爺驚訝得目瞪口呆，儘管新娘子的表情麻木得毫無喜怒哀樂之情，但Kua少爺一點也沒放在心上，他臉上的笑容依舊燦爛得像是擁有了全世

界，尤其在贈送聘禮的儀式中，坐在 Pilanthita 身邊的 Kua 少爺更是喜上眉梢。

而這緩解了一點 Padmika 夫人的憂慮。

雖然逼著自己唯一的姪女嫁給了她一點也不愛的男人，但如果他是真心喜愛且珍惜 Pin 小姐，夫人希望這樣至少能削減一些自己的罪惡。

迎親儀式結束後，緊接著便來到了「灑聖水儀式」的環節，所有的東西都已趕在良辰吉時前準備就緒，Kua 少爺在右手邊的椅子上坐定位，而新娘 Pin 小姐則坐在左邊。

身為主婚人的沙德和 Alisa 夫人、大王子及二王子一同坐在一張長椅上，至於 Padmika 夫人和 Dararai 夫人坐在與他們相隔的一個獨立座位，而男方的長輩探差 Kobkiat、Lamom 夫人和 Karnkan 少爺的位置為對側的另一張長椅。

時辰一到，沙德殿下滿懷慈愛地將加持過的花環套在新郎和新娘的脖子上，並在兩人的頭頂放上雙喜紗圈，儀式進行到這個時候，Prik 正在焦急不已地四處張望尋找著某人的身影。

還沒……

連那個人的影子都還沒看見……

正當沙德拿起裝著聖水的法螺，準備要為新人灑水祝福時，突然天外飛來了某人的聲音。

「這個婚不能結！我不同意！」

此聲巨響立刻引來了在場所有人驚愕的目光，大家都在找聲音的來源究竟在哪裡，結果發現這名急急忙忙衝進來的竟然是一位大膽的不速之客。

她的年紀約莫二十歲左右，容貌十分清秀，身形頗為瘦

小，但她那凸起的腹部看起來就像快要臨盆一樣！

　　少女的行動不太方便，因為她的肚子大到必須一直用手撐著腰，儘管如此，她依舊毫不猶豫地邁進蓮花宮的客廳。

　　Kua少爺嚇壞了，他的雙眼睜得巨大，連忙向Karnkan少爺投以求救的眼神，而他的哥哥立馬領會到弟弟的意思，一個箭步就上前架住了這名不請自來的陌生女子。

　　「請您立刻離開！」Karnkan嚴厲地對少女道。「不知道這裡接下來要進行重要的儀式嗎？」

　　「您說的儀式是指**我的老公**要和其他女人結婚嗎？」少女聲淚俱下地喊道。「怎麼可以這麼做！」

　　Karnkan少爺不知所措地愣在原地，直到耳邊傳來弟弟的吼聲才恢復了神智。

　　「Savitri！不許這樣亂污衊我！是妳自己不小心懷了別人的孩子，又找不到他的生父，因為覺得我的條件很好，就想死纏爛打要我當他的父親！」

　　Kua少爺的駁斥話音剛落，Padmika夫人瞬間明白了事情的始末，而少爺在夫人心中永遠「毫無任何缺點」的形象隨即灰飛煙滅。夫人突然感到胸腔一陣劇痛，不禁吃力地搗住左邊的胸口。

　　恐怕只有Kua少爺沒意識到，他的一席話反而將自己推上了被告的席位。

　　若不是自己非要躺進那攤渾水……

　　就不會被反彈回來的污水濺得灰頭土臉……

　　「您怎麼可以說出如此狠心的話？我有證據能證明我們的關係已經密不可分，不然為什麼您要送我一棟房子，還每個禮拜

都來找我？」

　　Lamom 夫人的呼吸越來越急促，她正在慌忙地拚命翻找舒緩用的藥草，而探差 Kobkiat 顯然已經氣得火冒三丈，至於 Alisa 夫人的狀況完全不亞於 Lamom 夫人，連她也在手忙腳亂地挖找包包裡的藥草。

　　然而兩位王子這邊有著截然不同的反應。二王子的眉頭深鎖，但大王子的嘴角卻露出了一抹勝者的微笑。

　　後者的反應似乎和 Pilanthita 頗為相似，Pin 小姐彷彿放下了心中的大石，此刻的她完全將自己置身事外，只顧著像個局外人般好奇地看著一切順其發展。

　　「胡說八道，Savitri！立刻給我回去！不要來把這裡搞得雞飛狗跳！」

　　Kua 少爺扯著嗓子吼道。束手無策的 Karnkan 只好先聽弟弟的話盡可能把少女拉出門外，但由於對方挺著一個大肚子，再加上從骨子裡爆發出來的那道妒忌之氣，他實在不敢使出太大的力。

　　因此 Karnkan 少爺幾乎無法做出任何處置。

　　「究竟是誰在胡說八道！如果您說我是在說謊，我現在就在你面前把這個孩子打死啊！」

　　此話並非只是耍耍嘴皮子，少女隨即高舉手臂握緊拳頭，作勢要往自己如氣球般的大肚子上猛捶，Kua 少爺見狀下意識地大叫道：

　　「Savitri！妳瘋了嗎？那是我們的孩子啊！」

　　「現在是什麼情況？Kua 少爺！」

　　沙德殿下忍不住大聲質問道。

「真是丟臉！」沙德憤然放下手中裝著聖水的法螺。「都已經被自己的話逼到無路可退了，竟然還有臉不承認！而且還妄想從我這裡接下聖水？」

「請殿下恕罪！」

Kua少爺瞬間跪到了沙德的腳邊，但沙德氣得把腳縮了回去，轉身憂心忡忡地回到長椅上關心正在用力吸著藥草的Alisa夫人。Savitri趁這個大好機會公開譴責並報復「她的老公」。

「原來Kua少爺一直都在騙我嗎？」少女痛徹心扉道。「不是說最近就要跟我登記結婚了嗎？」

「……」

「不是說沒有其他女人了？結果居然都是謊言！」

少女開始激動地顫抖，以致Pilanthita有點內疚地覺得自己不應該對這件事感到高興。

「還有我因為懷孕所以必須從大學退學。」少女痛苦嘶吼著，幾乎快無法組織完整的句子。「您卻想透過跟條件更好的小姐結婚來贖罪嗎？」

Kua少爺再也無法保持冷靜，在所有一頭霧水的賓客面前，包含了Karnkua家族、Kasidit家族、Sawetawarit家族以及其他皇族以外的親朋好友，少爺直接憤而起身將這名自稱為他的妻子的少女拉至屋外。

「**探差Kobkiat。**」

沙德的聲音響徹整間廳堂，探差Kobkiat聞之立刻急急忙忙地跪下爬到殿下的腳邊。

「您兒子今天的表現可真是**體面**。」

「懇請殿下恕罪！」探差Kobkiat全身發抖道，不久前容光

煥發的面貌如今蒼白得毫無血色。「在下未能善教犬子，以致犯下這種罪。」

「別向我陪罪，您該道歉的人應該是 Pad 夫人和 Pin 小姐。」

「……」

「無論如何，這件事情節重大……光只有道歉不足以解決。為了維護倫理道德，Kua 少爺必須娶懷了他的孩子的少女為妻，您能向我保證他會做到嗎？」

「……是的殿下。」

「此外，從今以後 Kua 少爺不許再踏入 Sawetawarit 的城門半步，這點也請您向我保證。」

「是的殿下。」

探差 Kobkiat 費力地嚥下一大口唾沫，但仍不得不開口答應殿下的諭令，然而 Lamom 夫人接到殿下的懲戒後心跳劇烈得竟至昏厥過去。

「那麼……」

沙德的聲音充滿了威嚴。

「這場婚禮……」

「就當作無效。」

第四十九章　起因

婚禮前一週

觀察少爺的一舉一動好幾天後，Prik不費吹灰之力就發現了Kua少爺有些怪異的舉止。

「哧！」Prik對著無時無刻被她鎖定的少年撇了撇嘴，心中早已有了答案。「看吧，殿下，Kua少爺總是在工作日的下午偷溜出去。」

「妳真是天資聰穎啊！」Anantawut王子坐在蓮花宮的「老爺車」後座，忍俊不禁地笑道。「常常聽見Anil誇獎Prik才智過人，今天總算是親眼見識到了。」

「王子殿下過獎了～」Prik的嘴角勾起一抹無比燦爛的微笑。「其實我觀察到的東西殿下也觀察到了。」

王子聳了聳肩，隨後戴上了一副深色的墨鏡，並壓下帽緣使其更加完整遮住自己的臉。

「其實我只有偶爾看見，直到妳告訴我後我才開始有同感。」

「真可惜，Anil公主應該要一起來的，殿下那麼聰明一定一看就懂。」

「唉喲！Anil不能來啦，她那麼引人注目，一下車就引來所有人的目光，所以她才拜託我和妳來幫忙呀。」王子笑著道。「聽說妳有一個能讓自己隱形的特異功能，無論是躲在地上、樹裡，甚至連柱子都辦得到。」

「殿下真的過獎了啦！」Prik笑得肩膀隨之抖動。

「而且還非常眼明手快，聽覺也特別敏銳，只要妳有心想聽，不管多遠都聽得見。」

「殿下是指我還是通靈少女啊？」大王子連綿不絕的稱讚不禁使Prik翻了一個白眼。

「好問題。」大王子笑咪咪地道。「不管是什麼，只要能揭發這件事就好。」

王子指的這件事就是他觀察到在尚未訂婚之前，Kua少爺就一直出現一些「怪異的行為」，但令人意外的是Anon王子竟然完全不知情，也許是因為二王子和Kua少爺的交情太過要好，以致有些事不會特別去留意。

但Kua少爺鬼鬼祟祟的樣子反倒使大王子聯想到一件事──腳踏兩條船。

政府裡某位擅長臥底的觀察員甚至直接指出Kua少爺在「鋌而走險」，私下藏匿了一位關係斐淺的女人。

不過其實這只是那名觀察員的假設，因為他也沒有明確的證據，乃至案情遲遲沒有進展，直到Kua少爺和Pin小姐的結婚典禮迫在眉睫，Anantawut王子才動手和Anil公主的替身Prik聯手展開調查，因為大王子不想讓身心都非常脆弱的妹妹為了此事而變得更加痛苦。

因此大王子才決定用帽子和墨鏡來掩飾自己的容貌，並帶著Prik駕著Kua少爺不熟悉的那輛老爺車暗中觀察他將近一個禮拜。至於今天的助手Prik同樣也精心喬裝了一番，她戴了一頂捲捲的假髮，畫上誇張的妝容，並在薄薄的唇瓣上點了一顆假的痣。

起初大王子和Prik懷疑的目標為坐在服務臺的某位女公務員，因為這位少女的身形消瘦，雖然稱不上美得令人驚豔，但

她的行為舉止十分乖巧可愛，一副很容易就被甜言蜜語耍得團團轉的樣子。

然而觀察了三天後，大王子和 Prik 發現其實她已經有老公了，不僅如此，這位體格健壯的老公還每天都來接送她上下班。

因此只好先假設 Kua 少爺是無辜的。

下一位鎖定的對象為政府機關旁一間自助餐廳裡的年輕女店員，她是這間店的老闆的獨生女，名叫 Aoijai（甜心），不僅名字好聽，外貌也十分清秀甜美。

Aoijai 之所以被列入嫌疑人的名單，是因為 Prik 發現每次 Kua 少爺來這裡吃飯時，他總是會對著這位美麗的女店員露出甜甜的微笑。

「Kua 少爺真是到處對少女們投以花心的眼神。」

某天 Kua 少爺又來到這間自助餐店吃午飯時，大王子見到他那曖昧的舉止後忍不住嘟嚷道。

「花心的男人都這樣啦！」Prik 抬了一下嘴角。「到處拈花惹草。」

「妳說得很對。」

Anantawut 王子望著 Kua 少爺的眼神中流露出一股沾沾自喜的神情，不禁擔心自己在望著 Euangfah 小姐的同時是否也變得和對方一樣。

意識到 Prik 的雙眼有多麼敏銳後，大王子突然開始擔心這傢伙恐怕已經「看透了」他努力掩藏住的祕密。

「這樣小口小口的吃，是要什麼時候才能把飯吃完？」

「我只知道現在已經超過午休時間很久了。」大王子嚴肅地道。

「別忘了殿下您也好幾天沒上班了。」

「嗯……」王子的聲音轉為更加低沉。

赫然發現竟然不小心把Anantawut王子當成朋友開玩笑後，Prik的眼珠轉了一圈，知錯地趕緊打了一下自己的嘴，不過大王子不但一點也不生氣，甚至還開心地呵呵笑了起來。

「但我是為了Anil請假幾天來出任務，才沒有像Kua少爺一樣怠忽職守，這樣不行嗎？」

「在下罪該萬死！」

「先別死啊……」大王子笑道。「這部車已經老得有點可怕了，如果再加上妳附在這輛車上的陰魂，它就更可怕了。」

「殿下所言甚是！」

Prik翻了一個白眼，但仍咬著牙客客氣氣地稱讚了對方一番。

「Kua少爺回去了。」大王子瞬間換了話題，害得Prik差點來不及把笑臉收回來。「今天我們該怎麼辦？」

「在下有件重要的事一定要搞清楚。」

「什麼事？」王子疑惑地抬起眉頭。

「在下很想知道這間自助餐到底好不好吃。」Prik嚥下一口好大的唾液。「每次看都門庭若市。」

「呃……」

大王子的臉上充滿詫異，但Prik絲毫沒放在心上，她迅速開了車門後一步併作兩步地直徑走向餐廳，一桶接著一桶地把鍋蓋打開來聞香。大王子愣了半晌後才連忙跟了上去。

「這個看起來好好吃，那個看起來也好好吃！」Prik喃喃道。「妹妹～請給我一顆滷蛋和咖哩雞加竹筍。哥哥想吃什麼呢？」

Prik 側過頭眼睛眨呀眨地盯著大王子，暗示讓王子扮演好他的角色。

「請給我一份和她一樣的。」

從未在路邊的餐廳吃過飯的大王子有點不知所措，只好先順著接下 Prik 的球。

「請先到裡面坐，帥哥美女！盛好後會幫你們端過去～」

Aoijai 熱情地張手歡迎兩位臥底，Prik 咧嘴一笑，然後帶著大王子走到最裡頭的桌位。

很快 Aoijai 就端著兩位點好的飯菜來到他們的座位，大王子笨拙地挖著淺盤中的咖哩的樣子不禁使 Aoijai 噗哧一笑，然而正當她轉過頭要回到店門口時，Prik 趕緊出手將她留下，並問了一句連王子都沒意料到的話。

「妹妹啊～」Prik 的笑容燦爛得嘴角都快碰到了耳垂。「剛才我看到一位穿著政府制服的男人，長得和梨伽戲 [12] 的男主角一樣好看，請問妳認識他嗎？」

Aoijai 狐疑地抬了一下眉尾，但隨即講出了答案。

「您指的應該是 Kua 少爺吧。」Aoijai 甜甜一笑。「是那位皮膚白白的、雙眼很深邃的人嗎？」

「對對，就是他！他是個少爺喔？」

「是的，他還是政府的長官之一，聽說官位很高。他不僅長得帥，性格又好，但不是梨伽戲的男主角啦！」

Aoijai 照著 Prik 的劇本老實把她知道的一切都說了出來。

「長得這麼好看，應該已經結婚了吧？」

Prik 故意裝成失戀的少女愁眉苦臉道。

12ลิเก，Lige(Likay)，泰國的民俗戲曲，演員們的造型都非常閃亮、繽紛。

「咦？但他說他還單身啊，有時候還約我去看電影，但我不敢想說他是在追我，他應該只是像大部分的帥哥一樣愛開玩笑搭訕罷了。」

「結果妳有和他一起去看電影嗎？說不定他是真的喜歡妳。」

「唉呦我才不去呢，姊姊！因為有時候我會看到他開車載著一個女人經過我們的店，我怕被別人罵成是橫刀奪愛的女人，所以每次他對我說那些甜言蜜語的時候，我就只是笑笑不回答而已。」

「咦？妳說的那個女人，是跟他一起在政府裡上班的同事嗎？」

「不是的，我看她身上還穿著大學的制服，而且看過很多次了。」

「哦……」

令人驚訝的是，Prik 在跟少女談話的時候，竟然能一邊把盤子裡的滷蛋和咖哩雞加竹筍吃個精光，然而大王子才剛成功學會如何吃淺盤子裡滾來滾去的滷蛋。

「大約下午三點的時候，他就會開往那一條路。」眼看 Prik 這麼快就把飯扒完了，少女邊說邊打算再增加一筆收入。「姊姊想再多加一盤嗎？」

Prik 猶豫了一下，接著故作有點為難地點了點頭。

「那……請再給我一盤酸辣蝦湯和煎蛋，**哥哥別忘了幫我付錢呦！**」

「您看，殿下，那輛真的是 Kua 少爺的車。」Prik 指著 Kua 少爺那輛奶油色的高級名車，示意要大王子趕緊跟上去，而大王

子像接到上司的命令一樣，立刻照著去做。「跟著他，對，就是他！」

儘管他們跟蹤Kua少爺好幾天了，但今天是第一次看見Kua少爺開著車往其他方向去，以前若不是去Sawetawarit城，就是回到自己的Karnkua城，但今天這條路看起來非常陌生，Kua少爺彎進一條小小的巷子裡，路上的車明顯變少了，因此大王子決定把車子停在巷子口，免得引起對方的懷疑。

「看來我們必須先在這裡等，直到Kua少爺出來。」

「是的，殿下。」Prik鄭重地道。「在下先去看看Kua少爺的車停在哪一戶人家前。」

「妳要自己去嗎？」

「是的，殿下。」

「殿下可以先睡一下，剩下的交給在下。」

「那就拜託妳了。」

大王子把椅背調到最低的位置，二話不說便將手抱在胸前緩緩進入夢鄉，看了不禁使Prik翻了一個白眼。

「身為僕人就必須忍耐！」

Prik發了點牢騷，但已經完全睡著的大王子絲毫沒聽見。

過了一個多小時，Kua少爺那輛奶油色的豪車終於緩緩駛出巷子，Prik見狀連忙興奮地戳了戳大王子。

「Kua少爺出來了，殿下！」Prik雀躍地笑道，完全沒注意到大王子仍睡眼惺忪、迷迷糊糊的樣子。「等等在下自己去，殿下在車上等就好。」

「等……還要等啊？」大王子一頭霧水地問。「既然叫我

等……那我也只好等了。」

「遵命，殿下。」

Prik說完便飛快地跳下車，沿著Kua少爺的車行駛的軌跡倒著回去，一下子就來到了一棟比這附近的房子更為氣派的雙層白色大宅前。

Prik毫不猶豫便按下了大門口的門鈴。

不一會兒，一名年輕貌美的少女急急忙忙地走出來應門，但當看見門外站的是Prik後，少女赫然提高警戒停下腳步，若不是Prik大聲呼叫，她差點就轉身回到屋子裡了。

「我是來找您的，對，就是您！我有件關於Kua少爺的大事必須告訴您。」

「……您是Kua少爺的人嗎？」

少女滿臉困惑，內心舉棋不定，不知道到底該不該開門讓陌生人進到家裡。

「不算是，但我要說的事一定會大大影響到您。」

Prik邊說邊狐疑地看著少女那顆巨大的肚子。跟蹤Kua少爺的這幾天以來，Prik一直不覺得對方的為人能有多正直，但也沒料到眼前這位貌似和他關係相當密切的少女竟然會**懷孕了**！

「您有什麼事想說？」

眼看這位陌生的女子好似真的有什麼關於Kua少爺的事想說，最後少女終於敗給了自己的好奇心而把大門打開了。

「您看起來是懷孕了。」Prik的第一句就讓對方感到十分奇怪。「懷的是Kua少爺的孩子嗎？」

仍不知道叫做什麼的這名少女驚愕地瞪大雙眼，但Prik並不打算讓一絲絲寂靜插入他們的對話，她立刻拋出了下一個問題。

「您知道他已經訂過婚，而且有一位未婚妻了嗎？」

「您說什麼？」少女蹙緊眉頭。「我是Kua少爺的妻子！」

「……」

「他怎麼可能有未婚妻？」

少女的呼吸突然變得急促，以致Prik不免擔心在知道真相前她可能會先出事。

「不知道，但他確實已經有未婚妻了。」

「……」

「人人都說這名蒙拉差翁和Kua少爺簡直是天生一對般絕配。」Prik把臉湊近面前這名年輕貌美的少女。「您和Kua少爺已經登記結婚了嗎？」

少女聞之突然板起面孔，彷彿被Prik戳到了最深處的痛處。

「還沒，但他說最近就要帶我去登記了。」

少女自滿地抬起頭道，但Prik卻微微笑了一下。

「打算悄悄地登記，還是會大張旗鼓邀請親朋好友呢？」

「……」

「請別怪我多管閒事，我只能告訴您下週四，Kua少爺要和Pilanthita小姐在Sawetawarit城舉辦正式的婚禮，我不知道您是否早就知道了，如果是的話，恐怕只能乖乖當個小妾，但如果不知道的話……」

Prik刻意頓了一下，像是在比較什麼。

「請您明白Kua少爺已經選了其他女人了……」

「……但我明明還懷著他的孩子。」年紀輕輕的少女不由自主地摩娑著自己又大又圓的肚子。「您在騙我對吧？」

Prik像個深謀遠慮的智者般一邊微微笑，一邊緩緩地搖

頭，她從口袋裡掏出一張照片遞給少女，宛如握有了極大的勝算。

少女伸手接過這張照片，當她定睛一看時，映入眼簾的是 Kua 少爺笑容滿面地在幫 Pin 小姐戴上訂婚戒，少女瞬間全身癱軟，手中的照片因此墜到了地上。

「他們結婚了嗎？」

少女顫抖著問。

「只是訂婚而已。」Prik 認真地凝視著少女的大眼。「下週四就要結婚了，而且他已經請了一位負責登記結婚的官員在同一天到蓮花宮。」

「但我肚子裡還懷著他的孩子，而且說下個月前就要跟我結婚，不只如此，他還買了一棟房子給我，只有說必須照顧他的母親，所以只能偶爾來找我。」

少女開始聲淚俱下。

「其實他已經別有家庭了嗎？」

「對。」Prik 篤定地回道。「或許是因為對方的地位更好，**同樣都是蒙拉差翁，看起來更加契合。**」

「……」

「但您真的願意坐視不管嗎？」

「……」

「您有孩子了，但那位小姐沒有。」

「……」

「您真的願意讓自己的孩子一出生就沒有父親嗎？」

Prik 加重了每一個字的語氣。

「好好地仔細想想……」

「……」

「您還有個翻牌的機會。」

「……」

「請考慮看看。」

第五十章　鬱鬱寡歡

Pin 小姐一夕間失婚的消息傳得滿城風雨，謠言甚至傳說 Pin 小姐在得知那名不知名的少女懷著 Kua 少爺的孩子後，因為傷心過度而直接在聖水儀式上昏了過去。

然而事實完全相反……

儘管覺得頗為內疚，但自從那位名叫 Savitri 的少女突然現身後，Pin 小姐的喜悅之情便立刻衝破了雲霄，尤其聽見 Kua 少爺光是講沒幾句話就把自己真實的為人給吐出來後，Pilanthita 更加確信了自己的直覺真是一點也沒錯。

姑姑心中永遠「毫無任何缺點」的 Kua 少爺，在那光鮮亮麗的背後，其實私下犯了許多滔天大錯。

因此那天典禮上鬧得不可開交的場面，在 Pilanthita 的眼中反倒變成了她這輩子看過最好笑的一齣戲。

尤其是 Kua 少爺無恥地跪著哭求 Padmika 夫人再給他一次機會，想當然被夫人不留情面地拒絕了，一思及此，Pilanthita 不由得復又爽快地呵呵笑了出來。

此外，她還聽說後來 Kua 少爺不停想盡辦法討好二王子，仗著還沒有機會好好向她道歉的理由，只為了再次進到 Sawetawarit 城見她一面，但由於不願忤逆沙德殿下的命令，他的央求全被二王子果斷拒絕了。

少爺一連串令人厭煩的舉動終於讓 Pilanthita 逃離了他的魔爪，這讓少女大大鬆了一口氣，儘管發生的這一切傳出去挺丟人的，但她一點也不覺得遺憾。

因為這件事而感到最難過的人，無非是把所有信任都賭在Kua少爺完美無缺的人設上的Padmika夫人。

夫人以前從未想過要逼自己唯一的姪女違背她的意願，直到這門婚事夫人才鐵了心，因為她知道Pilanthita很容易心軟。果真最後親眼目睹了她違抗Anil公主的主張，但明明公主對她來說是她最喜愛的人。

到頭來結果是Padmika夫人看走了眼，而且還**錯得非常離譜**，簡直是誤把一塊石頭當成了珍珠。

事發後，Padmika夫人足不出戶了整整三天三夜，但過了這三天後，夫人像是什麼都沒發生過一樣變得非常正常，不但照樣去大皇宮的廚房監督廚娘們，也和過往一樣和Pilanthita一起享用早餐。

而Alisa夫人也再也沒向Padmika夫人提起這件事，以免又刺激到對方，夫人回歸到平常的生活，彷彿Kua少爺和Pin小姐從來沒訂婚過。

謠言繼續傳得沸沸揚揚……有的人甚至說Pin小姐最後傷心到臥病在床，日日鬱鬱寡歡。

Pin小姐確實生病了，但病因是出自於不停地等待著某個人的歸來。直到婚禮後的第五天，Pilanthita還是連個Anil公主的影子都沒看見……

或許是她想太多了，她以為公主知道她的婚禮被作廢了後，會開心到用最快的速度趕回來與她重修舊好。

結果……

Anil公主對這件事完全漠不關心。

於是Pilanthita不免接著想，Anil公主和一直暗戀她的Aon

小姐去華欣玩後，恐怕是已經移心別戀了吧。由於不停地想著這件事，以致Pin小姐茶飯不思、夜不能寐，最後她的身體支撐不住而發燒了。

「Prik，Anil公主還沒從華欣回來嗎？」

蜷縮在床上的Pilanthita向端著白粥進來的Prik問道，這個問題已經不知道重複第幾次了。

「還沒，Pin小姐。」Prik憂心地跪坐在Pilanthita的床邊，因為對方美麗的臉龐現在紅得像是在發高燒。「我聽大王子說其實公主殿下應該兩、三天前就該回來了，但因為華欣那裡剛好遇上暴風雨，導致道路中斷，所以必須延後好幾天才能回來，應該今天晚上就會到了。」

「或許只是藉口罷了。」Pilanthita虛弱地閉上雙眼。「華欣那裡恐怕有什麼比這裡更有趣的。」

「吃點粥吧，Pin小姐，才能照醫生吩咐的飯後吃藥。」Prik盡可能把話題從華欣拉開，但Pin小姐只是一味地鬧著脾氣閉上眼搖搖頭，甚至翻了一個身背向Prik，像是在叫對方趕緊出去。

Prik無奈地嘆了一口氣，這兩天Pilanthita一直窩在床上，連一口飯都不吃，更別說是吃藥了，以致Padmika夫人和Prik完全束手無策，尤其是夫人見到姪女這般鬱鬱寡歡的樣子，越是自責地把自己當成了罪魁禍首，都怪自己才害得Pin小姐如今臥病在床。

「妳出去吧，我要睡了。」

Pilanthita的聲音麻木得聽不出一絲絲情緒。

「吼……Pin小姐，吃一點東西嘛，再這樣下去您的病什麼時候才會好？」

「放在那就好，如果餓了我自己會去吃，別逼我趕妳出去。」

「遵命……」

Prik努了努嘴，接著失落地推開了房門，沒想到才剛闔上門，下一秒便撞見了某個又高又瘦的身軀正佇立於門前雙手抱胸，一副陷入了沉思的樣子。

「公主……」

「噓！！！」

公主連忙將食指堵在自己的嘴唇上，防止Prik因為過於興奮而大吼大叫，而才思敏捷的Prik一看就識相地把音量調整成悄悄話模式。

「公主殿下比大王子殿下說的還要快回來，在下原本以為會拖到晚上。」

「不能太晚回來啦。」Anil公主笑道。「我已經心急如焚了。」

「回來就好，殿下，Pin小姐一直很不聽話。」

「怎麼說？」公主疑惑地抬起眉毛。「聽姑姑說她生病了，不過說也奇怪，今天姑姑竟然親自去松宮迎接我。」

「Padmika夫人應該和在下一樣把希望全放在公主殿下的身上，因為Pin小姐已經不吃飯也不吃藥兩天了。」

「哦……那妳把飯和藥都準備好了嗎？」

「都備妥了，放在房間裡面，Pin小姐說她餓了會自己起來吃，昨天晚上也這麼說，結果那些飯根本連動都沒有，連藥也沒有吃，照樣原封不動地放在那裡。」

「她是因為Kua少爺才這麼難過嗎？」

Anil公主用一道難以看透的眼神望著Pilanthita那道緊緊閉著的房門。

「當然不是，殿下，Kua 少爺的事令 Pin 小姐非常開心，是因為其他的原因才病倒的。」

Prik 像往常一樣，在不得不說出不該說的話時，習慣性地摳了摳自己的嘴唇，於是 Anil 公主直接請她說了出來。

「說吧，Prik。」

「Pin 小姐是因為遲遲等不到殿下從華欣回來才生病的，她每天一直問、一直問，在下只好回說不知道、不知道。」

「妳確定？」

Anil 公主的雙眼聞之立刻露出了晶亮的光芒。

「千真萬確，Pin 小姐就是因為連續好幾天都在苦苦等待殿下的歸來才體力不支，而且殿下不是自己去，而是跟 Aon 小姐一起去，Pin 小姐更是忌妒……」

「噓！！！」

「很抱歉，殿下。」Prik 低下頭道。

「那她現在的病況如何？」

「她的身子很燙，又很常發脾氣，在下才剛被趕了出來。」

「那妳去幫我準備溫水和擦身體的毛巾，我先去親自餵她吃飯。」

「遵命。」Prik 接到命令後連忙轉身下樓去準備了。

Prik 已經離開一陣子了，但 Anil 公主仍駐足於門前，即便關於婚禮的一切都在她的計畫之中，就像是一副精心策畫好的牌，但若非當時最重要的那張王牌 Savitri 直接衝進會場，原本是打算讓大王子在聖水儀式進行前，親自在眾人面前揭露 Kua 少爺暗藏情婦的事實。

幸好一切都仍在最初的計畫當中，而大王子也不至於犧牲

自己的人格。

Anil公主鬆了好長一口氣，接著打開房門後再悄悄地關上。

Pin小姐的臥室和七年前一樣寬敞溫暖，白色的窗簾輕輕地隨風飄動，大大的床上躺著一名屢弱的少女，少女側躺著背向門口，猶如想把一切都拋諸腦後。Anil公主把書桌前的椅子拉到床邊，坐下來後翹著腳淡然地凝視著少女的背影。

「Pin吃點粥好嗎？這樣才能接著吃藥。」

赫然發現不是Prik的聲音後，Pilanthita就像一隻受到驚嚇的貓咪背部瞬間弓了起來，她怎麼可能認不出這道聲音的主人，就是她這麼多天以來每日每夜都在等候的那個人。

但出於成千上萬個拉不下臉的理由，Pin小姐依舊背對著床邊的人。

Anil公主心中百感交集地盯著少女瘦弱的背影，一邊是全心全意的思念和渴望，一邊則是無窮無盡的痛苦，儘管事情看似正在往好的方向發展，然而公主的內心深處仍埋著一股深深的委屈。

「我知道妳還沒睡⋯⋯可以轉過身來嗎？」

「⋯⋯」

「Pin⋯⋯」

「⋯⋯」

「看來妳真的想獨處，那我先走一步了。」

Pilanthita聞之頓時反射性地轉過身來，一看到那位苦等已久的人臉上掛著一抹促狹的笑容，Pin小姐便憤然癟起雙唇。

「想走就走吧，沒有人阻止妳。」

Pilanthita擺了一張臭臉，隨後把視線撇了開來。

「怎麼能就這樣回去。」Anil公主邊說邊憂心忡忡地把手靠在Pin小姐的額頭上。「妳的身體好燙。」

「放我獨自一人吧。」Pilanthita使著性子，張著那雙如小鹿般水汪汪的大眼盯著Anil公主道。「就像妳這幾個月以來對我做的事一樣。」

「不要這樣潑我冷水好嗎？」Anil公主的手從對方的額頭緩緩移到了雙頰，接著繼續往下至纖細的脖子和肩膀，最後五指緊緊和對方的手指交扣。「其實我一直放不下妳，但我也別無選擇。」

「……」

「或者應該說我沒有生氣的權利。」Anil公主的聲音聽起來充滿了惆悵，以致Pilanthita突然感到一股椎心刺骨的痛。「別忘了我和其他人一樣，都是有血有淚的人類。」

「……」

「每次見到妳，我就覺得痛苦得像是真的快死了。」

「所以才想著要把我趕走是嗎？」

晶瑩的淚珠從Pilanthita的眼角無聲地落下，公主見狀馬上掏出了自己的手帕，溫柔地拭去對方臉上的淚水。

「那天不得不把妳趕走，因為我真的覺得很心痛……很委屈。」

「委屈……因為什麼事而感到委屈？」

「因為……妳表現得一副像是把我當成了情婦的樣子。」Anil公主一邊說，一邊深情款款地把Pilanthita的髮絲勾到耳後。「因為妳說之所以會嫁給Kua少爺，是因為還想每天都看見我……」

「……」

「為何妳就沒想過，如果我每天從早到晚都必須看到妳和Kua少爺在一起，我會有何感想？」

「我……我太自私了。」Pilanthita緊握著公主的手，不捨地緩緩帶到自己的胸口中央。「可以原諒我嗎？」

「我很早就原諒妳了。」

「……」

「但心裡還是覺得很委屈，不知該如何是好。」

「那麼從今以後我會彌補一切。」

Pilanthita繼續緊牽著公主的手，拉至自己的雙頰撒嬌道。

「怎麼彌補？」Anil公主微微笑。

「不管什麼事，我都會照妳的意思去做。」

「……」

「我絕對不會再選擇一條讓我們必須分道揚鑣的路。」

「真的嗎？」深色的眼眸滿懷希望地凝視著Pilanthita的臉龐。

「我說真的。」

Pilanthita在公主的手背上落下一個深情的吻。

「那就從吃下這碗粥開始好嗎？」Anil公主呵呵笑道。「妳只需要放開我的手，然後讓我好好餵妳吃就好。」

Pilanthita的嘴唇癟成一條向下彎的弧線，但最後還是把手還給了Anil公主，不過仍是經過了好一番勸說，公主才終於成功把粥送進了Pin小姐的嘴裡。

「妳必須先回答我一個問題，我才願意吃一口粥。」

Pilanthita一副高高在上的樣子討價還價道。

「好吧，妳問吧。」

Anil公主邊說邊挖了一匙的粥起來細心地吹涼。

「這次華欣的海是白色的嗎？」

Pilanthita的聲音裡夾雜了諸多脅迫的意味。沒想到居然是這種問題，Anil公主突然像是有東西卡到喉嚨般咳了好幾聲。

「不是。」Anil公主笑道。「但挺清澈的。」

「Anil！」Pin小姐板起了臭臉，但公主露出了一抹天真無邪的笑容。

「不能出爾反爾喔，不是說如果我回答了一個問題，妳就願意吃一口？」Anil公主把湯匙推到Pilanthita的嘴邊，同時張開口像是在餵小孩子吃飯。「啊～」

面對這個騎虎難下的處境，Pilanthita不得不嚥下好大一口的粥。

「下一個問題是什麼呢？」Anil公主開始覺得這場遊戲越來越有趣了。

「Euangfah小姐去松宮過夜的那一晚，她睡在哪一間房間？」Pilanthita淺褐色的眼珠莫名地泛起一股肅殺之氣。

「當然是睡在客房裡呀，啊嗯～」

這回公主照著一個問題換一口粥的規則，直接又塞給了對方一口。

「那為何我去松宮的時候，會剛好看到她從妳的臥室裡走出來？」Pin小姐努嘴道。

「她只是過來跟我說聲道別，那天早上她有急事必須跟母親一同出門，啊嗯～」

緊接著便是一連串的問題，因為Pin小姐有好多好多疑惑的事想問，過沒多久，碗裡的粥已空了一大半。

「再一個問題，快全部吃完了。」

「如果我把整碗吃光，妳可以繼續在這裡陪我嗎？」

被病毒折磨得面容憔悴的大眼散發出滿滿撒嬌的眼神。

「好，我會陪著妳一整晚。」

「妳說真的喔，不能說謊騙我喔！」Pilanthita的小手左右晃動著公主的膝蓋，猶如一位得到喜歡的玩具的小女孩。「但姑姑會生氣嗎？」

「不會，我已經徵得姑姑的同意了。」

Pilanthita聞之露出了淺淺的微笑，二話不說便吞下了最後一口的粥。好不容易Anil公主終於能餵她吃藥了。

Pilanthita吃完藥過沒幾分鐘後，門外傳來了Prik的敲門聲，經過公主的同意後，Prik端著一盆玻璃盆和一條白色的小毛巾走了進來，公主點了一下頭示意Prik把東西放在書桌上，接著揮了揮手表示順便帶著空碗離開，Prik見狀不禁嘟嚷道：

「殿下所言甚是！」

Anil公主含笑著再次揮揮手把Prik趕了出去，最後Prik才拖著心不甘情不願的步伐默默退了出去。

「擦一下身子再睡覺吧，這樣比較舒服。」

上前把房門關上並確實上鎖後，Anil公主走回來床邊道，然而此時Pilanthita的臉變得更紅更燙了。

「我自己擦就好，不用麻煩了。」

Anil公主依舊掛著微笑，她完全知道少女心裡在想什麼。

「一點也不麻煩呀。」

Anil公主在Pilanthita的身邊坐了下來，然而病人的雙眼卻往反方向飄，公主銜著微笑，一顆接著一顆地解開了對方的衣

扣，至於手足無措的 Pin 小姐則羞澀地不停抿著雙唇、屏住呼吸。

褪去上身的衣物後，Anil 公主將毛巾浸至混和著香水的溫水中，再將其取出並擰乾多餘的水分，接著輕輕地從 Pilanthita 的額頭，慢慢往下擦過了她彈嫩的雙頰、纖長的脖子、細嫩的肩膀，以及那片潔白的酥胸，當 Anil 公主的手經過此處時，她的力道放得更輕，呼吸也不自覺地停滯了一會兒。與此同時，Pilanthita 也在努力壓制住內心的悸動。

Anil 公主手中的毛巾不停在那對美麗的蓓蕾上繞圈，溫柔的觸感明顯變成了愛撫，使 Pilanthita 不由自主地捏住了 Anil 公主，於是公主決定繼續緩緩向下延伸，朝著那片緊縮著躲避毛巾和她溫熱的手掌的腹部前進。

擦到這個部位後，Anil 公主朝著面紅耳赤的少女甜甜一笑，隨後俯身用雙唇磨蹭著對方的額頭和雙頰，最後在那對乳首上落下一個輕輕柔柔的吻。

「妳的身體不燙了……但好香。」

「這就是妳量體溫的方法嗎？」

「沒錯。」

Anil 公主笑嘻嘻地道，但 Pilanthita 只是害羞地緊抿著唇。

公主再次打溼並擰乾毛巾，這回她換坐到 Pin 小姐的背後，用最輕的力道細細擦拭少女的背部。

都怪黃昏時分的暖陽穿過了白色的窗簾，在 Pilanthita 潔白的背上映出了一道金黃的光芒，使其看起來有如一座完美無瑕的雕像。Anil 公主再也無法克制住自己的衝動，她情不自禁地啄吻著 Pin 小姐嬌嫩的肩膀，接著把雙唇的目標轉移至纖細的脖

頸，Pilanthita 抬起下巴，忘我地閉上雙眼、微微張開嘴，全心全意接受那道如熱浪般的觸感。Anil 公主的右手開始調皮地從她的纖腰緩緩爬上她的小腹，至於左手則摟住了美麗的雙峰使其貼緊自己的胸口，同時不急不徐地輕輕揉捏。

「Anil……」

「嗯……」

「我很……」

「……」

「我很愛妳……」

「我也愛妳……」

徘徊在 Pin 小姐腹部上的手越來越往下移動，不停地朝著深處探索，直至觸碰到了那個早已溼透的點，而公主的雙唇也沒閒著，柔軟的唇瓣宛如欲火焚身般姿意地含住了對方的耳垂和後頸。

在公主懷裡的身軀興奮地發燙和顫抖，嬌小的雙手無意識地掐住了公主的身體，她緊緊抿住雙唇，以致快要滲出鮮血，深怕自己的呻吟聲會傳進了姑姑的耳裡。

Anil 公主的手指忽快忽慢地進出 Pilanthita 的體內，身下的人也不由自主地跟著節奏前後擺動臀部，很快地，來自四面八方的刺激便使 Pilanthita 全身產生一陣劇烈的抽搐。這不僅是因為她長久的空窗期使然，還包括這是兩人第一次在 Pilanthita 的房間做這種事，雙方顯然都早已極度渴望彼此的肉體。

經過了一場轟轟烈烈的激戰後，Anil 公主用了一條真正的溼巾，而非如剛才一樣用自己的身體「擦拭」Pilanthita 的下半身，Pin 小姐羞報地抓起另一顆枕頭蓋住自己的臉逃避現實，與

此同時，Anil 公主細心地把每一個角落都擦拭得一乾二淨。

「花了好久的時間，終於擦乾淨了。」

幫 Pilanthita 換上一套新的衣服後，Anil 公主正式宣告任務結束。

「Anil……」

「嗯……？」

「我害羞……」

「……」

「是真的很害羞，拜託不要那樣調戲我了好嗎？」

Pilanthita 柔聲撒嬌道。

「好啦，不逗妳了。」公主含笑道。

Pilanthita 聞之張開了雙臂索求 Anil 公主的擁抱，成功得到了她想要的擁抱後，Pin 小姐在公主的臉頰上親了好大一口。

「不打擾妳了。」壓在身體上方的 Anil 公主說，同時飽含深情地撫摸對方柔順的秀髮。「睡個覺休息吧。」

「我不想睡。」Pilanthita 出力抱緊公主道。「我怕我醒來後發現一切只是在做夢……」

「……」

「我不敢相信在讓我快樂無比的這件事，真的是事實。」

「……」

「我怕醒來後就再也見不到妳。」

「……」

「我怕妳會像我不斷作的惡夢那樣，突然無故就消失了。」

Pilanthita 無助的話語令 Anil 公主忍不住心疼地親了一下對方滲滿汗珠的額頭，並在她薄薄的唇瓣上落下一個綿密的吻，

像是在做出承諾。

「我不會再消失了。」Anil公主緩緩地側躺在Pin小姐的背後。「我發誓……」

「……」

「只要一醒來，就會發現我一直這樣抱著妳……」

Anil公主輕輕來回撫摸著Pilanthita平坦的腹部，情不自禁地又覆了一個吻在對方的脖頸。

「既然妳這麼說了。」Pilanthita緊緊牽住Anil公主的手。「那我就姑且相信，但是……」

「但是什麼……？」

「妳曾經說過要去英國，而且再也不回來了……」

一談到那件不願想起的事，Pilanthita的聲音瞬間變得相當細微且哀傷。

「不去了，只要能夠這樣抱著妳睡，就算趕我走我也不去。」Anil公主微笑著道。「很抱歉這樣嚇唬妳。」

「那時候妳一定很生我的氣……」Pilanthita悵然若失地摩娑Anil公主的手掌。「我都沒有為了妳而努力過什麼。」

「誰說的？」Anil公主深情地落了一個吻在少女白皙的嫩肩上。「光是沒有被這些紛紛擾擾而擊垮，這樣就算是為了我而付出很多了……」

「……」

「妳還是姑姑的乖姪女，而且妳為了不造成我的麻煩，甚至願意犧牲自己。」

「……」

「在華欣的那幾天我不斷反省，後來我意識到，每個人其實

都有自己的原因。」

　　Anil公主的話音一落，Pilanthita便翻身依偎進公主溫暖的懷抱裡。

　　「從今以後，我絕對不會再讓我們兩人分開了。」

　　Anil公主用一個更緊的擁抱來回覆Pilanthita的話。

　　「話說，Anil……」

　　「又怎麼了？」Anil公主輕輕地笑道。

　　「這樣抱著我睡好嗎……？」

　　「有什麼問題嗎？為何不能抱著妳睡？」

　　「我怕妳會被我傳染……」

　　「不需要擔心這個……」

　　「如果真的發燒了……剛才幫妳擦身子的時候早就被傳染了。」

第五十一章　面對現實

微風輕輕拂過巨型的窗戶，將輕薄的純白窗紗吹得輕盈飄動，陽光穿過薄透的窗簾，在Sawetawarit城主深邃嚴肅的面容上映出柔和的影子，沙德殿下正專注地在處理書桌上成堆的文件，此時他的小女兒突然走了進來。

「原來父親大人在這裡啊，找了好久！」

Anil公主優雅地行了一個禮，深色的眼眸中散發出一道閃亮亮的眼神，使她秀麗的臉龐看起來格外堅定。

「哪有那麼誇張。」沙德和藹地笑道。「妳也知道如果我不是在花園，就是在這裡。」

Anil公主莞爾一笑。沙德張開手臂請公主坐在迎賓的沙發上，接著跟過來坐在親愛的女兒身邊，隨後舉起手把一位管家招呼了過來。

「是的，殿下……」固定待在書房裡的管家見狀立刻加緊腳步跑來跪在沙德的膝蓋邊。

「幫我拿一套新的茶具來。」

「遵命。」

管家接到命令後迅速退了下去。直到確定管家消失在視線之外後，沙德才轉過頭來問道：

「Anil有事找我嗎？」

「父親大人怎麼知道我有事想跟您聊聊？」

「這輩子妳有像這樣跑來找過我嗎？……沒有。今天竟然主動來找我，看來是有什麼急事。」

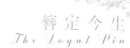
「我確實有事想請求父親大人。」

「那就說吧，親愛的Anil有什麼事這麼焦急呢？」

Anil公主突然打直腰桿，深色的眼眸堅定不移地凝視著沙德的雙眼。

「我想請求父親大人的同意。」

「想求什麼事……？」沙德殿下的聲音聽起來溫柔似水。

「我希望可以這輩子……」

「……」

「……永遠都保持單身。」

Anil公主的話音一落，周遭立刻降下了一片寂靜，殿下身邊的一切彷彿在那一刻全部定格住了，原本充滿對女兒的關愛的臉龐瞬間變得無比凝重。

「……什麼意思？我完全搞不清楚。」

「意思就是，我不要出嫁。」

「妳凡事都會經過一番深思熟慮，這回的理由是什麼？」沙德殿下抬高眉頭問。

「理由只有一個……」

「說吧。」

「因為我深深愛著一個無法和她成親的人……」

「……」

「所以我希望能在沒有丈夫的情況下和她白頭偕老。」

沙德殿下驚愕地瞪大雙眼，食指一上一下規律地敲打著桌面，腦中陷入了一陣沉思。

直到管家端著一壺新的茶回來，並且小心翼翼地放在桌上後，沙德殿下才開口說道：

「幫我去找大王子過來。」

「遵命。」

等到管家離開書房後，父女之間的對話才又開始。

「Anil愛的人是誰？」

「……」

Anil公主沒有立即給出答案，而是緊抿著雙唇，交握於大腿上方的手掌漸漸滲出了黏膩的手汗。

「回答我，Anil。」

必須承認，Anil公主從來沒聽過父親的聲音變得如此嚴肅。

「Pilanthita小姐。」

「……」

沙德殿下吃驚到說不出話來，他的眉頭深鎖，雙唇微微顫抖，眼神明顯流露出滿滿的擔憂。

「但Pin小姐和妳一樣都是女生。」殿下再度陷入了沉思。「無論怎麼想都沒有結果。」

「就是因為無路可走，所以我只好來請求父親大人垂憐，同意讓我一輩子都維持單身。」

Anil公主堅定地直視著父親。

「妳確定和Pin小姐之間的關係是真摯的愛情嗎？」

「我確定。」

「那為何她會答應和Kua少爺訂婚？」

「因為她不想讓我失去自己的爵位。」

「……事情的來龍去脈究竟是什麼？」沙德面色凝重地湊近盯著女兒。

「我跟母親大人說，如果不讓我和Pilanthita在一起，我就要

放棄自己的爵位，然後帶著她去其他地方生活。」

「妳的母親也知道這件事？」沙德的神色變得更加蕭然。「只有我從頭到尾被當成了最後一位蒙在鼓裡。」

「二哥還不知道。」Anil公主望著父親的雙眼發出嬌滴滴的目光。「所以父親大人並非是最後一位。」

「妳還有心情跟我咬文嚼字啊？」

沙德抿了一口熱茶，完美掩飾住兩種情緒。

一方面看起來仍一本正經，另一方面又因女兒的小玩笑而莫名舒心了不少。

「萬一遇到了情投意合的男人，Anil確定以後一定不會反悔？」

「我從14歲時就愛上Pin小姐了，而且我會愛她一輩子，絕對不會變心。」

談到Pilanthita時，Anil公主的眼眸瞬間盈滿了沙德從未見過的晶亮。

「妳的母親怎麼說？」

沙德的臉色看起來舒緩了許多。

「母親大人說我想要的東西不符合我的身分。」

「那妳怎麼回答？」

「我說遇見真愛一點也不簡單，所以如果母親大人真的找到了一位爵位相等或比我更高的男人，並且能讓我愛上他，到時候我就會徹底忘了Pin小姐。」

沙德把手中的小茶杯放回了茶盤上，令人難以猜透他心中在思忖什麼。

「這個回答……果真很有Anil的風格。」

「我只是照實回答，無論是好是壞，我都不應該嫁給自己不喜歡的人。」

「為何在 Kua 少爺和 Pin 小姐訂婚前，Anil 不親自來找我商量呢？」

沙德疑惑地揚起眉頭。

「和父親大人的對話全關重要，我必須謹言慎行且考慮周全，如果當時就來找您商量，不僅會使我看起來非常任性，還會失了 Pad 姑姑和 Kua 少爺的面子，但如果我靜靜等待時機，讓 Kua 少爺的劣跡自行公諸於世的話，一切都會變得非常有理有據。」

Anil 公主的嘴角泛起一抹淡淡的微笑。

「但如果現在我不同意的話，妳會怎麼做……？」

「……」

「父親大人能阻止我的想法和作為嗎？」

Anil 公主抬高下巴，嗤之以鼻地大聲宣告：

「反正我的人生就像是被關在一座看不見欄杆的牢籠，我絕對不會讓別人再來逼迫我縮進一個更狹窄的牢籠裡！」

「所以……希望父親大人在我心中的形象不會變成一位典獄長。」

沙德的臉龐蒙上了一層傷感，宛如一陣風吹熄了最後一盞稀微的燭光。

「但對我來說，父親大人不是典獄長……」

「……」

「而是一位能決定我未來命運好壞的法官。」

「……」

「一切都取決於您這回的裁判了。」

「怎樣是好……」沙德再度淺酌了一口熱茶。「怎樣是壞……」

「……」

「妳是一個很倔強的孩子……」

「……」

「如果我的決定和妳希望的一樣，妳會認為是好的吧？」沙德放軟姿態為小女兒斟了一杯茶。「但如果我的決定不如妳意，在妳的眼中就是不好的。」

「父親大人真是聰慧過人。」

「我只是很了解Anil。」

「……」

「不過放眼全世界……還真的找不到像妳這麼任性的人了。」

「……」

「妳有什麼權力來和我談判？」

「憑我是父親大人的女兒呀……」Anil公主把臉湊近沙德殿下，與其四目相對。「因為我的人生……終究是屬於我的。」

「什麼意思？」沙德的眉頭深鎖。

「意思是，只要我想，我甚至能讓Anil消失在父親大人眼前。」

「……」

「但因為我是父親大人的女兒，所以無論做任何決定，我都想先徵得您的同意。」

「感覺像是妳在威脅我。」沙德的聲音頗為強硬。

「沒有……我只是想讓您明白我的想法。」

Anil公主彎下腰以表達歉意。

「對於戀人的愛……是 Anil 人生中最重要的東西嗎？」

「也許是……」Anil公主雙手緊緊交扣。「但也許不是……」

「……」

「我只是非常相信自己的感覺而已。」

「……」

「如果愛情是最重要的，我早就帶著 Pin 小姐去英國了，但我很愛我的家人，包含令我非常景仰的父親、從來不想與之分離的母親、十分敬愛的大哥，以及像是好朋友的二哥。」

「……」

「難道不就是因為我的愛深深牽絆著各位，所以我才敢來和父親大人商量嗎？」

「……」

「其實我完全沒有想要向眾人宣告我和 Pin 小姐的愛情，也沒有想過要讓您蒙羞，我只希望能和她一起在松宮共度餘生。我們不會公開示愛令人感到厭惡，表面上看起來我們就只是感情很好的朋友，我的心願僅此而已，父親大人能同意嗎？」

「無論如何，我還是很擔心……」沙德嘆了好長一口氣。「如果沒有丈夫和孩子的話，老了誰能照顧妳？」

「如果我有足夠的財富……我並不需要由子孫來照顧。」

「為什麼？」沙德一頭霧水地抬起眉毛問。

「因為只要有足夠的餘裕……我就能花錢請別人來照顧。」

「這就是資本家的威力啊……」沙德忍不住含著笑默念道。

「這點我無可否認。」

與此同時，Anantawut 王子躡手躡腳地進到了書房，但卻被

沙德的餘光給瞥見了。

「大王子，過來吧。」沙德張開手臂，請大兒子坐在不屈不撓的妹妹身邊。「你知道你的妹妹有多麼大膽妄為嗎？」

「知道。」

「那怎麼沒有阻止她！」

沙德和兒子對話時的口氣，和對女兒完全是天壤之別。

「我是來請父親大人別再為我找男人了，大哥。」

「沒有人阻止得了 Anil，父親大人。」大王子畢恭畢敬地彎著腰道。「但其實您本來就不打算幫她找一位丈夫對吧？」

「別一副比我更懂的樣子！」

沙德的鬍子猝然抽了一下，但大王子下定了決心，無論結果是好是壞都要繼續說下去。

「關於這點我比任何人都清楚，如果父親大人真的想把 Anil 許配給其他皇族，不會拖到現在還一點動靜也沒有。Anil 今年就要滿 22 歲，照理來說如果已經看好合適的人選，早就應該要來認識彼此了。」

「但我還沒找到適合的人。」

「如果現在找不到……以後更沒機會找到，不是嗎，父親大人？」大王子反駁道。「妹妹貴為公主，若要結婚，對象一定得有蒙昭以上的頭銜，如果現今找不到適合的人選，以後單身的王子也只會越來越少罷了。」

「你這麼說也沒錯。」沙德對大兒子的氣勢稍微沒那麼逼人了。「我不是沒在考慮這件事，而是一直想不出方法。」

「剩餘的拍翁昭幾乎都已婚了，至於那些單身的，若不是身體上就是心理上有問題。」大王子胸有成竹地滔滔不絕。「再

看看那些蒙昭們，太窮、太醜、太老、太自大，哪有人配得上Anil？」

「……」

「那些學歷越好的，越喜歡娶平民女子或外國人。」

「……」

「而且Anil明明已經有松宮了，您還為她建了一座更大的南宮當作她的住所。」

「建南宮有何不可？」沙德摸了摸自己的鬍子，神態看起來相當平靜。

「建造南宮言下之意就是您不想讓Anil嫁出去……換句話說，您想要讓Anil獨自生活。」

「……」

「但若想讓拍翁昭或蒙昭的男子嫁進來，恐怕是難如登天。」

「呵……」沙德輕輕苦笑了一聲。

「因此我才確信父親大人本來就不打算把Anil嫁出去。」

沙德像是全被說中了般點了點頭。

「我真的不覺得有哪個男人配得上Anil，也許是因為我太愛Anil了吧。」

「那如果是女人呢？父親大人覺得配得上Anil嗎？」

「這個問題過於艱深，實在難以回答。每當我想像Anil身邊配上其他男人的畫面時，我就會忍不住覺得那些人都比較『低下』，但其實不應該這麼想。」

「……」

「不過試著把Pin小姐配在Anil身邊後，雖然Anil顯然還是比較尊貴，但並沒有什麼讓我覺得很不滿的。」沙德再次抿了一

口茶。「總覺得Pin小姐就是最適合的人了。」

「父親大人的回答真令人意外。」

「我也覺得很意外。」

「……」

「不知為何我竟然會覺得這樣其實沒什麼不妥，比起逼Anil嫁給她不愛的男人好多了。」

「……」

「看來我對Anil的愛，勝過強迫她違背心願。」

「或許是因為Kua少爺在婚禮上發生的那件事改變了您的想法。」

「我確實不忍再讓Pin小姐遇上這種事，光是這次你們的Pad姑姑就已經夠傷心欲絕了。」

「是的，父親大人。」

大王子滿臉笑容地低頭回道。

「關於Kua少爺和Pin小姐在婚禮上發生的事，Anil有何感想呢？」

沙德殿下側過頭朝小女兒問。

「我選擇保持中立的態度，男女雙方都各有對錯，但並不代表世上所有男人都跟Kua少爺一樣花心，而對女生來說，我們應該要判斷另一半是否是正確的人，雖然有時我們會覺得自己的決定非常完美，結果卻有可能大錯特錯。」

「Anil的意思是，這一切並不取決於性別對嗎？」大王子問妹妹。

「是的，大哥。但如果能先選擇自己心儀的對象，至少人生會變得快樂許多，其餘的就要看運氣和緣分了。」

「但完美的少年也並非真的非常稀有。」沙德淡定地道。「像大哥就是其中一位。」

「我不是一個完美的伴侶。」Anantawut 王子內疚地垂首坦白道。「其實至今我依舊深愛著 Euangfah 表妹。」

「真的嗎，大王子？」沙德的表情再度變得扭曲。

「是真的。」

「我很愛她，但因為彼此是近親，而我明白近親結婚帶來的後果，因此我連向她表示一點愛慕之情都不敢。」

「那 Parvati 小姐呢……你不愛她嗎？」

「不是不愛，只是那份愛沒有比對 Euangfah 表妹還深切……」

「為何突然在我和 Anil 面前坦承？」

「我知道 Anil 早就知道了，至於為何要向您坦承，是因為我想要用真實的自己來證明我的婚姻並不如父親大人所認為的那般完美。」

「……」

「我和 Kua 少爺一樣，都對婚姻不忠。」

「……」

「另外還有一個原因……既然我已經無法和心愛的人共結連理了，所以就更不願眼睜睜看著自己唯一的妹妹也陷入同樣的處境。」

「……」

「我非常愛 Anil，只要是她想要的，就算是星星或月亮我都會奮不顧身地去摘下來，但其實 Anil 想要的東西很簡單，她只不過是希望能和心愛的人白頭偕老罷了，因此我怎麼能不幫她一把呢？」

「……」

「沒有人比母親大人更幸運了。」大王子抬起頭來凝視著父親，眼神充滿了欽佩。「父親大人是我的模範，也許曾經有過幾次，但母親大人可說是從來不曾覺得父親大人厭煩。」

「其實我也不如你想像的那麼完美……」

沙德的腦海中浮現出過往和某位少女之間那段被否決的戀情，這件事孩子們都不知道，但由於無法輕易開口，殿下只是糊弄過去。

「老實說，我們都不應該讓 Anil 像你一樣無法和自己最愛的人在一起……既然如此，就當作我同意讓 Anil 保持單身吧！」

「……」

「但我有一個要求。」

「……」

「……我只求能再見到 Anil。」

「Anil 覺得什麼是合適的，就去做吧……」

第五十二章　永遠的暫時

「吃完午飯後，妳待會有事需要去哪裡嗎？」

在大皇宮享用午餐到一半，Alisa夫人突然問起Padmika夫人。

「沒有，有什麼需要我幫忙的嗎？」

「沒什麼，我只是想請妳和我去一下我的房間。」

「是……」Padmika夫人立刻彎腰接下指令，但心中忍不住懷疑為何對方會突然請她去自己的房間。

結果Alisa夫人指的「房間」是和她的臥室相通的那間衣帽間。

「請先稍坐一下～」

Alisa夫人張開手臂請Padmika夫人坐在一張雕有精細花紋的貴氣金色長沙發上，隨後轉身消失在一間必須輸入密碼才能進入的小房間，這間隔間裡頭全是一個接著一個的保險箱。過了一會兒，Alisa夫人抱著許多盒鮮豔的絨毛珠寶盒走了回來。

Padmika夫人見狀感到相當不好意思，於是趕緊上前幫忙把那些盒子放至沙發前的桌子上。

「為何您要把這些首飾拿出來？」

把七個絨毛珠寶盒妥善放置桌面上，並且整齊擺放好後，Padmika忍不住提出了內心的困惑。

「我只是想把這些送給妳和Pin小姐。」

「夫人打算把這些都送給我和Pin小姐嗎？」Padmika夫人驚訝地抬起雙手摀住胸口，深邃的五官不解地皺在一起。「是出於

什麼理由呢？我和 Pin 小姐都沒做什麼值得嘉許的事。」

「一定要有值得嘉許的事才能收下我送的禮物嗎？」Alisa 夫人笑咪咪地道。「只要我想送，隨時都能送。」

「但是……」

「不要有但是……來看看這裡有什麼吧～」Alisa 夫人笑臉盈盈地按照順序打開了那些珠寶盒。「這盒是套年代已久的鑽石首飾，非常漂亮，我想要送給 Pin 小姐。這盒是黃寶石鑲鑽，我想要送給妳，這樣就能跟妳手指上永遠戴著著的那枚戒指搭在一起。」

「……」

Padmika 夫人安安靜靜地看著 Alisa 夫人開心地接連打開桌上的珠寶盒，此刻 Alisa 夫人的話就像是一陣風穿過了 Padmika 夫人的左右耳，因為她完全猜不透眼前這個人的心思在想什麼。

「您送了這麼多東西給我和 Pin 小姐。」Padmika 夫人凝視著 Alisa 夫人的眼神像是打算追根究柢。「是否因為有事想請我幫忙？」

Alisa 夫人沒有立即回答，她只是不停含笑著，並且拿了一條黃寶石鑲鑽的項鍊戴到 Padmika 夫人的脖子上，最後露出心滿意足的微笑。

「妳想太多了。」

「……」

「只需要明白……這是我本來就該做的事。」

「……」

「妳也知道。」

「……」

「我做的每一件事都是有理由的……」

*　*　*

過了幾天，Anil公主揭曉了為何那天Alisa夫人要送Padmika夫人和Pin小姐那麼多貴重的首飾。

「姑姑好。」Anil公主向Padmika夫人行了一個禮後，語調柔和婉轉地問：「最近過得好嗎？」

「很好。」Padmika夫人張開手請Anil公主坐在阿勃勒樹下的一張白色鐵椅。「今天剛好有風比較舒服，所以我請Phin帶您來這裡。」

「真的很涼爽呢，姑姑。」Anil公主微笑著道。

「殿下最近是不是搬回去住松宮了？」

Padmika夫人一邊倒了一杯茶給Anil公主。

「謝謝姑姑。」Anil公主端莊地小口啜飲了一下。「是的，最近我主要都住在松宮了。」

「其實我們還有很多事要聊。」Padmika夫人深邃的雙眼愣愣地望著遠方。「今天殿下有時間和姑姑聊聊嗎？」

「有的，姑姑。其實今天來拜訪姑姑一部份是想向您道歉，另一部份是想和您商量一件事。」

「道歉……？」Padmika夫人疑惑地揚起眉頭。「什麼事需要道歉？」

「因為那天我說了很多冒犯您的話。」Anil公主自責地垂首盯著地上道。「我太固執己見，完全沒顧慮到別人的感受，我太愚蠢、太任性了，姑姑可以原諒我嗎？」

「但姑姑卻覺得 Anil 公主很勇敢。」

「……」

「我這輩子從未見過有哪個女生能像殿下這麼勇於表達自我，就連我也是習慣循規蹈矩，總是照著別人說的去做，雖然對於很多事都和您一樣感到困惑，但卻從來沒有反思過為什麼。」

「但無論如何我還是不應該那麼冒犯姑姑。」

「哪裡冒犯？」Padmika 夫人的雙眸頓時泛起一抹陰鬱。「殿下說的話，到最後幾乎都變成了事實。」

「……」

「殿下說的完全沒錯，您說 Pin 小姐對於 Kua 少爺的愛就像一條白布，而我卻擅自將其染成了自己喜歡的樣子，是我不顧姪女的意願，執意抓了一個風流的男人來當姪婿，沒想到 Kua 少爺對 Pin 小姐的愛甚至比一條抹布還不如。」

「姑姑……」

「您還說 Kua 少爺並不是真心愛著 Pin 小姐，他只不過是很滿意女方的身世背景罷了，我竟然天真地以為只要結了婚一起生活後，Pin 小姐自然就會愛上 Kua 少爺，想不到連半天都還沒一起過，那傢伙就先丟了整個家族的臉。」

「……」

「姑姑對於自己竟然會如此有眼無珠感到很心痛，而且我也一直很自責，都怪我才害得 Anil 公主和我的 Pin 小姐悲痛不已，她幾乎整個月都不吃不喝，連覺也睡不好。」

「姑姑別再責備自己了好嗎？」

Anil 公主望著 Padmika 夫人的目光中充滿了同情和理解。

「姑姑已經選擇了當下認為最好的選項，再者，沒有人知道事情會演變成這個樣子，以我來看，我反而替Pin小姐在最後一刻幸運地逃過Kua少爺而感到開心，總比結了婚後才發現來得好，而且事發在結婚典禮上，越多證人就對Pin小姐越有益，因為這樣就不會有人反過來指責Pin小姐無情地拋棄少爺。」

「呵……」一思及Kua少爺的報應，Padmika夫人忍不住輕笑了一聲。「越想越生Kua少爺的氣，怎麼會有人無恥到明明都已經有老婆和小孩了，還敢來向我們提親？」

「……」

「總之，我也會這麼想的，Pin小姐真的如您所說的非常幸運，因為如果Kua少爺繼續裝聾作啞，萬一等到Pin小姐懷孕了才東窗事發，到時候事情就更難處理了。」

Anil公主的表情突然略顯不悅，Padmika夫人提到Pin小姐有可能會懷上Kua少爺的孩子，此話傳進公主的耳裡顯得格外刺耳。

「其實姑姑也想跟Anil公主道歉，很抱歉忽視了您的忠告，請原諒姑姑。事發之後，除了Pin小姐外，我最想說對不起的人就是公主殿下。」

Padmika夫人不只口頭上道歉，她還自責地低下了頭，而Anil公主見狀也連忙跟著低下頭。

「姑姑多慮了，我並沒有對您生氣，也沒有要責怪您的意思。」

Padmika夫人聞之點了點頭，這是她在婚禮之後第一次露出真心的微笑。

「既然已經彼此道過歉了，剛才您說有事想和姑姑商量，是

什麼事啊？」

「我想和您談談關於負責打理松宮的人。」Anil公主笑的燦爛，以致雙頰上浮現出明顯的酒窩。「我想請求姑姑的同意……」

「殿下想讓Pin小姐去代替Koi姨是吧？」

Padmika夫人打岔道，她一聽心中立即有數。

「是的，姑姑。」Anil公主深色的眼眸散發著閃亮亮的光芒。「但不只是像以前一樣單純打理松宮而已。」

「殿下的意思是……？」

Padmika夫人滿臉困惑。

「我想請求姑姑的同意，讓Pin小姐永遠都待在松宮照顧我。」

Padmika夫人忽然停下正準備放到嘴邊的茶杯，她側過頭來直視著Anil公主的雙眼。

「殿下的意思是，要讓Pin小姐搬去松宮和您一起住是嗎？」

「沒錯，煩請姑姑考慮考慮。」

Anil公主彎下腰，使自己的請求看起來更加誠懇。

「難怪……兩三天前Alisa夫人之所以送我那麼多金銀珠寶。」陷入沉思的Padmika夫人緩緩將手中的茶杯放回桌上。「原來是和這個有關。」

「母親大人那麼做了是嗎？」姑姑不經意說出的這句話令Anil公主感到相當吃驚。「我事先並不知情。」

「那就代表，Alisa夫人早就料到殿下會來找我談關於Pin小姐的事了。」

「……母親大人總是很懂我。」

Anil公主露出一抹甜美的微笑，惹人憐愛的模樣看了不禁也使Padmika夫人笑了出來。

　　「那沙德殿下呢？殿下也知道這件事了嗎？」

　　「知道，我已經去徵得父親大人的同意，這輩子都不必出嫁了，因為我希望能永遠和我深愛的Pin小姐在一起。」

　　Padmika夫人用力瞪大深邃的雙眸，對於Anil公主的勇氣感到十分不可思議，果不其然，沙德殿下就如同眾所皆知那般疼愛自己的小女兒，但夫人完全不敢想像Anil公主竟然敢向殿下商討如此難以同理的事。

　　「那麼沙德殿下的意下如何？」

　　「父親大人說只要還能讓他再見到我，其餘的都能照著我的心願去做。」

　　「為何殿下會這麼輕易就答應了？」

　　「幸虧有大哥在一旁幫我解釋，他說其實父親大人正在擔心找不到合適的男人給我，因為大部分的男生們都比不上我，而我提出的解決方法恰好和父親大人的想法一致，於是就同意讓我不出嫁了，至於最後只是含糊地說交給我自行去判斷。」

　　「光是有了沙德殿下的同意，原本堵住的出口，現在彷彿所有障礙物都被清走了。」

　　Padmika夫人喃喃道，腦海中想起了自己年輕的時候。

　　「那姑姑呢？」Anil公主熱切地為姑姑斟了一杯茶，顯然是想討好對方。「姑姑能同意Anil嗎？」

　　「公主殿下都這樣提到沙德殿下了，姑姑還能說什麼呢？」Padmika夫人不得不敗給了Anil公主的能言善道和聰明才智。「但無論如何，我恐怕無法答應讓Pin小姐永遠住在松宮。」

「可是，姑姑……」

Anil公主的臉閨之赫然垮了下來。

「我同意讓她大部分的時間都住在松宮，但偶爾有空還是要來蓮花宮。」Padmika夫人長嘆了一口氣。「如果要把Pin小姐從小住到大的房間清空，姑姑實在做不到……」

「……這樣就已經很感謝您了！」

Anil公主俯首向Padmika夫人致上最高的謝意。

「姑姑也有事想請Anil公主幫忙。」

「姑姑儘管吩咐，我一定會使命必達。」

「請比姑姑更好好地照顧Pin小姐……」

「……」

「我只拜託這件事。」

＊＊＊

松宮

Anil公主正打算把一個銀色的相框放在床頭櫃的桌子上，不過她還在忙著把Pilanthita的相片塞進去。她很喜歡看見松宮的各個角落都充滿了Pilanthita的東西，令人有種真的一起生活的感覺。

「Anil在做什麼呀？看妳臉上笑得可開心了。」

Pilanthita把自己的衣服都收進Anil公主的衣櫃後，轉過身來問起笑臉盈盈的Anil公主，聲音裡飽含了柔情和愛意。

「我在找個地方放妳的相片，那個角落不錯，這個角落也

好，好難選啊！」

「放哪裡都行，我沒有很喜歡一直看見自己的照片。」

Pin小姐邊說邊走來Anil公主的床邊坐下，然後寵溺地環抱住公主。

「但我喜歡，這張妳乾笑的樣子很可愛。」

Anil公主笑嘻嘻地道，但Pin小姐立刻板起不滿的臭臉。

「Anil！」Pilanthita故意咬了一口公主纖瘦的肩膀。「別鬧我嘛，誰像妳一樣每次都笑那麼開心，酒窩都跑出來了。」

Anil公主隨著Pin小姐的視線望向另一頭的床頭櫃，桌面上放滿了許多大小不一的相框，而這一側是Pilanthita每天睡覺的地方。

「我不知道妳把我的每一張相片都用相框留起來了。」

「怎能不好好收著呢？」

「……那為何要收著？」

Anil公主深情地在Pilanthita光滑圓潤的額頭上落下一個輕柔的吻。

「就像我常常跟妳說的。」Pilanthita露出一抹甜甜的微笑。「因為我很愛妳……」

「……」

「我就是靠每天睡前望著妳的照片，才能撐過那段等妳回國的漫漫歲月，而我一定要先看看妳，才能安心地闔上眼入睡。」

Anil公主聞之不禁貼上Pilanthita的唇瓣，忘情地獻上一陣熱吻。

「從今以後，妳每晚都能抱著我了，好不好呀？」

「這是一場我不敢夢的美夢。」Pilanthita更加用力抱緊Anil

公主。「我真的能每晚都抱著妳嗎？我真的能和妳相伴到老嗎？」

「即使不敢去做夢……如今美夢真的成真了。」Anil公主緩緩地將Pilanthita的肩膀推倒至軟綿的床鋪上。「妳知道嗎……今晚算是我們的洞房之夜。」

「……怎麼說？」

Pilanthita雙手捧住壓在她身上的那張迷人的臉龐。

「因為這是我們向父親、母親和姑姑公開關係後，兩個人一起生活的第一個晚上呀。」Anil公主說完復又主動迎向Pilanthita的雙唇，接著便開啟了另一回炙熱的激吻，她情不自禁地舔拭著Pin小姐白皙嫩滑的香肩，隨後輕聲道：

「那麼……現在正式進入洞房好嗎？」

第五十三章　親愛的姪女

五年後

「Pin姑姑～」

Anantawut王子的女兒蒙拉差翁Alinlada Sawetawarit活潑可愛的聲音立刻觸動了Pilanthita唇角的微笑，她正忙著幫這位小姪女編辮子，而小女孩坐在沙發上雙腳晃呀晃，一副隨時準備好要衝去找Prik一起玩耍的樣子。Pin小姐彎下腰來，貼在女孩圓滾滾的臉頰旁溫柔地道：

「是～」

「還要很久才會編好嗎？」

小女孩側過臉來，臉上流露出乏味的神情，Pilanthita見狀忍不住輕輕笑了出來。

「再一下下就好了，小Alin乖乖坐著，很快姑姑就編好囉！」

Pilanthita低下頭，仔細地捋起小公主一小縷烏黑的秀髮，與此同時，腦中浮現出五年前的畫面……Pad姑姑同意她「半永久」地待在松宮照顧Anil公主沒多久後，Sawetawarit城便傳來了令眾人歡天喜地的消息——Parvati小姐懷孕三個月了！

所有人沉浸在一片歡樂當中，尤其是沙德殿下和Anantawut王子。不過他們倆人的願望完全背道而馳，沙德殿下希望長孫是名男嬰，如此一來才能傳承Sawetawarit家的血脈，然而大王子卻希望生個女生，因為他一直夢想著能有個和Anil公主一模

一樣的女兒，他甚至已經為孩子取了一個和親愛的妹妹很相近的名字，就叫做「Alinlada」。

最終，大王子的願望實現了，Parvati 小姐順利產下一名女嬰，這個孩子的臉果真和 Anil 公主極為相似，簡直是同一位天神打造出來的。

Alinlada 在 Sawetawarit 一家人滿滿的愛中健康長大，她的個性活潑俏皮、聰明伶俐，時常話匣子一開就說個沒完，因此深受爺爺和奶奶的喜愛，因為小 Alin 和 Anil 公主簡直是同一個模子刻出來的，宛如小時候的 Anil 公主又回到了他們身邊。

令人意外的是，小 Alin 比起母親更黏 Anil 公主，這位 5 歲的小公主經常待在松宮與 Pin 姑姑和 Prik 度過午後的時光，為了等待 Anil 姑姑下班後從大學回來。

「看吧，很快就完成了。」

Pin 小姐從沙發上起身蹲到 Alinlada 面前，掏出自己的手帕後，輕輕地擦拭小公主額頭和雙頰上滲出的一串小汗珠，她之所以特別疼愛 Alinlada，或許是因為翻譯兒童文學的關係使她很喜歡小孩子，又或者是因為小公主精緻的臉蛋看起來和她的愛人過於相似。

那對深邃的雙眸宛如布滿了一片璀璨的星辰，小小的鼻子十分翹挺，雙唇帶著淡淡的粉色，連臉頰上也有可愛的梨渦，只是和 Anil 姑姑的位置略有不同，Anil 公主笑起來時兩頰各有一顆酒窩，但 Alinlada 則只有右邊的臉頰上有。

『如果我有女兒的話，一個應該會長得像小 Alin，另一個則是像 Pin。』

Anil 公主不久前隨口說的這句話不停縈繞在 Pin 小姐的

腦中，雖然明知不可能實現，但她還是忍不住去想像，如果 Alinlada 真的是 Anil 公主的女兒的話⋯⋯

她該有多幸福⋯⋯

「謝謝 Pin 姑姑！」

小 Alin 微微歪著頭，眉眼盈盈微笑著道，可愛的模樣立刻融化了 Pilanthita 的心。

「小 Alin 待會想做什麼呀？想跟 Prik 一起玩，還是和姑姑一起包燒賣？」

Pilanthita 輕柔地摸了摸女孩圓滾滾的腮幫子，小公主笑得燦爛，右側的臉頰擠出了甜甜的梨渦。

「我想和 Prik 一起去爬樹！」Alin 邊說邊指著松宮的花園裡，特別突出的那棵巨型老鴉煙筒花。「上次 Prik 帶我在樹上盪來盪去，很好玩喲！」

「嗯⋯⋯」Pilanthita 睨了一眼 Prik，後者正若無其事地抬頭假裝望著在天空飛翔的小鳥。「妳還小，不能爬樹。」

「但是⋯⋯」

Alinlada 小小的五官皺了起來，看起來格外惹人憐愛，但 Pilanthita 依舊沒有對她心軟。

「姑姑允許妳在花園裡跑跳，但不能爬樹！晚點姑姑去做點心給妳吃，前提是⋯⋯」

「Alin 不能跑太快，腳要踩穩，隨時注意左邊和右邊，小心不能跌倒，而且不能讓 Prik 跑得太累，對嗎，Pin 姑姑？」

Alinlada 已經聽慣了 Pin 姑姑的規戒，甚至能一字不漏地背下來，女孩伸出手指來回比劃，這動作完全和 Pin 小姐說教時的樣子如出一轍。每當小公主要和 Prik 一起跑出去玩時，Pilanthita

總是會苦口婆心地千叮嚀萬囑咐。

「別故意模仿姑姑啊。」Pilanthita哈哈笑道，忍不住在小公主的臉頰上親了一大口，雖然覺得這個小傢伙有點討厭，但又覺得她非常可愛。「Prik……顧好小Alin，我去蓮花宮做些點心，很快就回來了。」

「遵命，Pin小姐。」

Prik含著一抹賊笑接下了Pin小姐的命令，這是她像個淑女般端坐了好幾分鐘後終於能開口說的第一句話。

「不能帶著她到處亂跑喔！Alin還很小，萬一她受傷了，我該如何向大王子解釋？」

「明白了，Pin小姐！」

「明白了但要做到啊。」一看到Prik疲倦地打了一個哈欠，Pilanthita淺褐色的眼珠瞬間射出了一道冷冽的目光。「我也會做一些燒賣給妳，讓妳一次吃個夠。」

「Pin小姐萬歲！」

Pin小姐慷慨大方的樣子使得Prik立馬擺出跪謝的動作。

「啊……」

Pilanthita輕笑了聲，Prik的感激聽起來頗為真誠，畢竟這傢伙的一生可說是為了「吃」而活。

Prik望著Pin小姐瘦弱的背影漸漸離去，直到確認對方走進蓮花宮的圍籬後，才敢回過頭對著親愛的小主人道：

「Alin小姐呀～下次如果想玩點有趣的，記得不能跟Pin姑姑說喔！」Prik邊說邊把食指靠在自己那對豐厚的嘴唇上。「您看，被姑姑知道後，她就不讓我們到處跑了。」

「因為我真的覺得很好玩呀，所以想跟Pin姑姑分享。」

小主人那對晶亮的雙眼令Prik忍不住笑了出來。

「那今天Alin小姐想跟Prik一起玩什麼呢？鬼抓人好嗎？」

「不要，我覺得鬼抓人好無聊了。」小主人努嘴道。「我們一起去廚房偷東西吃好嗎？」

Prik頓時翻了一個白眼，沒想到Alinlada會說出和她的主人一模一樣的話，不知道的人還以為Anil公主重生了呢！

「為什麼還要偷東西吃呢？Pin姑姑已經去幫妳做點心了呀。」

「那可不一樣。」小公主笑得促狹，Prik這輩子已經看過無數次同樣嘴角上翹的弧度。「偷來的比較好吃。」

「不好啦，Alin小姐。」Prik開始能理解為何小時候自己的父母總是那麼頭疼，原來有個愛偷東西吃的小孩是這種感覺啊。「如果Alin小姐去偷東西的話，在下要去跟Pin姑姑告狀囉！」

「好吧，不吃了。Prik姊姊不能跟姑姑告狀喔！」

女孩不滿地嘟起嘴道，反倒是Prik露出了一抹勝者的微笑，她非常明白小主人畏懼的人是誰，無論是沙德爺爺、Alisa奶奶、父親、母親、Anon叔叔或Anil姑姑都拿她沒轍，這個家唯一能讓她寒毛直豎的人，只有Pin姑姑

「Alin不想看到Pin姑姑生氣的樣子。」女孩曾經如此對Anil姑姑道。「Alin怕Pin姑姑會不愛我了。」

或許是因為所有和Alinlada感情很好的家人之中，只有Pilanthita和她沒有直接的血緣關係，因此聰明的小公主想說如果家裡有個人不愛她了，那個人肯定非Pin姑姑莫屬。

「我們來玩扮家家酒吧！今天Alin小姐想當客人還是老闆娘呢？」

Prik 的餘光赫然瞥見了陽臺的角落堆著一組小型的陶鍋，於是趕緊提議一個應該不會被 Pin 小姐責罵的遊戲，而 Alinlada 的雙眼突然亮了起來，看似想到了什麼有趣的東西。

「今天我想當老闆娘！」女孩興奮不已的眼神反而莫名地令 Prik 起雞皮疙瘩。「我想做泥巴餅給 Prik 姊姊吃～」

Alinlada 咧嘴一笑，然而得知自己命運的 Prik 只能擺出一張苦瓜臉乾笑著，因為每次只要小 Alin 說想做餅乾，Prik 就會被泥巴搞得全身髒兮兮，而且為了演出最真實的效果，她甚至得把泥巴餅餵到自己的嘴邊。

「我覺得今天用漂亮的花和葉子來擺盤吧，等 Anil 姑姑回來後您就能端去給她了。」

「好吧，我想要跟 Anil 姑姑炫耀。」

Prik 見到小公主終於變心後鬆了一口氣，每次只要提到她最喜歡的姑姑，小 Alin 立馬就變成一位乖乖聽話的小孩。

Prik 趁機趕緊牽著 Alinlada 的小手穿過松宮的花園，來到蓮花宮摘了一串的紅色仙丹花，以及諸朵飄落至地上的淺粉色阿勃勒，經過了一片萬壽菊和千日紅時又順便摘了滿滿的一大把，回到松宮後，兩個人蹲坐在陽臺上，Prik 熟練地開始扮演起自己的角色。

「我好餓啊，老闆娘～快一點好嗎？」

Prik 為了引起老闆娘的注意故意大聲叫道，一邊摸著自己凸凸的大肚子，演得十分逼真。

「稍等一下～您的炒三蔬快好了！」

小老闆娘扯著嗓門呼嚨道，慌忙的小手一下子從陶鍋裡抓出一把萬壽菊，一下子又把花丟進另一個鍋子和千日紅攪拌在

一塊，同時用一把迷你的鍋鏟開心地不停翻炒，接著增加難度換了一個更小的鍋子烹煮，花了好一段時間才把完成品倒進盤子裡。

「上菜囉～看起來好不好吃呀？」Alinlada 笑開懷地把「炒三蔬」遞出去，裡頭的三種食材包括鮮紅色的仙丹花、亮黃色的萬壽菊，以及深紫色的千日紅。

這個賣相……

對 Prik 來說一點也不美味。

但 Prik 還是勉為其難地假裝捏了一口放進嘴中，並且津津有味地咀嚼著。

「吃相好一點嘛，咬那麼大聲一點也不淑女喔！」

小 Alin 抬起手指模仿 Alisa 奶奶說教的樣子。

「明白了，老闆娘～」Prik 不禁微微翻了一個白眼。

「您還沒付錢呢！」Alinlada 朝著 Prik 攤開肉乎乎的小手，並且勾了勾手指，這個討錢的動作做得十分標準。「總共是 1 泰銖。」

「我的錢不夠，只有 1 分錢可以嗎？」

Prik 翹著二郎腿，抬起一邊的眉尾擺出故意找碴的樣子。

「好吧，打個折給您。」Alinlada 笑容滿面道。

「怎麼這麼隨便就打折了呢？我真的賺到了。」Prik 在心中默念道，然而對方的下一句話差點使她手中的假盤子摔到地面上。

「但是您說的 1 分錢，我要收到真的現金喔，不是想像裡的錢。」

我的老天啊！

　　小公主真是機智過人！Prik在心中咕噥，哪有主人搶劫僕人的道理，重點是，這個主人甚至還不到5歲！

　　「點心來囉～小Alin餓了嗎？」

　　就在Prik陷入進退兩難之際，幸虧Pin小姐恰巧現身來場英雄救美，她端著Alinlada最喜歡的燒賣走了過來，皮薄肉多的燒賣看了不禁令人食指大動。

　　得救了⋯⋯

　　Prik鬆了一口氣，因為別說1分錢了，她身上連半毛錢都沒有！

　　而且她活了25年，食衣住行通通都在Sawetawarit城中，絲毫沒有需要自己花錢的必要。

　　「謝謝Pin姑姑。」

　　方才的小鬼頭一眨眼就在Pin小姐的面前變成了一個乖小孩。

　　「姑姑幫妳準備了小一點的盤子和叉子。」Pilanthita邊說邊夾了三顆燒賣分到小盤子上，帶著飽含關愛的神情把分好的燒賣遞給Alinlada。「這樣小Alin就能練習自己吃飯了。」

　　「是的，Pin姑姑。」

　　Alinlada笑得燦爛，以致圓圓的臉夾上浮現出清晰的梨渦，Pilanthita見狀不禁跟著笑了起來，她慈祥地摩姿著小公主烏黑的秀髮。不過一旁的Prik不停眼巴巴的望著鮮嫩多汁的燒賣，默默吞下一口接著一口的唾液⋯⋯

　　在Pin小姐的目光注意到她之前⋯⋯

　　Prik差點就要被自己的口水噎死了。

　　「吶，這盤是妳的。」Pilanthita不情願地把一大盤的燒賣推

到 Prik 面前，有一種在繳保護費給街頭幫派的感覺。「吃到撐吧，吃不飽的話我也不知道該說什麼了。」

「謝謝 Pin 小姐的大恩大德！」看見自己的燒賣比小 Alin 的還大兩倍後，Prik 的雙眼瞬間冒出閃閃的亮光。「我一定會吃光光的！」

「在吃什麼呀？」

Anil 公主溫婉的聲音立即引來了所有人的注意力。

Pilanthita 的雙眼充滿了雀躍，今日的等下班之路終於盼來了盡頭。而 Prik 原本正在狼吞虎嚥著一顆巨大的燒賣，Anil 公主突如其來的問句嚇得她猛然瞪大深褐色的眼珠。

至於小公主則連忙放下手中的東西，轉過身彷彿初次見面般衝向了 Anil 姑姑。

「姑姑，姑姑！」Alinlada 張開雙臂向她最愛的 Anil 姑姑索討一個大大的擁抱。「抱抱，抱抱！」

Anil 公主見到小姪女如此可愛的模樣忍不住泛起一抹開朗的笑靨，她彎下身子並同樣張開雙臂，準備好迎接這位用盡全力衝向她的小女孩。

碰！！！

幼小的身軀撞進自己的胸口時，Anil 公主放聲大笑了起來，因為年紀還小加上心急的關係，小小的腦袋瓜一不小心就磕到了公主的下巴。

「Alin 今天有當個乖小孩嗎？」

Anil 公主柔聲問道，懷中緊緊抱著她的第一位姪女。

「我最乖了，今天都沒有玩到什麼刺激的，只有和 Prik 玩了一下下扮家家酒。」

Anil 公主的嘴角上翹，一邊疼愛地摩娑 Alinlada 的一頭秀髮。

「誰幫妳綁的辮子呀？真漂亮。」

「Pin 姑姑幫我綁的。」Alinlada 笑得梨渦都擠出來了。「我乖乖地坐著讓姑姑好好幫我綁。」

「是這樣嗎？」Anil 公主側過頭對著 Pilanthita 道，連同送給她一道甜膩的眼神。「Alin 居然會乖乖地坐著？」

「算是比平常還乖了。」

Pilanthita 很自然地偷偷向 Anil 公主「檢舉」小 Alin，但現在這位被檢舉人依舊張著水汪汪的無辜大眼望著她的姑姑，絲毫沒有察覺 Pin 小姐的言下之意就是在控訴平常的她非常調皮。

「今天 Pin 姑姑做豬肉口味的燒賣給我吃。」稚嫩的聲音穿進了 Anil 公主的耳裡。「姑姑可以餵我吃嗎……？」

「唔……」Anil 公主的喉中發出了低沉的斟酌聲。「為何 Alin 不自己吃呢？」

「因為如果姑姑餵的話，我就能吃更多顆。」

也許是因為敗給了女孩天真的笑容，Anil 公主牽起小 Alin 的手，一同來到她最喜歡的煙灰色單人沙發，一把抱起圓滾滾的小姪女使其坐在自己的大腿上後，Anil 公主接著以最溫柔的力道繼續用雙手護著她。

這股溫暖的感覺不禁使 Pilanthita 的嘴角無意識地跟著微微上揚，每當她、Anil 公主和 Alinlada 三個人待在一起時，總是能感受到一股莫名幸福的滋味。

「啊姆姆姆～」

Anil 公主用一枝兒童尺寸的叉子叉了一塊燒賣送進女孩的

小嘴，同時張開嘴幫她配了個音。

「啊姆！」

Alinlada含住燒賣後鼓著腮幫子賣力地咀嚼起來，吃得十分津津有味，可愛的模樣不禁使Pilanthita嫣然一笑，幾分鐘前還能自己吞了好幾口，見到Anil姑姑後就開始拚命撒嬌，非得要姑姑親自餵她才行。

小公主的盤子被掃個精光後，Pilanthita又去幫Anil公主準備了另一盤燒賣，並且額外配上一壺熱茶。

Pin小姐已經重複這個動作五年了，早上她會依照擬定好的計畫盡快把小說翻譯完，午飯過後則把時間花在照顧這位經常駐留於松宮的「假冒女兒」上，傍晚時分又開始忙著準備「小公主」和「大公主」的點心，等著心愛的那個人教完書後從大學下班回來。

「Pin做的燒賣……這些年來一直都非常合我的胃口。」

Anil公主的聲音一如往常的溫柔，然而因為今天有Prik和小Alin在場，Pilanthita感到格外地彆扭，於是連忙舉起食指頂在嘴唇前，示意要對方別再說了。

「姑姑～」Alinlada嚥下最後一口燒賣後，側過頭來夾著稚嫩的嗓音對Anil姑姑道：「今天您會讀故事書給我聽嗎？」

「會呀，妳準備好了嗎？」

Anil公主在小姪女肉乎乎的臉頰上親了一大口。

「準備好了！」女孩的雙眸亮著一閃一閃的光芒。「姑姑念的故事書最有趣了！」

Anil公主聞之開心地抱起姪女移步至壁爐前的杏色長沙發，隨後又在那膨膨的臉頰親了一口。

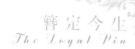

「那妳等姑姑一下呦，我先去洗個臉。」

「好，我在這裡等姑姑回來讀故事書給我。」

Anil 公主慈愛地抬了一下嘴角，接著便轉身進到自己的臥室，Pilanthita 趁機悄悄地跟著溜了進去。

少女跟在公主後頭來到了梳妝臺前的座椅，Pin 小姐摘下了項鍊，而公主則優雅地取下耳垂上那副精緻的耳環，卸下身上所有的飾品後，Pilanthita 把公主的長洋裝給脫了下來，換上一套潔白的襯衫和奶油色的短褲，然後從一盆水溫適中的銀盆裡取出一條事先浸溼好的毛巾並擰乾，輕輕地擦過公主圓滑的額頭、彈潤的雙頰、修長的脖子、纖瘦的肩膀，以及細嫩的鎖骨，彷彿把公主的身體當作一尊玉石像在呵護。

「謝謝妳，Pin 小姐。」

Anil 公主深情地將 Pilanthita 擁入懷中。

「Anil……」

「我在……」

Pilanthita 抬起雙手環扣住公主的脖子，接著俯身在對方的耳畔說了好長一段的悄悄話。

明白了懷中之人的意思後，Anil 公主的眼神瞬間閃過一道亮光。

她情不自禁地迎向 Pilanthita 的唇瓣，隨即覆上一個炙熱的深吻。

這也是逼不得已的呀……

誰叫 Pin 小姐貼在她的耳廓邊柔聲道：

「妳今天親了女兒那麼多下，現在可以換親媽媽嗎？」

第五十四章　煙筒花宮

「看來如今松宮應該要改名成煙筒花宮了。」

涼季的某個午後，Anil公主突然這麼說道，她正悠哉地和Pilanthita坐在松宮花園的涼亭裡。

「為何這麼說？」Pilanthita從翻譯到一半的小說中抬起頭來，張著純真的大眼望著Anil公主深色的眼眸。「在跟我開玩笑是吧？」

「沒有。」Anil公主含著笑道。「只是覺得現在松宮到處都是妳五年前種下的老鴉煙筒花，如今都已經茁壯成一顆顆的大樹了，而且開出既美麗又芬芳的花朵，所以我才在想把松宮改名成煙筒花宮如何。」

「我比較喜歡原來的名字。」Pilanthita甜甜一笑，她把面前的小說闔了起來，接著撒嬌地把頭靠在Anil公主纖瘦的肩膀上。「妳小時候就把松宮的樣子畫下來了，我一輩子都記得。」

「記得什麼？」

Anil公主輕柔地側過身子，雙手穿過少女的小蠻腰，輕輕地擁住她，並將她貼近自己溫暖的胸口。

「記得妳畫了一棟小小的房子，四周圍滿了松樹，然後跟我說那是妳夢想中的房子。我問妳為何妳的房子那麼小，妳說妳想要住在一個小屋就夠了，因為……小小的房子，無論從哪個角度看都能看見彼此。」Pilanthita細聲娓娓道來，嘴角掛著甜甜的微笑，宛如一顆顆蜜糖從嘴裡蹦了出來。「一開始我完全無法理解妳的理由……」

「……」

「直到和妳一起在松宮生活，我才深深明白了其中的含意。」

Pilanthita的每一句都是發自內心的實話，儘管搬來松宮後，她每天的日常生活都過得非常樸實，卻充滿了前所未有的幸福和快樂。

平日Pilanthita一大清早就會起床為Anil公主準備早餐，通常是簡單的稀飯，但根據公主最近的口味，有時也會做一些西式的早餐。早餐準備就緒後，Pilanthita就會回到主臥室，在Anil公主的額頭覆上一個軟綿的吻來喚醒沉睡中的公主，但每次都會有個貪睡蟲故意裝睡，直到Pin小姐的吻密密地落在了她的臉頰和雙唇上才肯起床。

Anil公主盥洗完畢後，Pilanthita就會按照慣例幫公主著裝，她多半選擇較為正式和保守的衣服，理由是這樣才能符合公主身為大學建築系教授的形象，但實際上的原因是因為不願讓除了她以外的人看見公主那光潔水靈的肌膚。

之後她們便會來到花園裡的涼亭享用簡便的早餐，因為公主喜歡用餐的同時一邊欣賞綠意盎然的花園。每一頓的早餐總是充滿了甜蜜的微笑和歡笑聲，彷彿整個世界都圍繞著她們兩人運轉。

出門去大學上班之前，每天Anil公主都會在Pilanthita吹彈可破的兩頰落下兩個道別之吻，而Pilanthita則會故作害臊地用嬌小的手掌推開公主纖瘦的肩膀。

目送公主的車離開後，Pilanthita等待的一天便正式拉開了序幕……

早晨至中午之間的這個時段，在交代完Prik打掃以外的工

作之後，Pilanthita就會前往蓮花宮陪伴Padmika夫人，她們總是會一起做一些小手工，例如串花圈、刻芒果梅，或是用水果製作各式各樣的甜品給Anil公主，然而最近這些甜品反倒經常被小Alin給吞入腹中，因為Alinlada儼然已經成為了Padmika夫人的心肝寶貝。

接近中午時分，Pilanthita終於有時間在蓮花宮的書房著手動筆翻譯她的小說，雖然Anil公主曾多次提議要在松宮為她整理出一間書房，但她卻以非常喜愛Pad姑姑特地為她翻新的這間書房為由而推辭掉了。

另一個更為重要，但從來沒告訴別人的原因，其實是因為她和這間書房已經建立起深深的情感，因為只要在這裡工作，她總是會憶起當年和Anil公主一起被姑姑懲罰關在這裡讀書，哪都不能去的那段時光。

每次只要一想到這件事，Pin小姐的嘴角便會勾起一道欣慰的微笑，彷彿頓時被灌飽了精力，使她有了滿滿的動力繼續翻譯小說。

到了正中午時，Pilanthita維持好多年的例行公事就是與Padmika姑姑一起去大皇宮和Alisa夫人、Parvati小姐及Anon王子的妻子Ornida小姐共進午餐。

餐桌上，女人們的話題從零星瑣碎的雜事，聊到一些如國家政治等大事，原本Pilanthita很擔心在這群位高權重的女人之中，自己會顯得格外尷尬、突兀。

尤其她現在的身分是Anil公主的「祕密情人」，不免覺得有很多事都不方便回答。

但實情卻完全與之相反。

　　Alisa 夫人依舊把她視為第二位女兒般對她寵愛有加，即使夫人心裡很清楚 Pilanthita 現在的身分是什麼，但她卻表現得像是一切都非常稀鬆平常。前陣子 Anil 公主天天為了幫博士生撰寫論文而忙到夜深人靜才回家，Alisa 夫人很擔心 Pilanthita，甚至慈愛地向她保證：

　　「下次我會提醒 Anil 早點回家，親愛的 Pin 小姐別太擔心喲！」

　　儘管這件事已經過一陣子了，但 Alisa 夫人的善意依然深深留存在 Pilanthita 的心中。

　　而夫人的長媳 Parvati 小姐是位相當成熟的女性，渾身充滿了西方人的氣質，從來不會多管別人家的閒事。因此，即使明知 Pin 小姐和 Anil 公主之間的關係，她仍總是自然地避開關於她們兩人的話題。

　　至於 Ornida 小姐的為人完全符合外交大使長女的身份，一舉一動都極為溫文有禮，不僅從未插手 Anil 公主和 Pin 小姐的私事，Orn 小姐還很擅長蒐集一些微小的趣事來和 Pilanthita 分享，除此之外，她還經常帶著老是窩在宮裡的 Pin 小姐到城外開開眼界，以致兩位少女在不知不覺中變成了知心的好友。

　　每天的午後是最折騰人的時候，Pilanthita 會專心致志地在下午 3 點前把翻譯小說的進度趕完，每天差不多到了這個時候，Parvati 小姐就會牽著 Alinlada 來松宮，因為只要一天沒有見到 Anil 姑姑，小姑娘就會不停地對母親大吵大鬧。

　　「真的很不好意思，但不把她帶來不行，因為 Alin 一直吵著要找 Pin 姑姑和 Anil 姑姑，別看她圓滾滾的樣子，生起氣來不但一直大吼大叫，還會到處摔東西，連大王子都攔不住。」

某天Parvati小姐面有難色地向Pilanthita說道,而腳邊的小Alin一個不注意便直徑衝向Pin姑姑,雙手倏地環抱住她纖細的蠻腰。

「沒關係的,Vati姊姊。這樣也好,我一天沒看見Alin也好想她呀。」

Pilanthita回以對方一抹開朗的燦笑,一邊溫柔地撫摸著小Alin柔順的黑髮,而懷中的女孩依舊緊抱著她不放。

下午4點以後,Pilanthita便正式開始陪伴Alinlada。有時她會挑一本帶有精美插圖的故事書來讀給小Alin聽,但常常讀到一半聽眾就忍不住睡著了,有時她會讓Prik帶著精力旺盛的Alinlada到戶外跑跑跳跳,趁這個時候,她就能開心地去為Anil公主和小姪女準備點心。

不過製作點心帶給她的成就感,仍比不上每晚見到Anil公主回到松宮時的那股幸福和快樂。

因為每到了那時候……

……一整天漫長的等待總算是告一個段落了。

每天最令人感到幸福美滿的時刻,莫過於看著她心愛的人和親愛的小姪女共享天倫之樂。Anil公主總是無微不至地呵護著這個容貌與本人極為相似的小可愛,Pilanthita知道自己深深著迷於眼前這般光景,以至於有時會不禁幻想,如果Anil公主有女兒的話……

這位女兒的長相一定也和Anil公主極為神似,恐怕乃至無法分辨她和Alinlada的差異吧。

夜幕低垂後,等到Anantawut王子來把小公主接回去,Pilanthita的生活又再度平靜了下來,好比一片毫無波瀾的海

面。由於Anil公主的晚餐喜歡吃較為簡單的料理，例如生菜沙拉或麵包等等，因此若想稍微變出不同的花樣，大概只剩蕈菇湯或清燉蔬菜湯而已。

晚餐後便是Pilanthita一天之中最珍惜的時光……她總是親昵地依偎在Anil公主的懷裡磨蹭著對方，彷彿一整天不見，就像是過了一世紀那麼漫長。

松宮的夜晚經常重溫著從前那些令人悸動不已的親密接觸，香甜的滋味猶如沉浸在初戀的蜜池中，一旦墜入了愛河……無論Anil公主的肌膚拂過Pilanthita的哪個部位，總是能逗得她心花怒放，不過再怎麼甜蜜的情話，都不及每晚進入夢鄉前，公主送給她的溫暖擁抱。

這個擁抱，保護她不再受到惡夢的侵擾……

這個擁抱，填滿了她所有的空缺……

這個擁抱，賦予了「家」的意義……

每週六日，小倆口總算有大把的時間能陪伴彼此，不過假日總是過得比上班日還要平淡。從一早開始，Anil公主就會使出綿綿的情話之術將Pilanthita困在床上，說什麼都不願輕易放對方去做早餐。

因此所謂的早餐自然而然地變成了早午餐，而且餐盤上大多是麵包配熱牛奶之類的簡易料理，Pilanthita其實很怕如此樸素的餐點無法給足Anil公主全方位的營養，不過公主本人倒是一點也不介意，因為她只想以最快的速度開啟她的週末。

Anil公主的休息日始於為Pilanthita翻譯的兒童文學作品畫插圖，儘管頗具有挑戰性，但公主仍樂此不疲。Phakaphan阿姨

得知Pin小姐最近提交的作品中，每一張圖都是出自Anil公主之手後，表示要支付給公主比原本的畫師更高的酬勞，但卻被公主給謝絕了，因為她說：「半強迫式的逼您收下我這種業餘畫家的作品，其實我應該才要付錢給微風出版社呢。」

　　於是Phakaphan阿姨滿懷感激地回了一封感謝函給Anil公主，信中極力讚許對方的畫畫技巧，甚至還把公主比擬成一位西方的專業插畫師。

　　「有時候Anil畫的圖，反而使我意識到自己翻的譯文不夠完美，我得稍微修改一點，才能使讀者更有畫面感。」

　　Pilanthita曾經給予Anil公主的插圖如此高的評價。

　　「我發現，我和妳一樣喜歡松宮了。」

　　Pilanthita出力抱緊Anil公主，而公主聞之忍不住深情地在少女的額頭上落下一個吻。

　　「但父親大人可不這麼想。」Anil公主呵呵笑道。「直到現在，父親仍執著於希望我搬去他特地為我建的那座南宮。」

　　「但妳偶爾還是該去住一下，殿下才不會不開心。」

　　Pilanthtia的腦中浮現出Sawetawarit城主的人影。一開始她非常畏懼沙德殿下，畢竟就是因為自己才讓Anil公主背離女性該出嫁的傳統，沒想到，沙德殿下後來反而經常厚待她，例如每逢過節時，總是二話不說就直接送給她大量的金子和銀子。

　　「但如果妳不和我一起去，我就偏不，因為我一天也不想離開妳。」

　　「以前妳的嘴有多甜。」Pilnathita的臉又泛起了一片紅暈。「現在還是一樣那麼甜。」

　　「或許是因為我以前有多愛妳……如今依然那麼愛妳。」

Pilanthita突然感到眼眶微溼，她在公主柔嫩的雙頰上偷親了一大口，語帶哽咽欣慰地道：

「謝謝妳給了我以前無法想像的幸福。」

「……」

「從小到大，只有姑姑和和Anil給予我如此珍貴的愛。」

「我也想謝謝妳當初沒有倒下。」Anil公主再次抱緊Pilanthita。「謝謝妳在我身邊……讓我能好好愛妳。」

「咳咳咳！」

Prik端著一壺熱茶和一盤餅乾走了過來，她故意輕咳了幾聲，害得Pin小姐慌忙地把眼神稍微抽了開來，然後才依依不捨地推開公主的懷抱，而同樣身為當事人的Anil公主則一派輕鬆，彷彿什麼事都沒發生過的樣子。

「消失好久了啊Prik，我正在找妳。」

Pin小姐試圖說點話化解尷尬。

「確定真的在找我嗎？那為何要貼在Anil公主殿下的脖子邊來找我呢？」

「Prik！」Anil公主的聲音充滿了威嚇。「別對Pin小姐不敬。」

「在下罪該萬死！」

Prik畏畏縮縮地爬到公主的膝蓋邊磕頭道：

「妳可別死啊。」Anil公主忍俊不禁道。「如果Prik死了，誰能來取代『我們』的位子？」

Prik迅速地眨了眨眼睛，斟酌著是否該為主人的這句話而感動。

「別忘了『我們』的成員只有我和Prik而已。」

「親愛的公主殿下……」

Prik 的深褐色大眼瞬間盈滿了晶瑩的淚珠。

「我心愛的僕人……」

公主微笑著道，嬌滴滴的兩頰擠出了深深的酒窩。

「唔……這樣說好嗎？」

「好或不好由誰來定義呢？反正剛好我現在有事需要請妳幫個忙。」

「儘管吩咐，殿下。就算要上刀山下油鍋，在下都在所不惜！」

「沒那麼困難啦。」Anil 公主含笑道。「我只是想請妳幫忙閃遠一點。」

「喔……」Prik 藏不住傻眼的表情，不由得翻了一個白眼。「想把我趕走啊。」

「沒有趕，只是『請』妳閃邊去。」

Anil 公主不光是嘴上說說，而且還宛如會讀心術般，同時掏出了一大把鈔票。

「殿下所言甚是……」

Prik 故作鎮定地取走公主手上那疊白花花的鈔票，保持跪爬的姿勢小心翼翼地向後退。起身後，她踩著健步如飛的步伐，非常識相地奔向大門口把風去了。

「Anil 現在跟以前一樣狡猾。」

Pin 小姐的臉上露出一抹心照不宣的微笑。

「狡猾不好嗎？」

Anil 公主的嘴角上翹，在 Pilanthita 眼中顯得極為可愛。

「對我而言……」Pilanthita 情不自禁地伸手輕輕摩娑著 Anil

公主的側臉。「Anil不管做什麼都好。」

「……」

「Prik走了也好，我有重要的事要跟妳說。」

Pilanthita張著又大又圓的淺褐色眼眸，那對澄澈的眼珠子頗為耐人尋味。

「什麼事呀，Pin？」

Anil公主的眉毛疑惑地抬了起來。

「我有個東西要送妳。」

Pilanthita邊說邊把手伸進自己淡色的長洋裝口袋中，隨後掏出了一個精巧的靛藍色絨毛珠寶盒，謹慎地將其放至桌面上。

「戒指嗎……？但我已經有了一個妳之前送的了呀。」

Anil公主驕傲地秀出右手無名指上那枚典雅樸素的白金戒指。

「那個是戴在右手無名指上的呀，Anil。」Pilanthita牽起Anil公主的右手，含情脈脈地將其輕靠在自己的臉頰上。「這個盒子裡的戒指，才是我想真正用來永遠圈住妳的。」

Pilanthita飽含著深情的眼波在公主的手背上輕輕一吻，接著垂眸打開了戒指盒，盒蓋敞開的瞬間，映入眼簾的鑽戒依然是公主最喜歡的白金指環，上頭鑲著一顆散發著耀眼光芒的鑽石。

「這枚戒指……真的好美。」

Anil公主的淚水瞬間濡溼了眼眶。Pilanthita掛著淺淺的微笑，一邊在對方的左手為自己心愛的公主戴上那枚璀璨耀眼的鑽戒。

「我曾經答應過妳……」Pilanthita聲音沙啞。「如果我賺到

足夠的錢，能買得起一枚配得上妳左手無名指的戒指，我就會用它來許下妳的一生。」

「……Pin。」

「我並沒有非常富有，好不容易努力工作到現在，終於存到足夠的錢買下這枚配得上妳的戒指。」

「……」

「現在，妳可以永遠屬於我了嗎？」

Pilanthita 的唇瓣輕輕柔柔地覆在公主的左手背上，頃刻間，公主的雙頰劃過了一道感動的淚水。

「其實一直以來……我只把自己的心託付於妳，而且對我來說，妳送的戒指永遠是最美麗的。」

「……」

「所以別這樣貶低自己了好嗎？」

「……」

「如果我的人生沒有妳的出現……」Anil 公主盡力忍住喉中的嗚咽。「我就會像是失去了一切……」

Pilanthita 聞之不禁依偎進公主溫暖的懷抱裡，彼此緊緊相擁，她靜靜地望著一朵朵白花從高大的老鴉煙筒花樹上緩緩飄落，眼神充滿了幸福的笑意。

「Anil……」

「嗯？」

「如果妳還不知道的話……」

「……」

「請將這句話牢記在心……」

「……」

「我很愛妳。」

「我也愛妳……」

「……」

「也請妳永遠記得……我會一輩子深愛著妳……」

微風輕拂，落了一地的老鴨煙筒花匯集成一片香氣四溢的花海，一朵接著一朵，共同見證了 Anil 公主和 Pin 小姐永恆的愛……

——《The Loyal Pin 簪定今生》完

番外六　公主殿下

（一）

若要我用一個句子完整地囊括我的一生，我會這麼下定義——福中帶厄。

福的部分來自於我的出生高貴，我的稱號為「拍翁昭Arphanumas公主殿下」，宮裡的人大多稱呼我「Im公主」。

至於厄則是因為天生體弱多病，我的身體屬弱得可說是三天兩頭就在和病魔對抗，先天性的肺炎加上其他大大小小的病症，使得御醫必須頻繁地進出我居住的這棟「央宮」，有時我甚至會戲稱乾脆直接把央宮改名叫「中央醫院」算了。

說白了，我的人生一直就是這樣「半生不死」的……

我的母妃見我的身子如此虛弱不堪，便到處在各個皇室的親戚裡替我尋覓願意來央宮照顧我的女子們，而在眾多少女之中，某個人的臉格外清晰地印在我腦海中。她是來自Kasidit家族的一位姑娘，後來因故被Sawetawarit家的人收養。

「妳叫什麼名字？」

第一天被蒙昭帶過來時，我問起女孩的名字，但她只是迅速地抬眼瞄了一下我，隨即像是沒在專心聽般問了聲：

「什麼？」

「我問妳叫什麼名字？」

蒙昭略顯不悅地瞪了她一眼。

「很抱歉，殿下……」女孩兀地跪到了我的腳邊。「我叫做Padmika。」

「名字真好聽。」

「謝謝殿下。」

女孩依舊俯跪在地,絲毫不肯抬頭與我對視,我有點受不了她「貌似」相當重視禮教的樣子,於是半開玩笑地道:

「抬起頭來看著我吧,好好跟我說話,別這樣對著我的腳說。」

「對不起,殿下。」

儘管如此,女孩仍維持一模一樣的姿勢用餘光偷瞄了一下我的腳踝,過了半晌,她才慢慢抬起眼來看著我。

這下我才發現,原來Pad不但身材苗條纖細、皮膚光潔水靈,她的五官還相當立體,自然勾勒出一道美麗的輪廓線。她有著一頭烏黑亮麗的秀髮,眼珠子漆黑得深邃,高挺的鼻梁襯著薄薄的嘴唇,總體來看就像是一位我不曾見過的仙女。

「看清楚了嗎?」我呵呵笑道。「我只是個普通人,又不是什麼妖怪。」

「當然不是。」女孩迅速撇過眼。「我只是初次來到這麼大的皇城照顧殿下,還不太熟悉什麼該做,什麼不該做。」

她侷促不安地瞧了一眼正在嘆息的蒙昭。

「放輕鬆就好。」我邊說邊虛弱地側倒在一顆偌大的枕頭上。「被收養後,妳哥哥的爵位不也和我一樣嗎?用同樣的方式對待我就好,我最討厭繁文縟節了,請記住。」

我的話還沒說完,卻不得不趕緊用隨身的手帕摀住自己的嘴巴,因為我的咳聲從輕輕的一兩聲,突然加劇成連續不斷的咳喘。

「把那張桌子上的水和藥拿來一下,殿下咳得很嚴重時,喝

點藥就會舒緩些。」

我支起身子，饒富興致地默默看著蒙昭把這位「新手」叫過去交代照料我的事項，因為她的一舉一動無論是起身、坐下、行走，甚至是回答時的姿態都極為優雅曼妙。

我努力不在 Pad 把水和湯藥端至我面前時咳得太用力。她將那鍋藥倒進一個透明的玻璃量杯裡，並照著蒙昭嚴格的囑咐使水位恰好停在線上，當她遞給我時，我看見那對深邃的眼神中充滿了瑟縮。

「謝謝。」

我小口小口地嚥下那杯苦澀的湯藥，把空杯子還給她時，我勉強擠出了一抹乏力的笑容，沒想到女孩竟然回了我一個大大的微笑。

「笑起來真好看。」

我細聲讚美道。

「什麼？」

總覺得她的耳朵從剛剛開始就聽不太見。

「妳笑起來很漂亮。」我接過她倒好的一杯水，緩緩抿了一小口。「多多笑一下。」

「是的，殿下。」

嘴巴上是答應了，但她的頭卻立刻垂了下去，莫名給人一種像是在跟我唱反調的感覺。

「以後妳的工作就是負責貼身照顧我，我想要什麼妳就得去幫我找過來，我去城外或去大皇宮時，你也必須隨時跟在我身邊，睡前要唸書給我聽，等我睡著後才能回妳的房間，或是直接鋪一張床睡在我的床邊也行。」

「遵命。」

女孩復又如方才一樣跪在我的腳邊。

「明白了就把頭抬起來吧。」

這次我忍不住伸出雙手扶起她的肩膀將她的上身擺正，這樣才能好好地看著她，然而她卻被我的舉動嚇得兩眼發愣。

「抬起頭來笑一個嘛，別這樣一直低著頭。」

（二）

「Pad。」

「在！」

聽到公主殿下的床上傳來了呼叫我的聲音，我趕緊應了個聲，心中充滿了對於殿下的擔憂。

原本為了表示對於殿下最高的敬意，就算是在和公主殿下獨處的情況下，我還是會用「Thun kramom」來尊稱她，然而卻被殿下說教了一番。她說「Thun kramom」是用來稱呼國王和王后陛下或是高級嬪妃的子女，也就是擁有「拍昭博龍瑪翁特昭華」爵位的嫡子女，像她這種由小妾所生的庶女不能使用這個稱呼。

但對於一向非常重視傳統和規範的我來說可不這麼認為，於是我反問道：

「殿下確實位於我的頭之上，如此尊貴，為何不能這麼稱呼呢？」

「太執拗了妳。」公主殿下輕輕笑了笑。「好吧，只有我和妳獨處時能這樣叫，我可不想被人嫌說不懂得自重。」

「是的，殿下。」

我感到喜出望外，沒想到殿下這麼輕易就被說服了。

「今天天氣很好。」Thun kramom 含著微漾的微笑。「我好想出去花園走走。」

「我覺得今天有點涼，而且地上也有點溼，殿下才康復不到一天而已，這樣出去散步好嗎？」

我怯懦地低聲道，眼神飄向了殿下此刻蒼白得毫無血色的臉孔。在 Im 公主身邊照顧她這三年來，極為難得才能像今天一樣看見她安然無恙、不再受到病痛侵擾的樣子。

即便如此……

雖然殿下好不容易暫時戰勝了病魔，但想出去戶外散步的這個要求，仍舊被我一口回絕了。

「但如果穿上厚厚的衣服，加上一條保暖的圍巾，應該就能在這附近稍微走走。」

「妳這是在逢迎我嗎？」Im 公主淺淺笑了一下。「是吃錯了什麼藥嗎？不然今天怎麼這麼輕易就變心了？」

「我只是不想看見殿下一整天都愣愣地望著窗外。」

我刻意把「於心不忍」和「同情」這幾個字吞回腹中，因為殿下崇高的地位使我無法隨隨便便這麼說。

「而且殿下已經躺在床上好幾天了，如果能出去透透氣應該挺好的不是嗎？」

「嗯……」

Im 公主每次暗自竊喜時的回答總是如此簡短，我聽到回覆後飛快地跑去找了一件厚毛衣套在殿下瘦弱的身軀上，至於圍巾的部分，殿下親自從十餘條圍巾中挑了一條滿意的，而這些圍巾都是我親自勾製而成送給殿下的，累積了這麼多，應該可

算是一種收藏品了。

顯然今天公主的健康狀態特別不錯，殿下不但靠自己的力量站了起來，走路時甚至只是輕輕地挽住我的手臂，不像以前一樣整個人的重量都壓在我身上。

我們的散步之路從央宮的後門開始，蜿蜒的小徑鋪滿了大顆的灰色石子，帶領著我們來到了花園裡一座池塘邊的涼亭，池子裡遍布著大大小小、色澤鮮豔欲滴的蓮花。

一路上經過了各式各樣的植物，例如小徑上方的桁架型木製棚架上，每個縫隙都攀滿了白色的清明花以及黃色的依蘭，而小徑的兩側放眼望去皆是粗壯的樹幹，大樹的枝椏上開滿了金黃色的蘭杜安花，每朵盛開的花朵同時飄出了一陣陣馥郁的花香。公主殿下見狀突然向我問道：

「Pad。」如玻璃珠般晶瑩剔透的眼珠像個小女孩散發著一閃一閃的亮光。「妳有把蘭杜安花串成花環，然後繞在髮髻上過嗎？」

我的腦海裡浮現出小時候的回憶，臉上不自覺冒出一抹微笑。

「有的，殿下。而且我非常會串。」

「有機會可以做一串給我嗎？」

Thun kramom 的唇角勾起道非常稀有的開朗笑容。

「好的，殿下。」我趕緊攙扶公主殿下，因為她走路的速度變得比一開始還要慢了許多。「今天下午我就去請衛兵幫忙爬到樹上摘蘭杜安花，我會用那些花串成花環給殿下。」

「為何還要辛苦地爬樹？」殿下微微咳了幾聲才繼續說道：「我看地上明明就已經有落了一地的花。」

「落到地上的花不適合獻給殿下。」

這是我第一次如此堅決地反駁殿下，我的臉色不禁變得有點嚴肅。殿下見狀只是微微抬起嘴角，但隨即又蹦出了幾個咳聲，令我更加憂心了起來。

「好吧，我會期待妳做的花串的。」

「交給我吧，殿下。話說今天就先到此為止，我們回夬宮了好嗎？殿下咳得越來越嚴重了。」

「我還想去池邊的涼亭坐坐。」

「明天再來吧，殿下，算我求求您。」

眼看殿下咳得如此厲害，我鼓起勇氣直接慢慢去扶住殿下骨瘦如柴的身體。

「嗯，那就回去吧。」

漂亮的臉蛋明顯露出了失落，殿下雙手抱在胸前，貌似一陣冷風吹得她的心臟直發寒，我緊緊用單手和側身抱住殿下，盡可能把我身上的溫暖都傳遞給她冰冷的身子。

我們一直維持著這種很不自然的走路方式，花了半晌才終於把殿下攙扶回夬宮……

「這就是妳做的蘭杜安花串嗎？」

當我跪在床邊，把一串別緻的蘭杜安花串放在金色的托盤上呈給 Thun kramom 時，殿下好奇地問道。

「是的，殿下，是否看起來既美麗又高貴？」

每次和公主殿下說話時，我的臉上總是掛著開朗的笑容，或許是因為殿下曾經誇獎我「笑起來很漂亮」吧，而且還直接下令叫我「多多笑一下」。

「嗯。」殿下簡短地嗯了聲後拿起這串花環。我特地選用了最新鮮的蘭杜安花，並將每一朵花的三片花瓣各挑掉一片，其餘的部分用一條長長的細線串成了一圈大小類似手環的花串。公主殿下仔細瞧了一下，隨後把花串戴在自己的手腕上，笑臉盈盈地抬起手來向我炫耀。

「這樣戴在手上也很漂亮對吧？」

「殿下想怎麼戴都行。」我稍稍低下頭。「已經獻給殿下的東西，殿下想怎麼處置都可以。」

「可以每天都做一串給我嗎？」

「當然可以。」

「今天妳可真好心。」殿下微微笑道。「難道我有不小心做錯什麼事嗎？」

「完全沒有。」我兀地跪在了公主殿下的床邊。「我只是實話實說。」

「起來吧，我只是開開玩笑罷了。」

「是的，殿下。」

「今天我想聽《Madanabadha》[13]的故事。」Thun kramom 把一本國王著的御作攤在我手上後，隨即向後倒在一顆偌大的枕頭上。「妳來唸給我聽吧。」

「遵命。」

我將這本厚重的詩詞翻開夾著一朵乾燥花的那頁，之前殿下交代我把一些鮮花烘乾後做成乾燥花，這樣就能拿來夾在喜歡的書裡面。我認真且溫柔地開始唸起殿下最喜歡的那一段：

　　愛者似病疾　兩眼昏翳茫茫

---

13 泰國民間故事，亦稱《玫瑰花傳奇》。

不聞亦不見　置萬物如罔聞
愛者似壯犢　精氣焰拴不住
越圍欄而出　身不願陷圈圄
縱以繩圈繫　拚蠻力與之抗
越阻越癲狂　從不畏其傷瘡

「Pad……」

「是的，殿下。」一聽見殿下細聲的呼喚，我立刻停下正在朗誦的聲音。「殿下覺得哪裡不舒服嗎？」

「沒有。」殿下開心地含著微笑。「只是想和妳聊聊天。」

「想聊什麼呢？」

「就想問問妳對於這首詩有什麼看法。」

「我……」不知怎的……雙眼對上殿下那對淺色的大眼時，我的心臟突然紊亂地劇烈跳動。「不知道該有什麼看法。」

「妳就只照著字念出來而已喔……Padmika？」

Im公主邊說邊搖了搖頭，令我忍不住為自己辯駁道：

「我不光是單純在朗誦而已，其實每次念到這段時，我總是十分不解。」

「不理解什麼？」殿下抬起下巴問。「說來聽聽。」

「我不懂，愛情的力量真的都像詩裡面描寫的那麼凶猛嗎？」

「難道妳懂……」殿下的嘴角微咧。「所謂的愛情？」

「……」

「如果妳真的懂，就不會這麼說了。」

「……」

「愛情的毒液，足以將一個人的一生困在永無止境的空蕩和隱晦之中……」

「……」

「更可怕的是，愛情往往在未經選擇對象和條件的情況下就發生了……」

殿下把臉湊近我，她的聲音夾帶著幾分酸楚。

「我就是因為親眼目睹過，所以才能跟妳說……」

（三）

Pad 來照顧我的第七年，我已經習慣了每天起床後，總能看見她的頭枕在自己的雙手上，安穩地睡在我的腳邊，雖然我曾反覆請她去睡在旁邊的地舖，但最後都只是白說。

於是每個清晨我都得負責把她叫醒，然後請她乖乖回旁邊睡。由於我時常在天還未明時突然驚醒，所以我必須假裝又睡了回去，Pad 才肯拖著昏昏欲睡的身體回到她的床位。然而我卻沒有半分睡意，我總是靜靜側躺在床上，望著那睡得安穩的Pad，一邊等著第一道曙光的來臨。

少了清醒時那道深邃又犀利的眼神，香甜入睡時的臉蛋看起來就像個恬靜的小姑娘，規律的呼吸聲宛如一首搖籃曲，平復了我腦中紛亂的思緒，這段寧靜且短暫的時光總是有一股魔力，使我暫時戰勝了糾纏我一輩子的病魔。

因為我不想讓自己煩人的咳聲吵醒了睡夢中的女孩……

「殿下起床了嗎？」每天早上她都會重複一次這句話。「今天殿下覺得如何？有沒有哪裡覺得不舒服？」

「我很好。」

而我也會重複同樣的話，就像是按到了一個自動回復的按鈕。但過沒多久，我這叛逆的身子就會嚷嚷著我在說謊，要不是燙得像剛熄滅的煤炭，就是咳得連連不止，更嚴重的可能是面容慘白，連站起來走路的力氣都沒有，必須趕緊請御醫來央宮一趟。

　　週而復始，就像是昆蟲由生到死的循環……

　　總覺得我早已對這種體弱多病的生活感到麻木，但實際上，我仍然感到憎恨不已，夜夜都在心中破口大罵。

　　不是叱罵拖累我的病疾……

　　而是責怪自己──「為何不趕快死一死，一走了之算了？」

　　不巧的是，某個寒冷刺骨的夜晚，正當我在這般嘀咕的時候，竟然不小心被Padmika聽見了。

　　結果那對漆黑的眼珠閃過了一道失落，緊接著滾滾的淚水猶如一波大浪般湧了出來，絲毫沒有乾涸的跡象，使得我不得不編了個謊言道：

　　「像我這種久病纏身的人沒那麼容易死啦。」

　　儘管稍微止住了一些淚水，但反倒更加激起了她的憂慮，從此以後，她對待我的方式就像是把我當成了一塊隨時都會四分五裂的玻璃。

　　諷刺的是，從此我的健康狀況突然每況愈下，Padmika所焦慮的一切都變成了現實。

　　每個早晨起床時，我的身體痛得像是插著成千上萬根刺針，就算咬牙隱忍，過了好久症狀仍未改善，即使好不容易舒緩了些，我的力氣只夠凝視著我的手腕上，某個人每天精心為我串好的蘭杜安花串。

慎重考慮了一番後，那天下午我把Padmika叫來了我的衣帽間，我拿出一個絨毛的珠寶盒，裡頭裝著曾經有人獻給我的名貴珠寶，以及一些我自己收藏的飾品，但唯一被我取出來的東西，只有一枚鑲著黃寶石和一圈碎鑽的金戒指。

「送妳⋯⋯」

我的語氣沒有透露出什麼情緒，此時Padmika正端坐在我的膝蓋邊。

「什麼？」

她的注意力還是時常有點問題。

「送妳的⋯⋯」

這回我不再等她回過神來，也不等她回我任何一句話，我直接把她的右手抓了過來，並把這枚戒指戴在她的無名指上。

「就是要給妳的⋯⋯」

我重申道。

「為何要送我如此昂貴的戒指？」

鮮明的五官充滿了疑惑。

「用這個來和蘭杜安花串交換。」

我晃了晃手腕，眼前這個人製作的那條花串隨之擺盪了起來。

「⋯⋯」

「因為這兩者皆擁有同樣閃耀的金光⋯⋯」

（三）

這陣子我天天寢食難安，因為殿下生了一場比以前更嚴重的病，即使殿下連半個字都沒有開口求救過，但在殿下身邊這

麼久了，無須多說我也知道殿下有多麼不舒服。

每晚唸完書哄公主入睡後，我總會趴在殿下的床上，憂心重重地把手靠在殿下的腳踝，如果體溫是正常的，我便保持著這種不太自然的姿勢默默進入夢鄉，但如果殿下的體溫有點溫熱或是過於灼燙，我就會趕緊端來御醫開好的湯藥，直到每一滴都吞入殿下的腹中，我才能安心地闔上雙眼。

在央宮的這七年來，我已經聞遍了各式各樣的藥草味，而其中一種就是用來調配殿下的湯藥，那股有點清香又有點刺鼻的味道，聞起來雖然奇怪，但反倒能使我感到一陣溫暖，進而緩緩沉睡，因為我知道在這些神奇藥草的庇護下，至少公主殿下是安全的。

幾個月前，殿下送我一枚鑲著黃寶石和一圈碎鑽的金戒指，雖然送禮的理由頗為令人不解，卻使我破涕為笑。

那道笑容一直掛在我嘴角，遲遲無法收回來……

殿下表示之所以送我戒指，是為了和我每天晚上送給殿下的花串做交換。

不只如此，殿下還送我一盒巨大的黃寶石鑲鑽首飾，以及沙沒巴干區的一大塊土地。

「真心想送給妳……別再拒絕我的好意了。」

無論殿下想要什麼，只要說出來了，我就必須盡全力實現她的心願，然而這次的結果卻不盡理想。我不得不去找御醫，請他開立更大量的藥，並且做好長期在醫院醫治公主殿下的準備。

在醫生細心的照料下，過不久殿下的狀況大為好轉，終於能回到皇城裡養病。眼看殿下恢復得如此良好，身為貼身看護

的我也不禁感到相當欣慰。

「Pad。」

「……在。」

「妳要擔心我到什麼時候？」

「殿下康復了許多，我已經不擔心了。」

「那妳可以乖乖去睡下面了嗎？」

「……」

「不行嗎？」

「很抱歉，殿下，請讓我等殿下睡著後觀察一下您的狀況，這樣我才睡得著。」

「謝謝妳這幾年送給我的花串。」

「……」

「就連在醫院還是每天都做一串給我。」

「請別客氣，殿下。」

「既然如此……」

Thun kramom 第一次伸手溫柔地摩娑著我的頭髮……

「祝妳有個好夢……」

我微微一笑……

這是過去兩三個月來，第一抹完全不含擔憂的微笑，今晚殿下的身體沒有任何異狀，看起來非常健康。

而我則睡了一個很沉很沉的覺……

我夢到我們兩人快快樂樂地跑到池邊的涼亭嬉戲，不再需要攙扶著殿下。

睡醒時，窗外恰好透出了今日的第一道曙光。

我的手依然靠在殿下的腳踝上，然而指尖卻傳來了冰涼的

觸感。

我瞬間整個人清醒了過來⋯⋯

「Thun kramom⋯⋯」

我的聲音止不住地顫抖。我將掌心蓋在殿下的手腕上，但殿下的脈搏已經完全停止了。

「殿下⋯⋯」

我開始急得像熱鍋上的螞蟻，殿下美麗的臉龐毫無一絲血色，但我仍不停瘋狂地呼喊著。

「Thun kramom⋯⋯」

直到眼前的事實令我清楚明白，即便那串蘭杜安花環依舊如昨夜般帶著鮮豔的金黃色澤，但它的主人已經離開這個世界，永遠不會回來了⋯⋯

我撲簌落下的眼淚，就如同那落了一地的蘭杜安花。

我跪著哭倒於公主殿下的腳邊，宛如失去了一切般不停呼喊著殿下，聲音因悲痛而顫抖不止⋯⋯

「Thun kramom⋯⋯」

「現在殿下沒有任何病痛了對吧？」

告別信

致 Padmika

妳相信嗎⋯⋯我寫這封信是為了安慰妳

畢竟我很清楚自己的身體狀況

我這脆弱的身體最後一刻瞬間就化為泡影，應該算是很幸運了，只可惜我們還來不及盡力陪伴彼此，當初的願望恐怕再也無法實現。

別為了我而流下無謂的淚水……

因為儘管去世了……

我也不會比活著苟延殘喘時更痛苦

請堅強地繼續活下去……

就算不是為了自己……也算是為了別人

亦可說是代替我而活

可以嗎，Padmika？

如果讀完這封信後想將其銷毀

無須多問，我已經允許妳這麼做了

如果想收藏起來，請收在一個沒有人能尋得的地方……

就如同我對妳的情感一樣

我把它藏在一個最深處的角落，只有我能碰到

如果妳也有同樣的感受，請一直戴著我送妳的那枚戒指

如果沒有的話，請把它放回原本的盒子裡

我的請求僅此而已

也請照顧好自己的健康

「非常謝謝哥哥。」Padmika 夫人向 Sawetawarit 的城主真誠地道謝，她茫然地環顧了一圈這棟殿下為她而建的蓮花宮，心中百感交集，紛亂的思緒使她無法組織完整的句子。「看……看來對我來說……有點太大了。」

「太大了嗎？我覺得還太小了呢。」

沙德哈哈笑道。

「承蒙哥哥的厚愛。」

「因為妳現在看起來太惆悵了。」

「……」

「Im公主去世後，妳就變了一個人，完全不是以前的Padmika了。」沙德盯著妹妹，不自覺嚥下了一口黏膩的唾液。「我只是想做點能讓妳開心的事。」

「……」

「我已經想不起來上次看見妳笑是什麼時候了。」

「我這一輩子或許都會被某種感覺給困住吧。」

「唔……」沙德疑惑地揚起眉頭。「我不懂妳的意思……」

「算了吧。」Padmika夫人抬起頭。「我也搞不懂自己。」

「話說妳喜歡嗎？」沙德微微笑道。「我已經盡可能讓蓮花宮長得像央宮了。」

「喜歡，我也覺得很像。」

Padmika夫人的唇角輕輕往上勾了一下。

「可惜蓮花宮不像央宮充滿了一股藥草的味道……」

「我的天啊……結果妳居然喜歡那些藥草味嗎？」

「是的……因為那股味道就像在告訴我，公主殿下依然待在央宮的某個角落。」

Padmika夫人抿緊雙唇，拚命強忍著不讓淚水奪眶而出，過了半晌，她才接續哽咽著道：

「……而不像現在永遠消失在這世上了。」

番外七　假日

（一）

「Anil～」

「……」

「Anil……」貼在我耳畔那一道道輕柔軟綿的呼喚聲，使剛睡醒的我更加自得其樂地處在睡眼惺忪的狀態，絲毫不願睜開雙眼。「時候不早了……該起床了。」

為了對付疊在我身上這位一直嘟嘟囔囔，而且還不停用鼻尖磨蹭我臉頰的少女，我伸手環抱住她的上身，一鼓作氣將她壓了下來，雙眼依舊無須睜開。

「Anil！別捉弄我呀。」原本像是在責備我的密嗓，到了句尾突然像是參了幾分羞澀般帶著笑意。「妳每次都不乖乖起床。」

「因為今天是假日嘛，晚點起床不行嗎？」我閉著眼笑咪咪地道。「不信就來把我叫醒看看呀。」

「……」

我的話音剛落，Pilanthita 便開始了熟悉的「喚醒服務」。首先用灼熱的唇瓣親了一下我的額頭，接著如一隻天真無邪的小貓在喝奶般，不停地啄吻我的全臉。

從我的正臉至耳朵、脖子……然後順著往下移到胸口，我能感受到有一隻小手正認真地忙著解開我的衣扣。

直到了這個步驟……

我才慢慢張開朦朧的眼睛，而睜開眼後的第一件事，就是

趕緊把 Pilanthita 的小手抓過來，並在她的手背上輕輕一吻，以免她繼續解開所有的扣子。

「怎麼這時候就不繼續睡了呢？」

嬌小的她總是帶著甜蜜的嗓音失落地道，同時用另一隻沒被抓住的手來回撫摸我的胸部。

「不醒來的話，對妳不太好意思。」我不禁冒出了爽朗的笑聲。「我還沒洗澡呢。」

Pilanthita 聞之俯首在我的左右兩頰上各親了好幾口，接著抬起頭來張著水汪汪的褐色大眼笑盈盈地盯著我。

「不管有沒有洗澡，妳的身體總是飄著一股香氣。」

「不管妳的嘴有多甜，我都不會心軟的。」

我慢慢支起身子靠在大枕頭上，使我們兩人的臉位於同一個水平面上。

猛一看就像是她坐在我的大腿上，然後側過頭來對上我的雙眼。

「總之，洗過澡的 Pin 肯定比剛起床的 Anil 還香。」

不光嘴巴上說說，我毫不猶豫便把臉埋進 Pilanthita 的脖頸間恣意地啄吻，她抬起下巴盡情地享受每一吋肌膚的接觸，一邊用雙手環扣住我的脖子。而嘗到甜頭的我，則開始一顆接著一顆解開她那件洋裝的扣子。

「總之，我每天都敗給了妳。」

當我的唇瓣挑逗地吸吮著 Pilanthita 的蓓蕾時，她的聲音突然顫抖了起來，我稍微加大一隻手的力道握住了她的玉乳，另一隻手則小心翼翼扶著她的臀部，一陣喉中微微的低吟聲從身上之人淺粉色的唇隙竄了出來，一溜煙地鑽進了我的耳窩之

中，喚醒了我體內的每個細胞，使我更加對她感到痴狂。

我撐著她的腰的那隻手漸漸往下滑，緩緩撫過她的臀部後再探進她的底褲，為了直徑攻向她最脆弱的地帶。我的指尖嫻熟地勾住那塊小小的布料，將其褪至大腿根部的位置，緊接著不停在那個早已溼透的點畫圓按壓，直到瘦小的身軀開始顫慄了起來。

而原本握住酥胸的那隻手轉移陣地至她的嫩臀，她正忘我地前後搖動自己的臀部，沉醉於手指帶來的快感。我的手指來回沒入她的身體之中，此時我明顯感受到一陣強烈的收縮，於是我先緩緩退了出來，復又配合著她的節奏逐漸加快抽插的速度，與此同時，我的唇瓣含住了她的乳首，時輕時重地碾磨尖挺的部位。

「Anil……」

我沒有立即開口回應，因為我的舌尖正癡迷地舔舐著那對香甜的蓓蕾。

到達高潮的瞬間，瘦弱的身子猛烈地顫抖，她撲向我給予我一個緊緊的擁抱，最後筋疲力盡地把臉依偎進我的肩頸裡。

「唔……」

意猶未盡地從乳尖退回了唇瓣後，我突然想起還沒給對方一個回覆，但Pilanthita乘隙含住了我的耳朵，像是在懲罰我回答得太慢了。

「我醒了。」

我露出一抹促狹的微笑。

「妳叫我起床的技術真不賴……」

（二）

　　紅髮男孩豪不畏懼面前這隻噴著烈焰的凶猛巨龍，因為就算對手比他大上數百倍，仍無法敵過他手裡的這把魔劍。

　　他爬上一顆巨石，站在石頭的頂端揮舞著魔劍，英姿颯爽地向這隻墨黑的巨龍發出挑戰。

　　「來啊，巨龍！」

　　英勇無懼的男孩朝著詭異的巨獸大吼道，而巨龍則發出了雷鳴般的咆哮，牠俯身衝向男孩，不過男孩抓準時機一躍而上，精準地將利劍刺進巨龍的眼球，巨龍痛苦地嘶吼了聲，隨即向後倒了下去，而在牠背後等著的，是一座底部冒著岩漿，準備將其吞噬的深淵。

　　男孩見巨龍徹底被滾燙的岩漿淹沒後，洋洋自得地舉起魔劍，彷彿在向全世界宣告自己的勝利。

　　「這本青少年小說的內容……」我的視線從厚厚的小說，移至譯者 Pilanthita 小姐身上。「真是刺激又猛烈啊。」

　　我一邊望著桌上的文具，一邊思索著該如何幫微風出版社和 Pin 畫出這本小說的插圖。桌上有一疊逾百張的白紙，以及一盒124色的色鉛筆，每一隻筆的筆頭皆被 Prik 削得相當尖細，而且我最喜歡的那幾隻長度都完美地控制在不超過我的手掌。

　　我的工作是替 Pin 翻好的每一頁小說配上一幅插圖，然後再把畫好的半成品送去出版社「加工」，將我這些畫在紙上的圖變成能出版印刷的樣子。

　　「很正常啊，Anil。」

　　Pilanthita 一邊回我，一邊憂心地用她的手帕擦拭我臉頰和脖子上的汗珠，因為我們兩人正一起坐在花園裡的涼亭裡工

作，而今天的天氣又格外悶熱，連一點點微風都沒有。

「小朋友通常都難以分辨一些模糊不清的事，所以兒童文學和青少年文學多半都會清楚表示誰是正義的一方、誰是邪惡的一方。」

「孩子啊～孩子……」

「在我眼裡，Anil 也是個小孩。」

Pilanthita 露出一道明朗的微笑，小手一邊摩娑著我的臉頰。

「我只比妳小一歲而已不是嗎？」

「總之，在我的印象中，妳就是個一天到晚來煩我，又愛對我撒嬌的小孩。」

「但 Anil 小朋友可以讓 Pin 姊姊每個假日都用嬌滴滴的聲音叫我起床。」

「Anil！」

Pilanthita 粉嫩的嘴唇向下癟成了一條弧線，琥珀般的淺褐色眼珠忿忿地瞅了我一眼，看起來煞是可愛。

「能不能別開我玩笑了？」

「怎麼了？」

「我會害羞……」

「過了這麼多年，妳對這種事還是會害羞啊？」

「對啦……」Pilanthita 的臉頰一片緋紅。「不管幾年都還是很害羞。」

「……」

「就算做的時候不覺得，但妳這樣調戲我的時候還是會很害羞。」

「那不逗妳了。」我喜孜孜地哈哈笑道。「雖然我很喜歡讓

妳多多感受害羞的感覺。」

我開始埋首動起色鉛筆畫下這本小說裡的主角，Pilanthita
見狀貼心地拿起玻璃壺為我倒了一杯水果茶。

「Anil 會覺得熱嗎？」

「會，但沒有到非常熱。」我側過臉對她甜甜一笑。「妳忍
得住，我也忍得住。」

「跟別人在一起的時候……妳的嘴也這麼甜嗎？」

「我只對妳嘴甜。」

「那就好。」

Pilanthita 嘀咕了聲，她望著我的眼神彷彿帶著某種言外之
意。

「妳可以試著對別人甜言蜜語看看呀……」

「……」

「妳就會見識到我的威力了。」

（三）

「姑姑～」

週末的午後，我的耳邊突然傳來了某人如銀鈴般的呼喊
聲，轉頭一看，Vati 姊姊正牽著那位小姑娘來到松宮，我不太確
定 Alinlada 到底有沒有清楚看見我，因為只要看見我的影子，她
就像是磁鐵的另一極般飛快地吸到我身上。

「怎麼了呀，小姑娘？」

我邊說邊撫摸著她圓潤的小腦袋，接著才張開手臂讓這個
小傢伙鑽進我的懷抱裡。

「Alin 想要姑姑抱抱！」

Alinlada 在我雙臂之間跳上跳下道，果真是個精力充沛的孩子。

「這姑姑抱得動嗎？」我咧嘴大笑道。「我的小 Alin 現在好重了呀！」

我故意抱怨了一下，但最後還是熟練地抱起女孩去找 Vati 姊姊。

「再過不久我肯定抱不動 Alin 了。」Vati 姊姊嘟嚷道。「吃得這樣胖嘟嘟的。」

我聽了不禁哈哈大笑。

「吃得多總比都不吃還好呀，姊姊。」

「今天下午也要有勞妹妹了，很抱歉每個下午都來打擾您，但如果不帶來找姑姑，Alin 就會哭鬧個沒完沒了。」

「沒關係的，不帶來找我反而很想她呢。」

「聽您這麼一說我就放心了。」

Vati 姊姊說完便轉身去找 Pilanthita 聊一些美容相關的事，過了半晌才坐車回去東宮，不過小姑娘當然沒有哭著找媽媽，因為她正纏著我要我讀故事書給她聽。

我把小 Alin 放在壁爐前的杏色沙發，接著照我和她之間熟悉的對話開始問道：

「今天 Alin 想要姑姑讀什麼書呢？」

「我想聽慢吞吞烏龜的故事！」

「唔……」我把親愛的姪女摟進懷裡。「Alin 喜歡嗎？」

「喜歡！」

我還來不及拿起任何東西，小 Alin 便直接把一本「龜兔賽跑」的故事書推到我面前，看來每天和這小姑娘膩在一起，Pilanthita 已經很懂得投其所好，連故事書都幫忙準備好了。

我的右手抱住 Alin，左手開始翻開這本又厚又重的故事書。

「很久很久以前……」

光是聽到這句，Alinlada 清澈的眼睛便瞬間亮了起來。

「在一座森林裡……有隻兔子嘲笑一隻烏龜腿太短了，老是慢吞吞的。」

「慢吞吞烏龜！」

Alin 伸出她肉嘟嘟的小手指向故事書裡的小烏龜，那副像是在訓話的樣子看起來和 Pad 姑姑頗有幾分神似。

「烏龜聽到後反過來挑釁道，雖然兔子跑得快，但如果他們來比賽，一定是烏龜會贏。」

「兔子跑得很快喔！」Alin 道。

「兔子相信烏龜絕對不可能贏過他，於是便答應了。比賽當天，他找來了狐狸當裁判。」

「狡猾的狐狸！」Alin 接著把手指移向一隻褐白相間的狐狸。

「然後兔子跟烏龜就開始比賽跑了。烏龜爬得很慢，但他穩步前行，從未停下，至於兔子則跑得飛快，遠遠把烏龜甩在後面後，他卻開始鬆懈了。他決定先睡個午覺，反正以他的速度，烏龜不可能趕上來。當兔子再次驚醒時，他不停左看右看，但都沒瞧見烏龜的影子。」

「兔子完了。」Alinlada 指著書上那隻焦急不安的兔子，一邊樂得咯咯笑。

「於是兔子拚命衝了回去，可惜還是晚了一步，烏龜已經在終點線上，他驕傲地昂起頭，輕蔑地笑著兔子。」

「慢吞吞的烏龜贏了，姑姑！」

「妳早就知道結局了呀。」我呵呵笑道。「每天都聽，不覺

得膩嗎？」

「如果是姑姑念的話，一點也不會膩！」

「咦……Alin嘴巴這麼甜，是像到誰了呀？」

「當然是跟Anil姑姑的嘴一樣甜～」

回答這個問題的人變成了Pilanthita，她正端著一盤點心來放在我和Alin面前的桌上。

「是嗎……？」我的嘴角勾起一抹反諷的微笑。

「是！」

Pilanthita不滿地癟了一下唇，她在Alinlada的身邊坐了下來，隨後親了女孩的臉頰一大口，更可愛的是，Alinlada很自然地直接撲進Pin姑姑的懷裡。

「親愛的Pin姑姑！」

看來Alinlada真的很會說話，那張甜滋滋的嘴絲毫沒有半分虛假，我不禁大笑出聲，跟著在她肉乎乎的臉頰上落了一個吻。

「Alin可以幫我親一下Pin姑姑嗎？」

「好啊！」Alinlada接下指令後立刻抬頭迎向Pilanthita的臉，在那吹彈可破的臉頰上用力親了一大口。「Anil姑姑請我親一下Pin姑姑。」

「哼……」

Pilanthita悶哼了聲，但她的臉卻紅得像顆熟成的番茄。

（四）

「Anil今天很累嗎？」成功完成了所有假日的任務，我和Pilanthita一同向後仰，倒在柔軟的床鋪那瞬間，她突然問起我。「看起來妳的假日還是有好多事得做。」

「再多也沒有比妳的多吧。」我在她圓潤的額頭落下一個吻。「妳得叫我起床。」

「……」

「翻譯小說。」

「……」

「還得照顧小傢伙。」

「……」

「如果我們真的有小孩的話，妳一定會更辛苦。」

「如果我們真的有小孩的話，我和妳的距離一定會變得很遠。」Pin雙手穿過我的腰間，一副捨不得與我分離的樣子。「我不想變成那樣。」

Pilanthita出力緊緊抱住我。

「我們之間光是有個Alinlada就夠了。」

「就是說啊。」我呵呵笑道。「如果我們真的有小孩，晚上妳哪有時間這樣幫我按摩呀。」

「如果妳再一直鬧我的話。」Pilanthita的臉色看起來非常不悅。「我真的就不幫妳按摩了。」

「如果妳真的不幫我按摩了。」我把自己的額頭輕抵著她的額頭。「我可能會鬱悶而死。」

「咍。」

Pilanthita不耐煩地聳了一下肩膀。

「好吧，我不敢再和妳爭了……」

我情不自禁迎向她的唇附上一個深沉的吻，雙手非常清楚自己的職責默默解開了她和我的衣裳。

褪去睡袍後的第一個步驟，她開始將自己豐滿的上胸緊貼

著我的胸部，每一吋肌膚的接觸都充滿了纏綿。

「這樣好嗎？」

「好到不能再好了。」

但Pilanthita沒有就此停下，她繼續用纖長的手指挑逗我的背部，緊接著把她身體的每個部位都與我緊緊相依，宛如想把我們兩人的所有細胞融都合而為一。

Pilanthita薄薄的嘴唇覆在我的乳暈上輕輕地啃咬，看起來就像隻特別嘴饞的小貓咪，而另一隻小手則不停在我的下身中央按壓搓揉……

「嗯啊……」

纖細的手指探進我的體內時，我忍不住發出了短暫卻又深長的呻吟。

「Pin……」

「嗯？」

Pilanthita繼續加快手指的節奏，時而緊湊，時而緩慢地勾動著我的下身，顯然她是在完全照著我對她的方式來模仿我的動作。

「說愛我……」

「我愛妳……」

「……」

「我非常愛妳。」

聞之，我的全身立刻飽含著幸福激動地顫慄，渾然忘我地撲進Pilanthita溫暖的懷抱裡。最後，我貼在她的耳畔，悄聲反反覆覆說著我對她的愛。

到此，這個週末總算可說是「完美無瑕」了。

番外八　中間人

（一）

「我曾經幻想著，我們兩人總有機會能一起看著雪花片片飄落，但沒想過這個願望竟然實現了。」

Pilanthita 輕聲說道，她正托著下巴，望著窗外的白雪紛紛飄落至潔白的地面上，而坐在椅子另一側的 Anil 公主也維持著和 Pin 小姐一樣的姿勢。

「也許表面上看起來很難辦到。」Anil 公主的笑靨擠出了深邃的酒窩。「但任何妳想要的東西，只要我辦得到，我絕對會毫不猶豫地實現妳的願望。」

Anil 公主指的就是趁大王子一家來英國度假時，順道帶著第一次出國的 Pilanthita 和 Prik 來遊山玩水。

「沒想到妳真的辦到了。」Pilanthita 莞爾一笑。「因為我只是在信裡隨口抱怨了一句，而且都那麼久以前的事了。」

「所有關於妳的事我都記得。」

Pilanthita 聽到 Anil 公主的這句話時，淺淺的微笑瞬間綻放成燦爛的笑容。

「有我在這裡一起賞雪，Anil 還會覺得孤單嗎？」

「不會了。」Anil 公主含著甜甜的笑。「自從有妳陪在我身邊，我就再也不覺得孤單了。」

「妳的嘴總是甜如蜜糖。」

Pilanthita 的手指來回摩娑著公主嬌嫩的嘴唇，一邊張著淺褐色的大眼盯著 Anil 公主亮晶晶的深色眼眸，眼底盡是濃情蜜

意。Anil公主見狀輕輕牽起Pilanthita的手，並在她的手背上落下一個軟綿的吻，令Pin小姐害羞得直抿緊嘴唇。

啪啪。

嗒嗒。

小姑娘正呈現大字形的睡姿躺在一張加大的單人床上，躁動的聲音令Pilanthita不得不依依不捨地把自己的手從公主嘴邊抽了回來。

Anil公主走向房間正中央那張寬厚柔軟的床坐了下來，飽含著關愛的眼神盯著Alinlada半晌後，公主伸出自己的手摸了摸小姪女滲著汗珠的秀髮。

「Alin把棉被都踢開了，這個小傢伙難道都不覺得冷嗎？」

昨晚小公主又哭又鬧吵著說一定要和兩位姑姑一起睡，無論大王子和Parvati小姐如何互相拚命轉移她的注意力都沒用，於是最後Anil公主只好不太情願地把Alinlada抱進她和Pilanthita的臥室。原本公主打算整晚抱著Pilanthita來取暖，但有了Alinlada跑來擋在她和Pin小姐之間後，公主的美夢瞬間化成了齋粉，因為小公主表示她晚上想要一下子抱Anil姑姑，一下子抱Pin姑姑。

不過與心不甘情不願的Anil公主相反，Pin小姐反倒因為小Alin跑來一起睡而特別開心，因為她其實心裡有個願望，就是好好地當一回Alinlada的「假媽媽」。

然而情況有點棘手，不只可愛的小姪女，昨晚連Prik也吵著要鋪一張床在她們的房間裡，理由是因為她很害怕「西方的鬼」。昨天大王子帶她去別墅的客房後，由於不習慣西方建築的裝潢以及沉悶詭譎的氣氛，Prik大半夜的硬著頭皮直

接奔來公主他們的房間敲門，可憐巴巴地求求主人大發慈悲收留她。

因此 Anil 公主在英國的第一晚充斥著小公主和 Prik 在玩拍手遊戲的聲音、Pilanthita 溫柔地為小姪女讀晚安故事的聲音，以及黎明前從 Prik 鼻間傳來的一陣陣打呼聲。更讓人困擾的是，Alinlada 的小腿還整晚都搭在她和 Pilanthita 的身上。

完全沒有任何想像中那種浪漫的畫面……

扣扣扣。

「Prik 嗎？請進。」

Anil 公主馬上就知道是她的僕人在敲門，因為她不久前才吩咐 Prik 去準備一壺熱茶和下午的點心，只為了能趁小公主搗蛋了一整個早上，好不容易睡午覺的這個時候，享受片刻與 Pilanthita 獨處的時光。

「是的，殿下。」

Prik 應了聲後旋開門把，她的手上端著一壺茶和一大盤司康，少女小心翼翼地將托盤放在 Pilanthita 坐著的那張窗邊桌上，隨後畢恭畢敬地鞠了一個躬，但熱騰騰的司康所飄出來的香氣使她忍不住吞了好大一口唾沫。

「Prik 想吃就吃吧，先切一半後抹一點果醬，再依想吃的分量挖些鮮奶油過去。」

Pilanthita 溫柔地對 Prik 說，她知道自從來到這裡，Prik 就幾乎吃不太下東西，因為英國的食物不僅都充滿了她吃不慣的香料味，還有很多需要用刀叉來吃的巨大牛排，Pilanthita 見 Prik 這麼想吃司康的樣子，不免感到相當心疼。

「妳可以多挖一些果醬啊，Prik，來來來我幫妳用。」

Pin 小姐看不下去 Prik 畏畏縮縮的動作，忍不住一改等著僕人服務的習慣，直接親自動手分食了起來。

「一樣很好吃呢，Pin 小姐！」

Prik 咀嚼了幾口司康後道。

在 Pin 小姐面前 Prik 不敢邊吃邊講話，因為每次只要她這麼做，Pin 小姐就會用一道犀利的眼神瞪得她直發寒。

Pin 小姐不只為 Prik 裝盤，她也為 Anil 公主和 Alinlada 準備了一份。Anil 公主正努力以輕柔的方式叫姪女起床，她在小 Alin 圓滾滾的左右臉頰各親了好幾口，好不容易小姑娘才揉了揉惺忪的睡眼醒了過來。

「小公主睡得可真久啊，趕快來吃點心吧！吃完後帶妳出去玩雪。」

「我可以一起去嗎，殿下？我想玩雪很久了。」

Prik 的聲音突然響徹整間臥室，她問完後復又熟練地把不知道第幾塊司康塞進口中。

「都已經費了這麼大的力氣把妳帶來這了，我當然會帶妳一起去呀！」

「顛下……彎雖！」

Prik 忘記嘴裡還塞了滿滿的司康，如此不淑女的舉動無庸置疑地立刻引來了 Pin 小姐冷峻的眼神。

「Prik！」

「訴的，Pin 小姐。」

「跟妳說過幾次了，不准吃東西的時候講話！」

「諄命……下斥灰記得的！」

（二）

「Prik姊姊，來追我啊～ 嘿嘿嘿！」

「殿下別跑太快啊，雪這麼厚，在下跑不動啊！」

大王子的別墅前方這片一望無際的雪地上充滿了Alinlada跑跑跳跳的歡笑聲，小公主的後頭遠遠跟著氣喘吁吁的Prik，後者因為身上的衣服層層疊疊十分厚重，以致她不停磕磕絆絆，全身鼓得像顆圓圓的麵團。

「Alin不覺得冷嗎？」Anantawut王子嘀咕著問起妹妹。「妳聽聽她那興奮雀躍的聲音。」

「哥哥的女兒真是精力充沛。」

「能怎麼辦呢，因為我想要一個跟Anil一模一樣的女兒呀。」大王子哈哈笑道。「誰知道還真的是同一個模子刻出來的。」

「我也是現在才知道原來自己小時候這麼調皮。」這次換成Anil公主大笑不止。「哥哥請小心一點，以我的經驗來看，這個年紀還不是最調皮的時候。」

「別嚇我啊，Anil。」大王子笑容滿面道。「我記得妳最調皮的那時候，每天回來大皇宮身上都帶著傷口。」

這回兄妹兩人同時爆出了笑聲，他們笑呵呵地望著Parvati小姐和Pin小姐，兩名女子正邁著笨拙的步伐在雪地裡試圖抓住左閃右閃的Alinlada。

「Anil和Pin小姐的生活過得如何？」

「就像是美夢成真了一樣，兩個人互相無微不至地照顧彼此，我們的愛情仍維持著熱戀期的溫度。」

Anil公主說話時，眼睛始終緊盯著Pilanthita，深色的眼眸閃爍著亮晶晶的光芒。

「這樣我就安心了。」大王子跟著妹妹的眼神望了過去，淺淺露出一抹微笑。「Anil的幸福是我最珍視且珍惜的。」

「謝謝哥哥。」

Anil公主側過臉向大王子道謝，臉上的笑容如陽光般燦爛。

「原來和自己最愛的人在一起是這麼幸福。」

大王子邊說邊揚起一抹令人難以猜透的微笑。

「哥哥的意思聽起來……像是您的心仍放在Euangfah姊姊身上。」

Anil公主淡然地說道，一邊看著Parvati小姐終於把Alinlada抱進懷裡，空氣中洋溢著小Alin雀躍的歡笑聲。

「嗯……」大王子的眼神突然變得無神，雖然兩眼直視著前方，但卻看不清眼前的畫面。「我不知道該怎麼回答妳的問題才好。」

「答案已經很明顯了。」

「呵……妳還是永遠這麼聰明。」

「就算Euangfah姊姊已經結婚了，而且還有一對雙胞胎兒子，大哥還是無法對她死心嗎？」

「不是只有我還放不下。」大王子的嘴角扯了一下。「Chao Euangfah也還是無法對妳死心呀。」

Anil公主滿臉疑惑地看著哥哥陷入沉思的側臉。

「您知道……？」

「我當然知道。」

「……」

「如果愛著一個人，難道不會觀察他的一舉一動嗎？」

「……」

「每次望著 Anil 的時候，Chao Euangfah 的眼神總是充滿了藏不住的愛意。」

「……」

「她甚至把兒子的名字取為『Waya』和『Wayo』，跟妳的名字一樣都是微風的意思。」

「這件事我也有發現……直到現在 Euangfah 姊姊仍放不下對我的感情。」

「我這一生。」大王子轉過頭來凝視著 Anil 公主許久……

「或許一輩子都會有個人住在心裡。」

（三）

庭院另一頭的畫面是 Prik 正沿著斜坡翻滾而下，她原本正在和小公主打雪仗，小 Alin 掘起一大把的雪朝 Prik 發起猛烈的攻勢，雙方之間的情勢彷彿真的像在打仗一樣，然而你追我跑的過程中，Prik 最後因為來不及抬腳，於是整個人向後仰了過去。

滾了大約十圈後，Prik 才在 Anantawut 王子的幫忙下停了下來，幸虧她滾下來的方位和大王子所在的位置相同，王子才能及時用身體把她擋下，即使因為 Prik 的身形有點豐腴，導致撞擊的力道弄痛了大王子，但畢竟 Prik 曾經一起幫忙調查 Kua 少爺的醜聞，因此大王子連一個字都沒有責罵她。

「殿下真英明！」

Prik 雙手合十高舉過頭，簡短地讚美了句後，一副毫不覺得不好意思的樣子立馬跳了起來，隨即又挖了一大把的雪繼續和小公主開戰，因為在她眼中，今日絕對要和敵軍 Alinlada 殿下

一較高下。

　　這回 Prik 變得更加謹慎，她小心翼翼地爬上 Alinlada 背後的雪堆，只為了趁對方不注意時發出突襲，然而她的動靜依舊被小公主發現了，Alinlada 連忙躲到媽媽的背後，Parvati 小姐被他們兩人之間的惡作劇逗得哈哈大笑。

　　有了媽媽庇護的 Alinlada 卯足全力開始團起一大顆雪球，準備攻擊 Prik 用一大塊雪堆所砌起的堡壘，至於敵軍的目標則是想辦法抓住圓滾滾的 Alinlada，一旦成功逮住後，她就要瘋狂地搔小公主的腰，使其癢得大笑不止，畢竟其實 Prik 並不打算用力丟雪球砸疼了公主殿下。

　　因此 Prik 的戰術就是一直躲在雪堡壘後頭，最後抓準時機一躍而出，終於順利抓住了 Alinlada。

　　女孩的尖叫聲和嘻笑聲響徹雲霄，Prik 把小公主高舉在半空中，一邊故意不停搔對方的腰，直到背後傳來了 Parvati 小姐的咳聲，Prik 才肯乖乖罷休。但沒想到機靈的 Alinlada 馬上就懂得模仿 Prik 的動作，她掙脫了對方的懷抱後興奮地瘋狂戳著 Prik 的腰。

　　「哇哈哈！投降！……哈哈哈！Alin 殿下，在下投降了啦！哇哈哈哈！」

　　「那邊看起來玩得很開心呢。」

　　正在默默堆雪的 Anil 公主向一旁同樣低著頭努力堆雪人的 Pilanthita 說道。

　　「不像 Pin 小姐都不發一語地低頭堆著一隻鴨子。」

　　Anil 公主含著微笑道。

　　「Anil。」Pilanthita 的臉色看起來甚是不悅。

「是。」

「我是在幫妳堆一隻天鵝，又不是鴨子。」

「天啊！」Anil公主驚訝地瞪大雙眼。「但我不管怎麼看都還是覺得像隻鴨子。」

「Anil！」

Pilanthita氣噗噗地抓起一些碎雪朝Anil公主精心堆砌而成的雪人擲了過去，看起來就像個在鬧脾氣的小女孩。

「哈哈！不要這麼調皮嘛，看得出來我在堆什麼嗎？」

「不知道。」Pilanthita努著嘴。「而且也不想知道。」

「我在堆一顆愛心給妳呀～」

Anil公主的笑容甜得像是能掐出糖水，她將一顆手掌大小的雪愛心展示在Pin小姐面前，唇角掛著開朗又稚嫩的微笑。

「送妳……」

Anil公主燦爛的微笑擠出了深深的酒窩。

「收下嘛……」

Pilanthita嬌羞地從公主的掌心接過那顆愛心形狀的小雪球，臉頰不自覺變得紅彤彤的，但還來不及說出半個字，遠遠的便傳來了某人清脆的叫聲。

「姑姑～～姑姑～～」

Alinlada正朝著Anil公主飛奔而來，驚人的速度不亞於從槍口迸出來的子彈。

「我們來堆雪人吧，姑姑！」

「Alin會堆嗎？」

「我要請Pin姑姑教我。」

「呵……」

　　Anil公主在喉中笑了聲，這位唯一的小姪女果真非常擅長討好所有人。

　　「但姑姑不會堆耶，Alin。」Pilanthita趕緊撤退。「讓Anil姑姑教妳好嗎？」

　　「都可以，兩個姑姑我都愛。」

　　嗯……我的姪女嘴可真甜啊……

　　Anil公主一猜到姪女的心思，不免在心中嘟嚷道。她欣喜地笑了笑，接著抱住小公主後在女孩紅撲撲的臉頰上親了一大口。

　　「來吧，我們一起來堆雪人。」Anil公主站起身，撥了撥衣服上沾得到處都是的雪末。「Prik也來吧，我教妳們怎麼做。」

　　「是的，殿下。」

　　備受公主青睞的Prik連忙跑了過來。

　　「首先要堆一個基座，Prik，妳來幫我堆一個圓形的底。對對對，就是這樣，然後慢慢地滾它，使它變得越來越大。很棒！Prik真聰明！」

　　「殿下的稱讚是違心的吧？」

　　Prik彎腰滾著雪球，時而抬頭，時而低頭，以致背部開始微微發痠，忍不住側眼瞄了瞄公主。

　　「才沒有，這是發自內心的稱讚，聽不出來嗎？」

　　Anil公主呵呵笑道，隨後照著教Prik的方式同樣彎下腰來滾一顆雪球當作雪人的身體，身旁還跟著完全不願意和姑姑分開的小姪女，至於Pilanthita則開始製作雪人的頭部，因為她也想為製作這隻雪人盡一份心力。

　　大王子和Parvati小姐見她們玩得如此開心，紛紛回到別墅

裡從廚房和儲藏室搬出一大堆東西來為雪人做裝飾，包括紅蘿蔔、大大小小的黑色鈕扣、黑色的水桶，以及一條色彩鮮艷的桌巾。

等大王子再次回來庭院時，他發現 Anil 公主已經開始組裝這位雪人了。從最底部那顆由 Prik 辛辛苦苦堆起來的巨型雪球開始，接著搬來第二大的雪球疊在上方作為身體的部分，最後再放上 Pilanthita 做好的那顆頭，上頭甚至還做出一些細細的睫毛。

組裝好雪人的軀幹後，Anantawut 王子開始用兩顆大大的黑色鈕扣為雪人裝飾上眼睛，然後在它的臉中央插上一根紅蘿蔔，使其長出尖尖的鼻子，緊接著將許多小顆的黑色鈕扣緊密排成一條弧線來代表微笑，並把黑色的水桶倒扣在雪人的頭上當作一頂高高的紳士帽，最後在雪人的頭和身體之間圍上那條鮮豔的桌巾，看起來就像戴著一條美麗的圍巾。

如此一來，大家同心協力堆好的雪人就大功告成了。

「雪人好可愛啊，父親大人！」

Alinlada 興奮地跳上跳下道。

「可愛的話，要不要幫它取個名字呀？」

Anantawut 王子蹲下身來在女兒面前溫柔地問。

「叫他圓寶好不好？」Alinlada 天真地說。「因為這隻雪人看起來圓滾滾的。」

「妳說的是。」

「話說圓寶真的好可愛，姑姑想把他畫在我的素描本裡。」Anil 公主得意地盯著「圓寶」。「等我一下，姑姑去拿個素描本。」

話一說完，Anil 公主便一溜煙消失在別墅裡。然而過了半晌，等到公主帶著畫冊回來時，眼前的景象卻嚇得令她不敢相信自己的雙眼。

映入眼簾的是 Prik 和 Alinlada 正在用她們特製的雪球子彈轟炸著「圓寶」！

「啊！！！！圓寶要來攻擊我了，Prik，快丟炸彈！」

「遵命！呀！！！吃我這招！」

Anil 公主兩眼發直地盯著親愛的姪女和她的僕人，一邊在心裡想著：

如果最後圓寶會這樣被炸得體無完膚……

Alin 為何還要姑姑花時間堆雪人啊！

（四）

「從此王子和公主過著幸福快樂的日子……」

Pilanthita 讀完了 Alinlada 最喜歡的這本故事書，女孩望著她的眼神因強烈的睡意而變得朦朧，可愛的模樣使 Pilanthita 不禁低下頭在她細嫩的臉頰上輕輕一吻，然後帶著甜美的語氣問道：

「想睡覺了嗎？」

「還沒，可以再讀一本嗎？聽得正開心呢。」

這道清亮的聲音並非來自 Alin 小朋友，而是來自「大朋友」Prik，她正不停伸長脖子偷聽 Pilanthita 唸給小公主的床邊故事。

「Prik……」Pilanthita 恫嚇的語氣和唸故事書時的聲音完全天差地遠，感覺像是從兩個不同的少女口中說出來的。「去睡吧，小 Alin 也要睡了。」

「遵命。」

Prik暗自感到有點失落，原本還抱著一絲絲希望能在睡前聽到Pin小姐用溫柔甜美的嗓音再讀一本書。

「祝妳有個好夢，Prik。」

這句晚安來自Anil公主柔柔的聲線，Prik的嘴角不由自主地揚起一抹偌大的微笑，因為從小到大不曾有人祝她晚安過，於是Prik準備趕緊倒頭就睡，才不會辜負了難得收到的祝福。

「是的，公主殿下。」

Prik回應了聲後倒在柔軟的床舖上，這時她才意識到自己的全身已經疲憊不堪，因為她一整天都在追逐Alinlada公主，並且瘋狂搔癢殿下的腰，甚至還做了許多雪球子彈攻打圓寶，將她們一起做的雪人摧殘得連個形影都不剩。

「齁齁齁齁齁……呼……呼……齁齁齁齁……」

過不久，Prik獨特的鼾聲顯示她已經安穩進入了夢鄉，Anil公主對Pilanthita微微一笑，後者的懷裡躺著緊抱著Pin姑姑的Alinlada，小姑娘和今天扮演她好友兼敵人的Prik一樣睡得十分香甜。

Anil公主躡手躡腳關掉床頭邊的檯燈，然後悄然無聲地牽起那雙仍在抱著小Alin的小手。

Pilanthita抿起雙唇，這是她害羞時的一貫動作。雖然沒有任何一絲聲響，但兩位少女的身體正在悄悄地對話。

與此同時……

Anil公主的手鬆開了Pin小姐的掌心，毫不害臊地緩緩移向對方的蠻腰，呈現一個自然環抱住Alinlada和Pilanthita的姿勢。而被抱住的少女同樣輕輕搭起公主的腰間。

於是夾在中間的Alinlada便得到來自Anil姑姑和Pin姑姑雙

倍溫暖的擁抱。

　此時，房間裡又再度回蕩起 Prik 規律的鼾聲。

　「齁齁齁齁……呼……呼……齁齁齁……齁齁齁齁……
呼……呼……齁齁齁……」

番外九　PrikPrik

（一）

「醃瓜姑娘～我的小太陽～」

「醃瓜姑娘是什麼鬼？」

Prik正忙著篩選出開得剛剛好的茉莉花，準備製成一串串的花環來佈置大皇宮的廳堂，因為再過幾天，這裡即將舉行Alisa夫人的生日宴。Prik抬頭瞪了一眼面前這位身材精壯、膚色黝黑、鬍鬚蓬亂的男子，臉上充滿了困惑。

「Phrai哥哥能不能不要亂押韻啊？」Prik的深褐色大眼看起來十分惱火。「Anil公主殿下把我教得很好，所以我每個字都會認真聽、認真想。」

「真想打妳的嘴，講過好多次了，我的名字是一聲[14]的Phrai，不是四聲！看清楚哥哥的嘴巴，Phrai，不是Phrài！」

Phrai大哥根本就不在乎Prik後面說的那一長串話，只因為Prik從來沒有叫對他的名字，就已經使他氣急敗壞了。

「隨便你的名字叫什麼，反正我喜歡這樣叫。Phrài哥哥，請問有什麼事找我嗎？」

Prik把手肘頂在二郎腿上，一副想找碴的樣子，以致Phrai忍不住縮起脖子和肩膀，看起來就像一隻縮頭烏龜。

「沒什麼事，誰敢跟妳起衝突呀哈哈……我也只是皇城裡的一介草民，能和Prik一起聊聊天已經算是我的福氣了。」

「哥哥有什麼事就快說吧，我沒空和你鬥嘴，待會還得去松

---

14 ไพร 和 ไพร่ 羅馬拼音相同，但音調不同，前者指「樹林」，後者則是「平民」的意思。

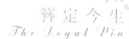

宮陪 Alinlada 殿下玩，少了我，殿下就沒有玩伴了。」

Prik 突然打岔的速度快到令對方措手不及，Phrai 大哥愣愣地眨了眨眼，過了許久後才開口說出重點。

「我只是想約妳一起去烤豬肉，妳的媽媽 Yuan 姨做的烤豬肉沾醬特別好吃。」

「每次見到我都約我去吃烤豬肉。」Prik 厭煩地翻了一個白眼。「Phrai 哥哥真是一點創意也沒有。」

Prik 想起了之前因為看在 Phrai 哥哥大方掏出自己的零用錢買了好幾斤的豬頸肉請僕人們，於是直接答應他要幫忙準備好吃的烤豬肉和沾醬，那餐過後，Phrai 大哥便以此為藉口不斷約 Prik 去做烤豬肉，而此生為美食而活的 Prik 總是一而再，再而三地心軟答應了。

結果卻是被對方逮住了弱點，而且還不停收到 Phrai 使出的美食誘惑。

然而 Phrai 大哥始終沒有說出想從 Prik 身上得到什麼。

只是純粹想天天讓 Prik 陪著吃烤豬肉……還是想與她許定終身？

Prik 對於 Phrai 哥哥曖昧的態度感到十分厭倦，甚至連話都不想對他說，於是只好忍住自己貪吃的欲望，雖然心裡仍渴望品嘗滿桌子的菜餚，但現在她已經能連口水都不吞就拒絕人家了。

「吼……Prik 姑娘，先聽哥哥說嘛。」

Phrai 大哥勉強擠出這幾個字，希望能請對方先留步，他差一點整個人就要跪到地上抓住 Prik 的腿，因為少女正作勢要轉身離開了。

「浪費時間，去陪Alin公主還比較有趣，先走啦！」

Prik踢了一下腿便輕鬆甩開Phrai大哥拚命伸長的手臂，因此使撲空的男子背部直接重重撞擊地面，發出了好大一聲「碰！」，看起來挺可憐的。但Prik絲毫沒有把Phrai大哥的慘狀放在眼裡，她依舊昂首闊步往松宮邁進，連個側眼都沒回頭看。

Phrai大哥只好滿臉失落看著少女離去的背影，忍不住嚎啕大哭了起來，搞得像是個純潔的少女掉進他設下的愛情陷阱中，結果最後卻掙脫出去了。

（二）

熱季的某個午後，西南宮一位深受王子信重的衛兵匆匆跑來蓮花宮，捎來了一個天大的好消息——Anon王子的大女兒蒙拉差翁Ingorada Sawetawarit出生了！

完成任務後，走在回西南宮的路上時，衛兵Prok碰巧遇見Prik獨自坐在池邊的涼亭裡。

曬成古銅色肌膚的少年見狀便直接走進了涼亭，他簡短打了聲招呼後鼓起勇氣在Prik的旁邊坐了下來，接著開始風度翩翩地詠起了四行詩。最近Prik可說是Sawetawarit城裡最炙手可熱的女子，但無論追求者們再怎麼獻殷情都抓不住她的心。

「美麗的姑娘，宛若天仙……下凡人間。」

「摘採銀合歡，在巴布亞紐幾內亞的疆邊。」

Prik像是克制不住自己的嘴般，很順口地把詩接下去。

「巴布亞紐幾內亞是什麼？」Prok不解地皺緊眉頭。

「某一個國家啦，Anil公主殿下曾經跟我說過，我很喜歡這個名字，所以就拿來接Pluak哥哥的詩了。」

Prik 像個滿腹詩書的才女般流利地道。

「我叫做 Prok，麻煩咬字清楚一點。」

小衛兵 Prok 眉眼微斂，一副自信滿滿的樣子。

「最近的男人是怎樣？發音錯了一點點也不行嗎？」

Prik 的腦中浮現出那個叫做什麼 Phrai 的哥哥，每次叫錯名字時，也是一直被那個人糾正。

「Prik 妹妹除了我以外還有其他的男人嗎？」

Prok 繼續瞇著眼，那道眼神像是抓到了犯人。

「唉呀！」

Prik 順著少年自負的劇本裝出些許的驚訝。

「嗯……？」

「總該有一些吧，畢竟我這麼漂亮。」

Prik 輕輕把自己的長髮撥到肩上，自以為這樣看起來很嫵媚動人。

「沒錯……」Prok 擺出一張苦瓜臉。「我只不過是個身無分文的小衛兵，不應該癩蝦蟆妄想吃天鵝肉，Prik 妹妹是 Anil 公主殿下最親近的人之一，我可高攀不起。」

「我不喜歡懦弱的人。」Prik 聲音些許沙啞地呵呵笑了幾聲，帶動肩膀跟著微微聳了幾下。

「我才不懦弱！」Prok 連忙駁斥道。

「從剛才的回覆就能聽出來 Pluak 哥哥是個膽小鬼。」Prik 僵直著脖子反擊道。

「那不然 Prik 要不要來哥哥的房間一下呀？」Prok 滿臉狡猾地咧嘴一笑。

「Pluak 哥哥有自己的房間嗎？我以為是和另外一位小衛兵

共同住一間。」

Prik 掛著同樣的微笑，她的眼皮不停眨呀眨，猶如臉上的神經有點抽筋了。

「夠了……Prik 妹妹。」Prok 的聲音在顫抖。

「……怎麼突然就說夠了呢？」

「因為我很心痛！」

Prok 喊完這句後摀住自己的左胸口，隨即起身奔回西南宮去了，至於 Prik 則悠悠哉哉地坐在原地朝他揮揮手，顯然是在趕對方走，毫無任何依依不捨。

（三）

「Tan 君～」這大概是在眾多追求者裡面，Prik 第一次完美叫對一名少年的名字。「麻煩在這裡停一下船，我要採些蓮花晚上拿去做咖哩。」

Prik 拋著斜斜的媚眼對這位年紀輕輕、體格健壯的少年道，少年正載著 Prik，於蓮花宮前的蓮花池上悠然地划著小船，他穿著一件襯衫，但胸前的所有扣子都被解了開來，露出了結實的腹肌，誘人的肌肉深深吸引著 Prik 的目光。

「這樣好嗎，Prik？我以為我們只是划個船而已，如果妳還要採蓮花的話，我怕我們就沒時間好好聊天了。」

「但剩下的時間我要去把蓮梗煮成咖哩給 Tan 君吃呀！」Prik 笑盈盈道。「這樣不好嗎？」

「蓮梗咖哩我可以請我媽媽去做就好呀。」Tan 君張著水汪汪的大眼盯著 Prik 同樣又圓又大的眼珠，眼神盡是撒嬌的意味。「但我可不會像這樣和媽媽一起划小船。」

「我餓了……」Prik撓了撓自己的大肚子，滿腦子都是食物的模樣。「從早上到現在，連一粒米都沒有進到我的肚子裡。」

「因為妳早上在拚命吞著Phin姨做的炒麵啊。」

「你知道的太多了，親愛的Tan君。總而言之，今晚我想吃椰奶蓮梗咖哩，你有什麼意見嗎？」

「我不敢有異議。」

Tan的臉色稍稍垂了些，但看起來仍莫名充滿一種寵溺的感覺。

「Tan君真是……」Prik的嘴角泛起一抹甜如蜜糖的微笑，不禁令少年繃緊了全身的神經。「每次都對我這麼好。」

「我只是沒有其他選擇了。」

「你說什麼？我聽不太清楚。」

「沒事沒事。」少年尷尬地笑了笑，Prik那道懾人的眼神令他瞬間背脊一涼。「我把船停好了，妳可以開始採蓮了。」

Tan一停妥小船，Prik便開始飛速採起蓮梗，效率好得簡直像是臺採蓮機。不一會的功夫，船頭便堆了滿滿的蓮梗。

「Prik打算煮幾鍋咖哩啊？」Tan一頭霧水地問。「難不成想請整座皇城裡的人吃？」

「不能就我們兩個人吃而已嗎？」Prik笑得促狹。「PrikPrik和TanTan。」

「這樣的話，我們兩個吃飯的時候就沒有朋友一起了。」Tan反駁道。

「誰說我想要有朋友。」Prik微微聳了一下肩。「我是想要有老公啦！」

Prik邊說邊輕輕眨眨眼，試圖為自己增添幾分魅力，進而

迷倒眼前這位勇敢的壯丁。

然而事情卻往反方向發展，Tan的身體因為某種不知名的原因，開始懼怕地顫抖了起來。

「那可以先從陪妳一起吃蓮梗咖哩的朋友當起嗎？」少年斟酌道。

「唔……」Prik露出狡猾的笑容。「Tan君太矜持了吧。」

「我只是在保護自己。」TanTan雙手合十高舉過頭，恭敬地拜了一下Prik。「我們趕緊上岸吧，不然Prik會來不及煮咖哩。」

Tan的話還沒說完，雙臂便開始瘋狂地把槳插進水裡，以最快的速度划回岸邊，怎料回到岸上後，少年的任務可沒這麼輕易就結束，他還得幫Prik把這一大堆蓮梗扛進蓮花宮的廚房裡洗乾淨。廚房裡的氣氛好不熱鬧，因為Koi姨召集了眾多廚娘來幫Prik燉煮一大鍋的椰奶蓮梗咖哩，而Tan也沒閒著，除了清洗的工作之外，他還幫忙去除蓮梗中的蓮花絲，以及將長長的蓮梗折成適口的大小。

至於一旁的Phin正忙著準備鯖魚，每隻魚的魚鱗和魚骨都被她清得一乾二淨，而調味的部分則由Koi姨來負責，她將胡椒、紅洋蔥和蝦醬包在芭蕉葉中，接著火烤至飄出香味，最後再把烤好的香料搗成細細的碎屑。

另一頭，Prik搬出了一個巨大的鍋子來裝Kaew姨剛擠好的椰奶。首先，她將咖哩粉倒進大鍋裡翻炒，待整間廚房瀰漫著香料的香氣後，慢慢倒入些許椰奶炒至收乾，持續一段時間後，原本流動性很強的椰奶變成了濃稠的樣子，這時就能開始用棕櫚糖、羅望子汁和魚露去調味，Prik拿起一隻勺子試了試味道，確認咖哩已經融合了酸、甜、辣等滋味後，她耐心地等椰

奶煮滾，看到鍋裡開始冒出蒸騰的泡泡後，接著倒入蓮花梗和鯖魚肉，繼續煮至這兩種材料都熟透，起鍋前又試吃了一次，最後再用鳥眼辣椒點綴一下就大功告成了。

一大鍋香噴噴的椰奶蓮梗咖哩已經準備好供大家享用，Phin趕緊端來熱騰騰的白飯，為所有共同烹煮這道菜的人都盛上一盤，Prik則找了一個巨型的碗來裝這鍋香氣撲鼻的咖哩，隨後邀請大家一同坐在蓮花宮廚房裡的一大塊竹蓆上大快朵頤。

「Prik煮得好好吃啊！」

舌尖碰到眼前的蓮花梗咖哩那瞬間，Tan忍不住大力讚賞道。

「喜歡就多吃一點呦～」

Prik在所有廚娘們的面前對Tan莞爾一笑，那抹微笑甚至比碗裡的蓮梗還要甜。

「你是來自大皇宮的僕人嗎？以前都沒看過你。」

Koi姨向這位第一次造訪蓮花宮廚房的少年問。

「我是大皇宮的園丁，也是Puek叔的獨生子。」

「如果沒說是Puek叔的兒子，我還以為是哪個貴族人家的少爺呢！皮膚這麼白，一點也不像僕人。」

Phin邊說邊挖了一勺咖哩，吃得相當津津有味。

「冷靜點Phin……」

Prik深褐色的大眼彷彿頓時冒出了火光。

「Tan君……是我的！」

(四)

某個東西正在炙燒的香氣瀰漫了整間大皇宮的廚房，Prik

正忙著幫媽媽 Yuan 姨拔除鳥眼辣椒的籽，一聞到這股撲鼻的香味，她立刻停下了手邊的動作，隨即抬起頭來像隻小狗般認真地不停嗅聞氣味的來源。

「誰在烤東西呀？」Prik 伸長脖子大聲地問在場所有的僕人們。「香味都飄來這裡了。」

「當然是 Phrai 大哥呀～」Yuan 姨馬上公布答案。「他從市場帶回來好幾公斤的豬肉，這還請我幫忙做沾醬呢，所以我才叫妳幫忙剝辣椒啊。」

「原來媽媽是要做烤豬肉的沾醬啊？」

「嗯，要做給 Phrai 的，他說會分一些烤好的豬頸肉給我吃。」

「只給媽媽吃。」Prik 費力地嚥下一口黏膩的唾液。「還是也會分一些給我？」

「我怎麼會知道。」Yuan 姨翹起二郎腿來撐著手肘，像個大姐頭的模樣簡直和 Prik 一模一樣。「妳想知道就自己去問他啊，他就在柴房前面烤肉。」

「那我等等再回來呦～」

Prik 丟下手邊的工作後倏地奔向柴房，柴房的門前站著一位鬍鬚蓬亂的男子，他正全神貫注地炙烤著豬頸肉，烤網上那一大塊肥嫩多汁的豬肉烤得金黃酥脆，燙紅的木炭撞上了剛滴下來的豬油，將這個區塊的空氣注入了極度誘人的香味。

「Phrài 哥哥～Phrài 哥哥～」Prik 叫著對方名字的語調甜得不得了。「在這裡做什麼呀？」

「說過幾次了 Prik，我叫 Phrai，不是 Phrài！」

「好啦，Phrai 哥哥就 Phrai 哥哥，請問哥哥有什麼需要我幫忙的嗎？」

Prik努力討好著笑容燦爛的Phrai大哥。

「幹嘛還要來幫我？妳不是說已經對我的烤豬肉感到厭煩了嗎？」

「哪裡厭煩了呀，Phrai哥哥～」Prik故意瞅了一眼對方。「上次你問我的時候我剛吃飽嘛，所以就隨口拒絕了，但你這次擺明是想用烤豬肉來誘惑我，叫我如何抵擋得住。」

Prik邊說邊毫不客氣地坐在Phrai大哥旁的木凳，熱切地翻動烤網。少女厚實的肩膀看似不經意，卻又很故意地碰到了男子壯闊的肩膀，使得藏在鬍鬚底下那張嚴肅的面孔忍不住紅了起來。

明明知道她是蓄意的……

但Phrài大哥……噢不，Phrai大哥卻心甘情願被她耍。

不只幫忙烤肉，Prik還把第一塊熟得剛剛好的肉夾起來切成一口的大小，然後沾上Yuan姨新鮮特製的醬汁，沾醬裡含有香菜、蒜頭和胡椒，調配成酸酸甜甜的滋味。Prik隨即以試吃之名，直接在Phrai面前將肉塊大口塞進嘴中。

但在她嘗出味道前……

Phrai就先平白輸掉了一大塊的豬肉。

Prik就這樣一直邊烤邊吃，笑意盎然的Phrai雖然偶爾才能吃上幾口，但他卻滿足得像是吞了一大籃的豬肉。

幸好少年還記得和Yuan姨之間的約定，因此事先預留了好幾塊要給阿姨享用，因為若非這麼做，Prik肯定會把所有烤豬肉全部掃進自己的腹中，令他被冠上信口開河的罪名。

就在他們兩人開開心心地烤著豬肉時，從未踏進廚房的Tan突然有了必須來一趟柴房的理由，原來，他是為了幫爸爸Puek

叔烤一隻從朋友那裡獲得的雞，正打算來這裡搬一些木材回去。然而，他的出現悄無聲息，彷彿像一隻鬼一樣！

「借過一下好嗎？」

Tan臉色非常難看地道。Prik赫然嚇了好大一跳，手中的豬肉差點摔到地上，而不知事情來龍去脈的Phrai大哥則趕緊起身為午輕的小夥子開門。

「謝啦。」

Tan簡短道了謝後便大步走進柴房裡搬了幾塊木頭，正當他準備快速離開現場時，Prik立刻依依不捨地將其留下。

「要不要吃口烤豬肉呀，Tan君？我也才剛不是很情願地坐下來吃，是因為Phrai哥哥堅持要我吃我才吃了一點。」

「Prik怎麼這樣說啊？不是已經吃了好幾公斤的肉了嗎？」

Phrai心痛萬分地道。

「噓！！Phrai哥哥安靜，別說出來啦！人家會罵我貪吃的！」

Prik感到厭煩地朝Phrai翻了一個白眼。

「我先走了。」

Tan依舊擺著臭臉漠然地道，他轉了個身，直徑走回僕人的住處。而遭拒絕的Prik見狀立馬跳了起來，把砧板上要留給Yuan姨的烤豬肉都掃進盤子後，拚了命地拔腿狂追。

Prik：「等一下，Tan君！拿一點烤豬肉去吃啦！」

Tan：「我不要，留著跟妳的老公一起吃吧！」

Prik：「哪裡來的老公，他只是剛好認識的人而已！」

Phrai：「啊…呃…欸！！？？」

番外十　Anatta

叮噹～

掛在Depend on U店門上的風鈴突然響了起來，三位店長的目光同時聚焦在門口的動靜，這才發現今天來了個新客人。一位皮膚白皙透亮、身材高䠷纖細的年輕女子走了進來，她穿著一件白襯衫和一條牛仔褲，看起來十分簡約有型。少女直接走到了吧檯的位置，每一個姿態都顯得極為優雅。

近距離看見新客人的長相時，Kan、Pie和Poradee都驚訝得目瞪口呆。

嬌小的臉蛋有著美麗的輪廓，一道彎彎的柳眉，漆黑深邃卻晶瑩透亮的眼眸，翹挺的鼻子，豐潤的雙唇，細長的脖子，雪白的肌膚令Poradee不禁瞇起眼來抵擋對方散發出來的光芒。

不知道什麼風把Anatta（小名叫做Ai）吹進Depend on U這間店名很奇怪的餐廳，今天她想做點不一樣的事，例如隨便在路上找一家陌生的餐廳進去好好享用一頓美食。

「請問可以點餐嗎？」少女笑得燦爛，將臉頰上擠出了兩顆深深的梨渦。

身為老闆娘的Pie連忙露出親切的微笑，接著以甜甜的嗓音道：

「小姐，不好意思……」

「……」

「今天我們餐廳暫時停止營業。」

沒想到竟然隨便選到了一家臨時休息的餐廳。

年輕的老闆娘們前一秒正在享用桌上的蘋果派。除了Pie之外，其餘的老闆娘之中，第一位美得令所有人經過都得回頭多看好幾眼，而第二位膚色黝黑、體型豐滿且唇邊還沾上一些蘋果派碎屑的少女，應該要用「獨具一格」來形容她的外貌比較適當。

　　Anatta目不轉睛地盯著那位擁有深褐色眼珠的少女，那張貌似曾經在哪裡看過的臉彷彿潮水般，一波接著一波喚起了某個深藏的記憶，以致她不經意叫出了某個自己也不是很懂意思是什麼的名字。

　　「……這不是Prik嗎？」

　　「……」

　　「真的是Prik啊！」

　　　　　　　　　　　　　　　　　——敬請期待未來新作

　　　　　　　　　　　　　——《The Loyal Pin 簪定今生》全書完

高寶書版集團
gobooks.com.tw

GSL016
The Loyal Pin 簪定今生　下
The Loyal Pin ปิ่นภักดิ์

作　　　者	Monmaw ม่อนแมว
譯　　　者	椒麻雞
封 面 繪 圖	VISE
編　　　輯	賴芯葳
美 術 編 輯	彭裕芳
排　　　版	彭立瑋
企　　　劃	黃子晏

發 行 人	朱凱蕾
出　　版	三日月書版股份有限公司
	Mikazuki Publishing Co., Ltd.
地　　址	臺北市內湖區洲子街 88 號 3 樓
網　　址	www.gobooks.com.tw
電　　話	(02) 27992788
電　　郵	readers@gobooks.com.tw（讀者服務部）
傳　　真	出版部　(02) 27990909　行銷部 (02) 27993088
郵 政 劃 撥	19394552
戶　　名	英屬維京群島商高寶國際有限公司臺灣分公司
發　　行	英屬維京群島商高寶國際有限公司臺灣分公司 / Printed in Taiwan
	Global Group Holdings, Ltd.
法 律 顧 問	永然聯合法律事務所
初 版 日 期	2024 年 9 月

國家圖書館出版品預行編目 (CIP) 資料

簪定今生 / Monmaw 著；椒麻雞譯 . -- 初版 . -- 臺北市：
三日月書版股份有限公司出版：英屬維京群島商高寶國
際有限公司臺灣分公司發行 , 2024.09
　面；　公分 . --

譯自：The Loyal Pin ปิ่นภักดิ์

ISBN 978-626-7391-34-1 (上冊：平裝). --
ISBN 978-626-7391-35-8 (下冊：平裝). --
ISBN 978-626-7391-36-5 (全套：平裝)

868.257　　　　　　　　　113013915